Войнович

Войнович

В стиле
Андре Шарля Буля

Москва
2016

УДК 821.161.1-3
ББК 84(2Рос=Рус)6-44
В61

Оформление серии — *Андрей Сауков*

Фотография на переплете — *Валерий Плотников*

Иллюстрация на переплете — *Филипп Барбышев*

Войнович, Владимир Николаевич.

В61   В стиле Андре Шарля Буля / Владимир Войнович. —
Москва : Издательство «Э», 2016. — 320 с. — (Классическая
проза Владимира Войновича).

ISBN 978-5-699-91237-7

В этот сборник вошли как художественные произведения
В. Войновича — повесть, рассказы, сказки, — так и публицистические. В частности — колонки, которые автор писал по
заказу «Новых Известий». В этой книге удивительным образом
соединились остроумное высмеивание человеческих пороков и
извечных бед России, философская притчевость и лелеющая душу
лиричность. Так и хочется продолжить стихотворение В. Войновича «Рулатэ», которое многие считают народным:

> Если тебе одиноко взгрустнется,
> Если в твой дом постучится беда,
> Если судьба от тебя отвернется,
> ...Книжечку эту возьми ты тогда.

УДК 821.161.1-3
ББК 84(2Рос=Рус)6-44

ВЛАДЫЧИЦА

Повесть

Эту историю слышал я от многих людей. Одни говорили, что все это случилось давным-давно, не то в тринадцатом, не то в четырнадцатом веке, где-то в Сибири, другие — на Волге, а старики стояли на том, будто это произошло на Севере, у холодного моря. Я поверил старикам и представил себе, как это все было.

Между морем и лесом стояла деревня. Лето здесь было короткое, земля скудная, и люди занимались в основном охотой и рыбной ловлей.

Правил людьми некий Дух, хозяин моря и леса. Он помогал им в охоте и в рыбной ловле, защищал от злых сил, от голода и болезней и строго наказывал за отступничество.

А для осуществления воли его был на земле у Духа свой представитель — его жена, Владычица, которую выбирали для Духа старейшие и мудрейшие. Жила она в высоком тереме, стоявшем в стороне от деревни, и люди ходили к ней со своими горестями и радостями, просили совета в трудных случаях, благодарили подарками за удачу.

Но Владычица была смертна, как и простые люди, и, когда она умирала, старейшие и мудрейшие подыскивали ей замену, отбирали из молоденьких девушек самую красивую, самую ловкую и, конечно же, самую умную.

Стоял солнечный, веселый весенний день. В полу-развалившемся стогу сена недалеко от деревни сидели Манька и Гринька и, пользуясь тем, что никто их не видит, обнимались и целовались без всякой меры. Но когда Гринька позволил своим рукам лишнее, Манька его оттолкнула.

— Ты чего? — спросила она сердито.

— А чего? — сказал Гринька, смутившись. — Я ничего.

— Ну да — ничего. Гулять гуляй, а рукам воли не давай.

— Да я ведь так просто... — Гринька поискал слово, — по-суседски.

Манька засмеялась и шутя стукнула его по голове.

— Вот дурак, скажет тоже. Разве ж по-суседски лазют куда не след?

— А куда лазют? — невинно поинтересовался Гринька.

Манька отвернулась от него, запрокинула голову, подставляя лицо теплому весеннему солнцу.

— А и правда ты непутевый. Не зря тебя дразнят так.

— Ну уж прямо сразу и непутевый, — возразил Гринька. — А у путевых откуль дети родятся?

— Вот язык! Несет, сам не знает чего. Нет, Гринюшка, я так не хочу.

— А как хочешь? — поинтересовался Гринька.

— Хочу, чтоб все было как у людей. Чтоб свадьба была на всю деревню, чтоб брагу пили, чтоб песни пели. Хочу быть женой.

— Да я что, я разве против? — сказал Гринька. — Я уже с тятькой обо всем договорился. Вот в море по рыбу сходим, засылаю сразу к тебе сватов, и идем к Владычице под святое благословение.

— Правда? — обрадовалась Манька.

— Что ж я, врать буду?

Манька коснулась своим плечом плеча Гриньки. Гринька, не теряя времени даром, тут же вцепился в Маньку. Но Манька была начеку и, чтоб дело не заходило слишком далеко, опять оттолкнула Гриньку.

— А ты как, сразу и ко мне, и к Анчутке косой свататься будешь или по очереди? — спросила она.

— А при чем тут Анчутка? — удивился Гринька.

— Как будто я не видала, как ты вчерась с ней на завалинке лапался.

— Да это ж я так, — смутился Гринька, — ну от нечего делать.

— По-суседски, — скосила глаз Манька.

— Ну да.

— Ну и слезай отседова, — рассердилась Манька. — Иди к своей косой и хоть лапай ее перелапай, а здесь нечего сено чужое толочь.

Она опять от него отвернулась. Гринька сидел надувшись, но слезать с сена не собирался.

— Слышь, Манька, — сказал он ей, помолчав, — ты это... Да и кто она есть, коль сравнить с тобой? Страшилище, да и все.

— А еще кто? — спросила Манька.

— Косая, — с готовностью ответил он.

— А еще?

— Рябая.

— А еще? — потребовала Манька.

— Горбатая, — ляпнул Гринька, ничего не придумав.

— Ну зачем уж лишнее говорить! — ласково упрекнула она, придвигаясь к Гриньке.

Гринька, осмелев, опять полез обниматься, но она, вдруг испугавшись чего-то, ткнула его лицом в сено, сама упала рядом и затаилась.

Со стороны деревни к стогу подошла маленькая пожилая женщина с темным лицом. Это была Манькина мать — Авдотья.

— Манька! — позвала она, задрав голову к стогу.

Ей никто не ответил.

— Манька, слышь, что ли, нечистый тебя заешь! — Она схватила торчавшую из сена Манькину ногу и потащила к себе.

Вместе с Манькой сполз Гринька. Они стояли перед Манькиной матерью, осыпанные сеном, и смущенно переминались с ноги на ногу. Авдотья посмотрела на них грустно, но без укора и, едва разжав губы, тихо сказала:

— Матушка, наша Владычица, преставилась нынче в обед.

Авдотья повернулась и пошла обратно к деревне.

В стороне от деревни, ближе к морю, стоял высокий, огороженный забором терем — жилье Владычицы. Вдоль аккуратной дорожки, между теремом и калиткой, выстроились в два ряда старухи, одетые в черное. Народ толпился снаружи, налегая на забор. Тут же ходил горбатый мужик, покрикивая:

— Эй, народ, не толпись! Осади, окаянные, вы же забор повалите!

К Гринькиному отцу Мокею подошел сосед Фома. Спросил тихо:

— Ну, что слыхать?

— Говорят, обмыли, обрядили, выносить будут, — отвечает Мокей.

— Ой, не вовремя это все! Кабы зимой... А то ведь хлеб сеять надо, в море по рыбу надо идтить, Афанасьич на завтра наказывал лодки готовить, а теперь что ж?

— А у меня, слышь, тоже вот все прахом пошло, — признался Мокей. — Гриньку я собирался женить. Время горячее, хозяйка нужна, а теперь все откладывай — когда это будет новая Владычица! Да и будет ли?

Сквозь толпу пробирался Гринька, отыскивая глазом кого-то, должно быть Маньку, и наткнулся на двух старух, которые вполголоса толковали между собой, обсуждая подробности:

— Два дня у ней жар был и поясницу ломило, а вчера до свету еще поднялась, вышла на крылечко. Тут к ней Никитка подошел, она его заговорила от дурного глаза. А нянька Матрена ей еще говорит: «Вот, матушка, поднялась ты все же. Авось и пройдет». А она говорит: «Нет, Матренушка, не пройдет. Чую я, Святой Дух зовет уж меня к себе, требует. Слышь, все шумит, шумит». Матрена послухала, а чего она может услыхать? Если он и шумит, так не для нас же. Сказала так матушка, а сама поднялась и еще говорит: «Каши хочу пшенной с молоком». И пошла к себе в покои. Матрена каши наварила, приносит...

Гринька протиснулся к говорившей старухе:

— Какой, бабушка, каши?

— Пшенной, милок, пшенной, — заискивающе заулыбалась старуха. — Я-то сама не знаю, народ говорит, будто пшенной.

— А улыбаешься ты чего? — спросил Гринька. — Весело, что ли?

Старуха быстро согнала улыбку и поспешно изобразила на лице своем скорбное выражение.

— Вот так, — сказал Гринька. — Так красивей.

В это самое время Манька стояла чуть поодаль, уткнувшись носом в забор, и смотрела в дырку от выпавшего сучка. В дырке видна была часть двора, где под аккуратно сложенной поленницей лежала сонная клуша с выводком желтых цыплят. Мимо прошлепали чьи-то босые ноги, клуша забеспокоилась, подняла голову, но ноги прошли, и она снова впала в дремоту. Подошел кто-то сзади и дохнул прямо в ухо:

— Слышь, Манька, дай поглядеть.

Манька, не оборачиваясь, узнала Анчутку Лукову.

— Уйди, — сказала Манька, пихая Анчутку плечом.

— Слышь, Манька, ну пусти, хоть одним глазком, — тон у Анчутки смиренный, просительный.

Но Манька не удержалась, съязвила:

— Да куды ж тебе им глядеть? Глазок-то у тебя косой.

— А у тебя не косой? — теперь Анчутка пихнула Маньку плечом.

— А у меня не косой. — Манька пихнула ее обратно.

— А у тебя ноги кривые, — снова толкнула Анчутка.

— У меня кривые? — возмутилась Манька. — На вот, погляди, где у меня кривые?

Анчутка стала приседать и подпрыгивать.

— А вот и кривые, кривые, кривые...

С диким воплем Манька вцепилась сопернице в волосы. Та ответила тем же. Обе повалились на землю, стали барахтаться. Манька ухватила Анчутку за ухо, а Анчутка Маньке укусила плечо.

Толпа разделилась. Часть по-прежнему ожидала выноса тела, другая наблюдала за поединком. Раздавались возгласы и советы.

— Дави ее, Манька, дави.

— Анчутка, не поддавайся.

— Манька, ухо оторвешь — не выбрасывай, засолим.

— Анчутка, кусай ее за нос.

Подлетела мать Маньки.

— Да вы что, оглашенные? Манька, слышь, ты чего это удумала? В такой-то день! А ты, зараза косая! — Она схватила Анчутку за руку и потянула к себе.

Подоспела и мать Анчутки.

— Это кто косая, кто косая? — закричала она. — Моя девка косая?

— А то какая ж?

Тут мать Анчутки кинулась с воплем на мать Маньки, и в это время кто-то закричал:

— Несут! Несут!

Подбежал горбатый мужик:

— Несут. Слышите, что ля! Да что же вы тут сцепились, чтоб на вас болячка напала!

Кое-как ему удалось разнять дерущихся. Они поднялись с земли, сразу вытянулись, придавая лицам своим чинное выражение. Только Манька не удержалась и шепотом сказала Анчутке:

— Вот я тебе ужо всю морду в кровь раздеру.

— Еще посмотрим, кто кому, — так же шепотом ответила ей Анчутка.

Дверь терема отворилась, сперва показался Афанасьич, высокий старик с белой окладистой бородкой, а за ним мужики, которые на специальных черных носилках несли покойницу, обряженную в белое. И сразу вступил в дело хор старух, стоявших вдоль дорожки. Старуха, стоявшая на правом фланге, запевала, а остальные подхватывали:

Ты, рябинушка, ты, кудрявая,
Ты когда взошла, когда выросла?
Ты, рябинушка, ты, кудрявая,
Ты когда цвела, когда вызрела?
— Я весной взошла, летом выросла,
Я весной цвела, летом вызрела.
— Под тобою ли, под рябинушкой,
Что не мак цветет, не трава растет,
Не трава растет, не огонь горит,
Растекаются слезы горючие.
А кипят они, что смола кипит,
По душе ль, душе-лебедушке,
По лебедушке, по голубушке,
По голубушке нашей матушке,
Нашей матушке да Владычице.
Улетела ты, что кукушечка,
Разорила ты тепло гнездушко
И оставила своих детушек,
Своих детушек, кукунятушек,
Что по ельничку, по березничку,
По часту леску, по орешничку.
Как заплачут твои кукунятушки:
«На кого же нас ты оставила?

На кого же нас ты спокинула?
Воротись-ко к нам, своим детушкам,
Воротися к нам в тепло гнездушко,
Не лети на чужу дальню сторону,
Дальню сторону, незнакомую».

Толпа зарыдала. Женщины заламывали руки, пада-ли, бились, причитая, о землю.

Процессия двигалась в сторону кладбища, которое расположено возле самого моря.

Чуть поодаль от кладбища вытянулся в одну линию ряд невысоких, поросших редкой травой холмов. За по-следним холмом — свежевырытая могила.

— Сюда кладите, — приказал Афанасьич, и носилки опустили рядом с могилой.

Старик первый приложился губами ко лбу покойни-цы и отошел, освобождая место другим. За ним верени-цей пошли остальные.

Где-то в хвосте этой очереди двигалась Манька с ма-терью.

— Мамонька, — спросила дочь, — а как же мы теперь без Владычицы будем жить?

Она задала этот вопрос громко, и мать испуганно дернула ее за рукав. Потом вполголоса объяснила:

— А мы без нее не будем. Это тело ее сносилось, а душа осталась живая. Дух Святой из нее душу вынул и в другое, молодое, тело вселил.

— А где ж это тело? — недоверчиво спросила Манька.

— Где-то здесь, — убежденно сказала Авдотья. — Завтра, должно, вызнанье начнется.

— А как это можно вызнать?

— Молчи! — оборвала ее Авдотья.

Подошла их очередь. Авдотья опустилась на колени, приложилась ко лбу Владычицы и уступила место дочери.

Они отошли в сторону. Прошло еще несколько че-ловек. Снова выступил вперед высокий старик и при-казал:

— Опускайте!

Подбежали четыре мужика, подвели под носилки жгуты из длинных вышитых полотенец.

Хор старух, выстроившись в стороне от могилы, затянул новую песню:

> Со восточной со сторонушки
> Подымалися да ветры буйные
> Со громами со гремучими,
> Со молоньями да с палючими;
> Пала с небеси звезда
> Все на матушкину на могилушку.
> Расшиби-ка ты, громова стрела,
> Расшиби-ка ты мать — сыру землю!
> Развались-кося ты, мать-земля,
> Что на все четыре стороны,
> Скройся-ка да гробова доска,
> Распахнитеся да белы саваны,
> Отвалитеся да ручки белыя
> От ретива от сердечушки,
> Разожмитеся да уста сахарные!
> Обернись-кося да наша матушка
> Тут перелетною да соколицею,
> Ты слетай-кося да на сине море.
> На сине море да Хвалынское,
> Ты обмойка-ка, родна матушка,
> С белого лица ржавчину,
> Прилети-ка ты, наша матушка,
> На свой ет да на высок терем,
> Все под кутеси да под окошечко,
> Ты послушай-ка, родимая матушка,
> Горе горьких наших песенок.

И снова зарыдала толпа. Афанасьич первым бросил в могилу горсть земли. За ним прошли остальные по нескольку раз, пока не вырос над могилой небольшой холм.

Утром ходил по деревне горбатый мужик, собирал народ:

— Эй, народ, выходи, никто дома не сиди, будем пить и гулять, Владычицу вызнавать! Эй, народ, выходи...

На деревне заканчивались последние приготовления к торжеству. Топились бани, шипели в утюгах угли, из сундуков вынимались самые лучшие сарафаны и ленты. Распаренные, красные, взволнованные девки и не меньше их взволнованные матери носились по дворам, суетились — событие предстояло серьезное.

Вот Анчутка только что после бани придирчиво осматривает свой наряд, одеваясь с помощью матери. Вот на другом дворе какая-то девка застыла над бочкой с водой, пытается разглядеть свое отражение, поправляет прическу.

Некрасивое, нескладное существо стоит посреди избы, напялив на себя все, что можно. Ее мать сидит на лавке и не скрывает своего полного восхищения:

— Уж какая красавица, какая красавица! — радуется она. — А уж зубы, ну чистый жемчуг!

«Красавица» самодовольно улыбается.

Тем временем на опушке леса в ожидании предстоящего торжества собирались жители деревни: мужики, бабы, дети.

Два здоровых парня притащили большой неструганый стол и опрокинутую на него лавку. Подошли Афанасьич с Матреной, нянькой Владычицы.

— А сама Владычица перед смертью ничего не говорила, не намекала? — допытывался старик у Матрены, следя за парнями, устанавливавшими стол на траве.

Матрена ответила, подумав:

— Да говорила еще по осени про Таньку Николину, так она ж замуж за Степку вышла.

Афанасьич хмыкнул:

— Да она хоть бы и не вышла, куда ей, тупая! Ну ладно, поглядим. — Он отошел от Матрены. — Здорово, старички! — сказал, подойдя к группе седобородых дедов, стоявших особняком.

— Здорово, Афанасьич! — хором ответили старички. Афанасьич обошел всех, каждому пожал руку.

А Манька еще сидела в своей избе, на лавочке у окошка, и смотрела на улицу. Мать стояла возле нее, уговаривала:

— Слышь, доченька, собирайся, пойдем.

— Не пойду, — уперлась Манька.

— Доченька, да как же так? — в нетерпении всплеснула руками Авдотья. — Народ-то уж давно собрался, а нас все нету.

— А нам там неча делать. Я ж тебе говорю, нету во мне ничьей души, окромя моей собственной.

— Да откуда ж ты знаешь? — сердилась мать. — Откуда тебе это ведомо? Это старики еще вызнавать будут, у Духа Святого выспрашивать.

— А чего там выспрашивать? Неужто я в себе другую душу-то не почуяла б? А то все как было, так есть, как хотела я с Гринькой жить, так и сейчас хочу.

— Ах ты, охальница! — закричала мать. — Да как ты можешь таки-то слова говорить. Вот услышит тебя Дух, покарает.

— Не покарает, — уверенно сказала Манька. — Он ведь знает, что в душе моей нет ничего, окромя только Гриньки.

— Вот я сейчас отца позову, он из тебя вожжой всю дурь твою вышибет.

Мать вышла на крыльцо и увидела мужа, который лежал на сене возле крыльца, бормотал что-то бессвязное.

Мать посмотрела на него осуждающе, покачала головой:

— Эх, охламон, надрызгался!

— Иди гуляй, — сказал муж, не оборачиваясь.

— Я вот тебе погуляю. А ну, вставай! — Она сбежала с крыльца и ткнула его носком лаптя.

— Ну чего?

— Чего-чего! Пьянь несчастная. Владычицу вызнавать надо идти, а дочь твоя упирается.

— Ну и что? — беспечно спросил он, все еще надеясь, что его оставят в покое.

— Я тебе покажу — что! А ну подымайся! — Она опять ткнула его лаптем, но уже изо всей силы.

— Ты что, Авдотьюшка? — Он быстро вскочил на ноги. — Сказала б по-людски: так, мол, и так, дело есть, вставай, а ты сразу бьешься...

— Иди-иди. — Она подтолкнула его кулаком в спину.

Манька сидела на прежнем месте, глядела в окошко, не обращая никакого внимания на вошедшего в избу отца. Отец растерянно посмотрел на Авдотью.

— Ну, чего делать? — спросил он.

— Прикажи дочери, пущай собирается.

— Дочка, собирайся, — послушно сказал отец.

Дочь пропустила эти слова мимо ушей.

— Ну что ж ты за отец? — сказала Авдотья презрительно. — Ты говоришь, а она тебя и слухать не хочет. Да ты сними вон вожжу и поучи, как следует быть в таком разе. Бери, говорят тебе, — она схватила вожжу и хлестнула отца по заду так, что он подскочил от боли.

— Что же ты дерешься-то? Больно ведь! — закричал отец. Он взял вожжу и, подойдя к дочери, сказал ласково: — Поди, дочка, добром, не то ведь она меня совсем зашибет.

Манька промолчала. Мать подошла и повалила ее на лавку, сама села ей на ноги. Отец все еще растерянно топтался перед распластанной на лавке дочерью.

— Доченька, — сказал он, — ты же видишь, я не хочу, а она меня заставляет.

— Заставляет, так бей! — закричала Манька. — Хоть убей совсем, все одно никуда не пойду.

Отец еще потоптался и нехотя взмахнул вожжой.

— Да куда ж ты бьешь, глупая голова? — сказала мать. — Платье попортишь, а оно у нее одно.

Она задрала дочери подол и сказала удовлетворенно:

— Теперь бей, да покрепче, пока самому не попало.

Отец бил Маньку долго. Она лежала молча, сцепив зубы от боли, и только вздрагивала. Потом не выдержала.

— Хватит драться, — сказала она. — Пойду. Ищите во мне душу святую, может, чего и найдете.

Отец сложил вожжи. Мать встала с лавки.

— Так бы и давно, — сказала она.

Манька сползла с лавки, поправила платье. Морщась от боли, схватилась рукой за побитое место.

— Обормоты проклятые! — простонала. — Дочь родную до смерти засечь готовы.

Вышли втроем во двор. Мать с дочерью пошли к калитке, а отец остался возле крыльца.

— А ты не пойдешь, что ли? — обернулась Авдотья.

— Приду опосля, — сказал отец. — По хозяйству еще надо заняться.

— Уж ты приходи, — попросила Авдотья. — А то неудобно: народ соберется, а тебя нет. Праздник ведь.

— А как же, праздник, — охотно согласился отец.

Он подождал, пока жена с дочерью скрылись за углом соседней избы, и улегся на старое место.

На поляне за столом сидели бородатые старики, человек шесть-семь во главе с Афанасьичем, и разглядывали очередную претендентку.

— Ну-ка, поворотись, — приказал Афанасьич. — Еще. Так. Зубы покажи. Ага. Юбку чуть-чуть подбери, ноги посмотрим. Чем колено ссадила?

— В море, Афанасьич, об камень ударилась, — объяснила девица смущенно.

— А не хромаешь, нет? А пройдись-ка туда-сюда. Ничего, вроде не хромает, — обернулся он к соседу слева.

— Да вроде нет, — сказал сосед слева.

— Ну ладно. Становись туда, — Афанасьич указал на группу девиц, уже прошедших эти странные смотрины. — Кто там еще?

Вышла Анчутка. Платье расшито бисером. На ногах расписные сапожки.

— Ближе подойди, — приказал старик. — Повернись. Зубы покажи. Закрой-закрой, хватит. Сапожки зачем надела? Лапоточков не нашла?

— А на что лапоточки? — бойко спросила Анчутка. — У меня ноги ровные, погляди. — Она приподняла юбку и приспустила немного сапоги.

— Ладно, — сказал старик. — Не надо. — Он повернулся к старику справа: — Ну как?

— Да так, ничего, — шепотом ответил старик. — Косовата немножко.

— Это не беда, — сказал Афанасьич и показал Анчутке один палец: — А ну, погляди сюда. Сколько пальцев?

— Один, — сказала Анчутка.

— А не два? — лукаво спросил он.

— Один, — нагнув голову, упрямо сказала Анчутка.

— Ладно. Становись туда. Следующая.

Вышла некрасивая девушка. Фигура нескладная, глаза маленькие, нос картошкой. Афанасьич переглянулся со стариками и решил:

— Становись обратно.

— А зубы показать? — с надеждой спросила девушка.

— Не надо, — сказал старик, — становись обратно.

Девушка сморщилась и заплакала.

— А чего ж зубы не смотришь? Они у меня знаешь какие — чистый жемчуг.

— Пусть покажет, — пожалел старик справа.

— Покажь, — неохотно согласился Афанасьич.

Она с готовностью широко раскрыла рот.

— Становись обратно, — вздохнул старик. — Кто еще?

— Мы, — вышла мать Маньки.

— Ты, что ли? — удивился старик.

В толпе засмеялись.

— Не я. Дочка моя, Манюшка.

Схватив за руку и выведя из толпы Маньку, она толкнула ее к столу. Манька стояла, опустив голову, насупившись.

— Что такая сердитая? — спросил старик. — Подними голову. Улыбнись.

Манька в ответ сделала рожу.

— Ну и улыбочка! — покачал головой старик.

— С характером девка, — сказал старик справа.

— Материн характер, — сказал Афанасьич. — Слышь, Авдотья, — крикнул он Манькиной матери, — твой характер у дочки?

— Мой, — сердито сказала Авдотья.

Старики засмеялись. Манька посмотрела на них исподлобья и, не сдержавшись, тоже заулыбалась.

— Стань туда, — старик, довольный, показал в сторону, где стояли отобранные.

Десятка полтора неуклюжих рыбацких лодок далеко отошли от берега. Светило солнце, был полный штиль, довольно редкий для холодного моря. Лодки выстроились в линейку носами к берегу, и на каждом носу — будущая Владычица в одной рубашке, потому что в те времена других купальных принадлежностей девушки не имели. Афанасьич на легкой долбленке прошел перед строем лодок, командуя:

— Ровнее, ровнее! Эй, Егорыч, куда вылез вперед? Сдай обратно! Вот так. Ну... — Пристроившись с правого фланга, старик бросил весла и поднял руку.

Манька стояла на третьей от Афанасьича лодке и, кося одним глазом на старика, мелко постукивала зубами то ли от холода, то ли от возбуждения.

— Давай! — Афанасьич резко опустил руку.

Манька вместе со всеми плюхнулась в воду и почувствовала, как обожгло ледяной водой тело и перехватило дыхание. Но тут же на смену первому ощущению пришло другое — ощущение силы и уверенности в себе. Она попеременно выбрасывала вперед руки, и тело ее при каждом взмахе наполовину высовывалось из воды.

На берегу волновались болельщики. Гринька с тревогой вглядывался в плывущих, пытался и не мог различить среди них Маньку, хотя по каким-то признакам и догадывался, что вон та, впереди всех, — она! Авдотья стояла спокойно, потому что на таком расстоянии не могла разглядеть никого. Но пловчихи приближались. Вот они уже стали доступны для глаз Авдотьи. Авдотья встрепенулась.

— Ну, доченька, — забормотала она, дергая подбородком, — ну еще чуток! Ну!

Когда-то она тоже была молодая и в плавании не знала равных во всей деревне. Но что это? Уже совсем близко, когда до берега осталось саженей двадцать, не больше, Манька вдруг перевернулась на спину и, безмятежно раскинув руки, едва перебирала ногами, лишь бы держаться.

Гринька, стоявший рядом с Авдотьей, облегченно вздохнул. Авдотья посмотрела на него и все поняла.

— Манька! — Она кинулась к самой воде, намочила лапоть и отскочила. — Манька, зараза такая, не будешь плыть, я тебе дам!

Манька слышала ее голос, но не спешила. Такой уговор был с Гринькой — не торопиться. Вот уже кто-то и догоняет ее, часто шлепая ладонями по воде. Пускай догоняет. Манька прижмурила веки, но неплотно, просеивая сквозь узкие щелки солнечные лучи.

— Что, сдохла? Кишка тонка! — услышала рядом злорадный голос.

Манька от неожиданности хлебнула горькой морской воды, перевернулась на живот. Обдав ее брызгами, проплыла мимо и уходила вперед Анчутка. Этого Манька стерпеть не могла. И, забыв о своем уговоре с Гринькой, рванула вперед, словно щука за карасем.

Оживилась на берегу Авдотья:

— Давай-давай, доченька, дави ее, стерву косую.

Засуетился и Гринька.

— Манька, опомнись! — закричал он.

Но уже было поздно — Манька с Анчуткой подгребали к берегу.

Авдотья, подхватив с земли сухую одежду, кинулась к дочери.

— Доченька моя — первая! — радовалась она, обнимая и целуя Маньку.

— Куды уж там первая! — возразила Анчуткина мать. — Моя уж ногами по дну шла, а твоя еще пузыри пускала.

Манька, запыхавшись, ловила ртом воздух и никак не отвечала на Гринькин укоряющий взгляд.

Много еще было между соперницами, если сказать по-теперешнему, состязаний. Бегали наперегонки — кто быстрее, плясали под жалейку — кто лучше, пекли пироги — кто вкуснее.

Последний тур проходил опять на поляне. Опять сидели за столом старики и стоял полукругом народ. Перед судейским столом остались двое — Анчутка и Манька. Одна из них должна стать Владычицей.

Первую загадку загадал Афанасьич:

— «Над бабушкиной избушкой висит хлеба краюшка. Собака лает, а достать не может».

— Месяц! — закричала, догадавшись, Анчутка.

— Угадала, — одобрил старик. — Может, и еще угадаешь: «Дом шумит, хозяева молчат, пришли люди, хозяев забрали, а дом в окошко ушел».

— Это не знаю, — сказала Анчутка. — Это глупость какая-то. Как может дом в окошко уйти?

— Да вот может, — усмехнулся Афанасьич и повернулся к Маньке: — А ты как думаешь?

— Я думаю, — рассудила Манька, — дом шумит — это море, хозяева молчат — рыба в сети. Сеть вытащили, рыбу забрали, а дом остался.

— Соображает, — встрепенулся маленький подслеповатый старичок, который до этого сидел самым крайним и дремал. — А вот я ей сейчас задам вопрос на засыпку: «Поле не меряно, овцы...» — Он растерянно замигал. — Забыл.

Все засмеялись.

— «Овцы не считаны, пастух рогат», — сказала Манька.

— Я знаю — ночь, — сказала Анчутка.

— Это все знают, — сказал Афанасьич.

— А я еще одну знаю, — выкрикнул маленький старичок. — «Без рук, без ног...»

— Эту не надо, — оборвал его Афанасьич. Он повернулся к Анчутке: — Летело стадо гусей. Мужик увидел и говорит: «Поди вас сто». А гуси ему отвечают: «Кабы нас столько, да еще столько, да полстолько, да четверть столько, да ты один, то было бы сто». Сколько было гусей?

— Сто, — сказала Анчутка.

— Ты вникни лучше, — строго сказал старик.

— Кабы столько, да еще столько, да полстолько, да четверть столько, да еще мужик...

— Я ж и говорю — сто, — упорно повторила Анчутка.

— Не соображаешь, — сказал Афанасьич и повернулся к Маньке: — А ты как думаешь?

— Ну, значит, так... — Манька стала загибать пальцы. — Без мужика остается девяносто девять. А потом четверть и полстолько, две четверти всего три, два раза по четыре четверти — восемь, восемь и три — одиннадцать, в одной четверти девять, в четырех — тридцать шесть. Тридцать шесть гусей было.

Афанасьич пошептался о чем-то со своими товарищами, потом все вышли из-за стола. Афанасьич взял

Маньку за руку, вывел на бугор, повернул лицом к морю и упал вместе с ней на колени. А все остальные повалились на землю ниц, как бы ожидая той кары, которая может последовать, если они что-нибудь не так сделали.

— Дух Святой! — громко сказал старик. — Ты хозяин моря и леса, хозяин над всякой тварью, хозяин над человеком. Вот тебе жена от народа нашего. Хороша ли, плоха ли, может, и не по нраву тебе придется, а лучше нет среди нас. Пусть, Владыка, она будет твоею рабою, а над нами, детьми твоими, Владычицей. Встань, покажись Владыке, — обратился он к Маньке.

Она послушно поднялась и застыла с окаменевшим лицом. И люди подняли головы. И сквозь тучи прорезался тонкий солнечный луч и осветил лица людей.

И в народе прошел шум. Все встали. Кто-то крикнул:

— Слава Владычице! — но крикнул не вовремя.

И Афанасьич поднял руку и сказал, обратившись к Маньке с поклоном:

— Матушка наша, пресвятая Владычица! Дух Святой подает нам знак, что с охотою берет тебя в жены. Служи ему по правде, будь верной до самой смерти. А нарушишь в чем закон верности — ляжешь в землю живая, а народ твой постигнет великая кара. Помни об этом. Ты теперь у нас самая старшая. Ты наша матушка, а мы твои дети.

Манька стояла растерянная и ошалелая, еще не в силах понять и осмыслить всего, что произошло. А старик снова поклонился ей в пояс. Вместе с ним поклонились Владычице все остальные.

И опять кто-то крикнул:

— Слава Владычице! Слава Владычице!

И тут произошло невообразимое. Вся толпа повалилась на землю, все стали исступленно биться о землю, истошно выкрикивая:

— Слава Владычице! Слава Владычице! Слава Владычице!

Бился о землю в поклонах Афанасьич, бился отец Гриньки Мокеич, билась рядом с матерью, рыдая от только что перенесенного позора, Анчутка, и все же вместе со всеми выкрикивая:

— Слава Владычице!

Манька стояла посреди этого вдруг взбесившегося круга и затравленно озиралась, не зная, куда деваться. Увидела старуху, которая ползла к ее ногам впереди других, попятилась и чуть не наступила на старуху, подползавшую сзади. Они ползли отовсюду — справа и слева, тянули к ней руки, и крики их «Слава Владычице!» перешли уже в сплошной вой.

Неожиданно в круг вскочил Гринька. Заметался, переступая через ползущих и орущих людей.

— Эй, люди, вы что, озверели? — закричал он недоуменно. — Что ж это делается?

На кого-то он наступил, кого-то шлепнул по заду. Увидев своего отца, схватил его за шиворот и потряс:

— Эй, тятька, ты что?

Отец отпихнул его и, заорав не своим голосом: «Слава Владычице!» — пополз дальше. Гринька кинулся к Маньке.

— Манька, — закричал он, — да какая ты, к бесу, Владычица? Они же тебя разорвут сейчас. Пошли отсюда!

Он схватил ее за руку и потянул к себе. В это время Афанасьич толкнул в бок ползшего рядом с ним горбуна. Горбун понял приказ и с неожиданной для него ловкостью прыгнул сзади на Гриньку, придавил его и, заглушая Гринькины вопли, заорал:

— Слава Владычице!

По деревне идет толпа празднично одетых людей во главе с рослым парнем, обвязанным расшитыми кушаками и полотенцами. Парень несет на вышитом полотенце хлеб — челпан — подарок невесте. Другой парень рядом несет пирог с рыбой и кувшин вина.

Парень с челпаном по дороге выкрикивает:

> Ой да добрые люди,
> Гости полюбовные,
> Званые и незваные,
> Усатые и бородатые,
> Холостые и женатые,
> У ворот приворотнички,
> У дверей притворнички,
> Благословляйте!

Народ, толпящийся по бокам, отвечает хором:

— Благословляем!

Дружко, увидев молодых женщин, говорит им:

> Молоды молодки,
> Хороши походки,
> Золоты кокошки,
> Серебряны сережки,
> Благословляйте!

Женщины, кланяясь, отвечают:

— Благословляем!

Процессия подходит к дверям. У дверей стоят Афанасьич с Матреной. Дружко, кланяясь, обращается к ним:

> Сватушка коренной,
> Свахонька коренная,
> Благословляйте своих детей
> В свой терем идти,
> Здоровенько спать,
> Веселенько вставать,
> Нам всем счастье творить.

Афанасьич отвечает с поклоном:

— Благословляем.

— Сватушка коренной, свахонька коренная, звали ли гостей?

— Звали-звали, — отвечает Афанасьич.

— Бьем челом. Было ли вызнаванье, было ли сватовство, было ли обрученье?

— Было.

— Сватушка коренной, свахонька коренная, у нас жених молодой, ясный сокол, золоты кудри, со своими дружками и с подружьем стоим под окном, под небесным облаком, дозволь спросить: ждет нас невеста?

— Ждет, — отвечает Афанасьич, распахивая дверь.

Празднично убранная изба. За столом сидят отец с матерью, в углу возле печки невеста с подружками. Невеста, в нарядном сарафане, с кокошником на голове, сидит напуганная и растерянная, не в силах постигнуть происходящее.

Дружко, входя, громко провозглашает:

— Становитесь, отец на отцово место, мать на материно.

Отец с матерью выходят из-за стола, становятся посреди избы.

Дружко говорит:

— Руки с подносом, ноги с подходом, головы с поклоном, язык с приговором. Идут от нашего жениха, молодого, ясного сокола, дорогие гостиночки честны — немалы. Примете аль не примете?

— Примем, — отвечает перепуганный в смерть отец.

Дружко снимает с блюда вино, протягивает отцу, а матери — пирог с рыбой. Родители принимают гостинцы.

Дружко поворачивается в угол к невесте:

— Идут к невесте-молодице от нашего жениха, молодого, ясного сокола, дорогие гостиночки честны — немалы. Примете аль не примете?

— Примем, — говорит отец.

— Со светом али без свету?

— Со светом, — отвечает отец.

Дружко вынимает из-за пазухи свечу, зажигает от свечи одной из подружек, подает невесте, и все подружки сразу же гасят свои свечи, остается только одна в руках невесты.

— Свечи воску ярого от нас, — говорит дружко, — а свет летучий от жениха, ясна сокола.

Второй дружко подносит невесте челпан. Она принимает его, надкусывает, а на блюдо дружке подает свой челпан.

Старший дружко говорит, обращаясь к невесте:

— Невеста-молодица, становись-ка ты на резвы ножки, на куньи лапки, пойдем в твой высок терем, там жених тебя ждет ясен сокол, все в окошко глядит, все тоскует, все спрашивает: «Не идет ли там девица красная, что невестой моей называлася, что женой быть моей обещалася».

Вдоль дороги, ведущей к терему, с обеих сторон толпился народ. При приближении свадебной процессии люди сыпали на дорогу зерно и падали на колени. Невеста шла, опустив голову, и исподлобья поглядывала на толпу в обе стороны, ища кого-то глазами и не находя.

Вдруг перед процессией появился заметно пьяный Гринька. Пятясь назад и приплясывая, он стал орать не своим голосом:

— Слава Владычице! Слава Владычице! Слава Владычице!

В толпе произошло замешательство. Кто-то, видимо решив, что так нужно, поддержал Гриньку и тоже крикнул:

— Слава Владычице!

Манька растерянно остановилась, но тут по знаку Афанасьича из толпы выскочили два здоровых парня, в один миг схватили Гриньку за руки, за ноги и потащили в сторону. А Гринька вырывался из рук и кричал:

— Слава Владычице!

Нянька Матрена, обогнав процессию, вбежала в терем и вышла из него с хлебом-солью на полотенце. Поклонилась новой своей хозяйке:

— Добро пожаловать, матушка пресвятая Владычица, будь в сем доме хозяйкой, а надо мной, старой нянькой твоей, госпожой.

Новая Владычица взяла из рук Матрены хлеб-соль и вошла за ней в терем. Народ с песнями обошел вокруг терема, посыпая его зерном, и, кланяясь напоследок, разошелся.

С сундучком в одной руке и с узелком в другой Манька переступила порог нового своего жилья. Испуганно огляделась.

Посреди большой комнаты стоял широкий дубовый стол и две лавки. В углу пол устлан чистыми половичками, сшитыми из цветных лоскутков.

Манька поставила сундучок у порога, а узелок положила на стол. Все было непривычным, чужим и странным. Манька постояла в растерянности посреди комнаты, потом, не найдя себе никакого дела, опустилась на край скамейки, руки положила на колени и замерла, боясь пошевелиться. Только глаза ее не могли успокоиться, а все шарили по комнате, ощупывая каждый угол, каждое бревнышко в стене.

Вечерело. Забирались на насесты куры. Загонялась в хлева скотина, люди, готовясь ко сну, запирали двери и окна.

В тереме существовал совершенно другой обычай. Матрена обходила все комнаты и открывала двери настежь. Все должно было быть открыто для Духа, который обязан явиться в эту первую ночь.

Манька сидела все в той же позе, когда дверь в комнату распахнулась. Манька вздрогнула, но вошел не тот, кого она ожидала, вошла Матрена. Нянька сложила лишние подушки на лавку, постелила постель и, идя к двери, сказала:

— Спокойной ночи, матушка!

Она ушла, оставив за собой дверь открытой. Манька подошла на цыпочках и прикрыла. Нянька вернулась.

— Матушка, — сказала она, — в первую ночь дверь закрывать не положено, для мужа твоего все должно быть открыто.

Она снова ушла. Манька прислушалась и, убедившись, что нянька ушла к себе, подошла к узелку, развязала его. Вынула пирожки, стала раскладывать их на столе.

— Вот, — сказала она, обращаясь к Духу, который должен был ее слышать, — это с мясом, а это с капустой. Маманька пекла. Она у меня хорошо печет. И я тоже умею. А это, — она достала кувшин и кружку, — брага хмельная. Папанька ее любит. Он за нее родную дочь продаст кому хошь. Если немножко, то можно с устатку. У тебя же, чай, дел ой сколько! На земле столько народу да столько твари всякой, за всем проследи и каждого направь, куда надо. И это ж, если б только одна наша деревня была, а то ведь старые-то люди говорят — еще есть и поболе нашей. Хотя, может, и врут. Как это может быть боле, когда у нас, почитай, сорок дворов!

Села она за стол, подперла голову руками, ждет. Задремала. Проснулась. Нет никого. Она подняла глаза к потолку.

— Ну, чего же ты не идешь? Я же тебе все приготовила: и угощенье, и постелю. А если я тебе не по нраву, так ты скажи. А не можешь сказать, какой ни то знак подай: или через трубу погуди, или дверью грюкни. Я пойму. Я смышленая.

Утром нянька Матрена подоила корову, налила в кружку молока, отрезала кусок хлеба и пошла к Владычице. Отворила дверь и застыла на пороге.

На столе по-прежнему лежали пирожки, стоял кувшин с брагой, а Манька складывала вещи в свой сундучок.

— Куда это ты, матушка, собираешься? — подозрительно спросила Матрена.

— За кудыкины горы, — сердито ответила Манька.

Матрена поставила кружку и хлеб на стол, села на лавку.

— Уж не домой ли?

— Домой, — сказала Манька. Потом посмотрела на Матрену и объяснила: — Не пришел Дух-то. Ты говорила — придет, а он не пришел. Видать, я ему не по нраву пришлась, брезгует. Может, ему Анчутка косая больше пригляделась, так пущай он до ней и идет.

— Тише ты! — испугалась, замахала руками Матрена. — Ты что это такое говоришь? Он услышит, осердится.

— А пущай сердится, — сказала Манька, — я сама в жены ему не набивалась. Я и не хотела, я с Гринькой хотела жить.

Она села на сундучок и, закрыв лицо руками, заплакала.

Нянька села с ней рядом, погладила ее по голове.

— Э-эх, — вздохнула она укоризненно. — Ты же наша Владычица, призвана управлять всем человеческим родом, а не понимаешь... Да как же Святому Духу, Владыке небесному, к тебе не прийтить? К кому ему и податься, как не к тебе. Приходил он ночью, обязательно приходил.

— Что-то я его не видела, — сказала Манька. — Всю ночь прождала, только под утро чуть-чуть задремала.

— Ну вот видишь, — обрадовалась Матрена. — Значит, под утро он и приходил. Он ведь просто так никогда не придет, а допрежь усыпит, ибо лик его никто видеть не должен.

— Нет, нянька, ты мне голову не дури. Кабы он приходил, так хоть след какой-никакой бы остался. А ведь нет ничего.

— Вот чудо-юдо, скажешь тоже! Какой он может след оставлять? Думаешь, он такой человек, как и все, с руками-ногами, а это Дух. Он потому Духом и зовется, что плоти не имеет и никому не видим.

— А если он такой бесплотный, невидимый и неслышимый, для чего мне с ним жить? И как жить?

— А живи как живется. Ешь, пей, гуляй, занимайся рукодельем. Да у тебя делов-то ой-ой-ой сколько! Сейчас вон рыбаки в море собрались, тебя ждут, совета просят: идтить им али не стоит?

— А откуда мне знать?

— Кому ж знать, как не тебе. Когда тебя спрашивают, говори, как сама думаешь, и это будет правильно, потому что мысли твои есть внушенные Духом. Ну а если в чем сомневаешься, обращай внимание на приметы. Вот, к примеру, вчера солнце с красной зарею зашло, а сегодня встало со светлой. Значит, Дух знак подает, что погода к ведру идет, а раз к ведру, значит, можно так понять, что рыбакам в море идтить самое время. Сама смотри, все соображай, и как ты решишь, так и правильно будет. Ну, ладно, ты покушай да иди, люди ждут.

Толпа провожающих стояла на берегу. Лодки, готовые к отплытию, покачивались на мелкой волне. Вдоль лодок ходил Афанасьич, проверял снаряжение.

Лохматый парень возился на дне одной из лодок, конопатил дыру.

— Течет, что ли? — спросил старик.

— Маленько течет, — смущенно улыбнулся парень.

— Загодя надо конопатить, — проворчал на ходу старик. — Да и просмолить не мешало б.

Возле одной лодки были Гринька с отцом. Отец грузил сети, Гринька сидел на носу лодки и крутил веревку, один конец которой был утоплен в воде.

— Ну как, Мокеич, готово? — осведомился, подходя, Афанасьич.

— Да вот сети погрузим, будет готово, — степенно ответил Мокеич.

— С похмелья голова не болит? — вполголоса спросил Афанасьич, кивая в сторону Гриньки.

— Да какая у него голова! — махнул рукой Мокеич. — Ты уж не серчай, Афанасьич, он это по дурости вчерась вылез.

— Да об чем говорить, — великодушно простил Афанасьич. — По пьяному делу с кем греха не бывает! Верно я говорю, Григорий? — крикнул он Гриньке.

Гринька, продолжая свое занятие, ничего не ответил, словно не слышал.

— Ты что это делаешь? — приблизился к нему Афанасьич.

— Чертей гоняю, — доверительно сообщил Гринька.

— Зачем? — удивился Афанасьич.

— Да все подбивают сходить к одной бабе. Сходи, говорят, да сходи.

— К какой бабе? — насторожился Афанасьич.

— К Анчутке, — сказал Гринька, продолжая крутить веревку.

— А, — старик вежливо захихикал.

Гринька перестал крутить веревку и уставился на старика.

— А ты думал — к какой бабе? А?

Афанасьич смутился.

— Ты, чем языком молоть, — хмуро сказал он, — помог бы отцу сеть грузить.

— А он у меня здоровый, — сказал Гринька. — Он прошлый год быка подымал. Правда, не поднял.

Отец, погрузив сеть, подошел к Гриньке и что было сил врезал ему по затылку.

— Во, видал? — сказал Гринька. — А ты говоришь — сеть!

— Ты у меня поболтай еще. Я из тебя дурь эту вышибу.

— И зря, — сказал Гринька, — вышибешь, а что останется? У меня же в башке, окромя дури, нет ничего.

В это время толпа заволновалась, по ней прошел шелест:

— Идет! Идет!

По крутой тропинке к берегу в сопровождении Матрены спускалась Владычица.

Толпа замерла. Мужики сняли шапки. Владычица подошла к толпе и остановилась. Афанасьич выступил вперед и склонил перед Владычицей голову. Она смотрела и не знала, что делать. Вопросительно скосилась на Матрену. Матрена шепотом сказала:

— Ручку.

Владычица сообразила, шевельнула левой рукой, потом испугалась, что она грязная, потерла тыльной стороной ладони о платье и подала Афанасьичу. Тот приник ей губами, а Владычица другую руку положила ему на темя.

— Идите, мужички, в море спокойно. Будет вам путь, — стараясь держаться важно, сказала Владычица.

— Благодарствуем, матушка! — ответил Афанасьич и отошел.

Толпа задвигалась, мужики, уходящие в море, перестроились в цепочку, все подходили к Владычице, рядом с которой, кроме Матрены, оказался еще и горбун, все целовали ей руку, и каждого она благословляла прикосновением к темени.

В очереди впереди Мокеича двигался Гринька. Он делал вид, что не хочет идти вперед, и Мокеичу каждый раз приходилось его незаметно подталкивать. Подошла Гринькина очередь. Горбун, бдительно следивший за Гринькой, шепнул:

— Будешь орать — прибью.

Гринька только усмехнулся и промолчал. Приблизился к Владычице и посмотрел ей в глаза. Она не выдержала и перевела взгляд на свою руку. Гринька взял ее руку в свою левую, а правую положил сверху и приложился к ней губами. Этого никто не заметил, кроме

Владычицы, которая после секундного замешательства резко выдернула руку и протянула приближавшемуся Мокеичу.

Отец Владычицы смущенно топтался возле жены, никак не решаясь подойти к дочери, но, когда очередь прошла, Авдотья подтолкнула его. Он подошел и, как все, приложился к ее руке. Владычица, благословлявшая других молча, тихо сказала:

— Счастливый путь, тятя.

— Благодарствую, до... матушка, — вовремя исправил свою ошибку отец.

Авдотья смотрела на дочь взглядом, исполненным счастья и гордости.

После благословения мужики отходили к лодкам, садились на весла. Когда все уселись, Афанасьич со своей лодки дал знак, и все одновременно отошли от берега.

...На берегу остались старики, женщины, дети. Они застыли как изваяния и молча смотрели в море, пока лодки не скрылись за горизонтом. Матрена тронула Владычицу за рукав, и они вместе направились к терему.

Баба с ребенком, стоявшая с краю, заметив, что Владычица удаляется, кинулась вслед за ней.

— Матушка, — быстро заговорила она, поравнявшись с Владычицей и пытаясь всучить ей кусок сала, завернутый в тряпку, — дите у меня хворает, животом мается, день и ночь криком кричит, пособи чем-нибудь.

Владычица остановилась, растерянно посмотрела на бабу, перевела взгляд на Матрену. Матрена вышла вперед, встала перед Владычицей и пошла на бабу, оттесняя ее от Владычицы.

— Ладно ужо, придешь опосля.

Тут налетели и другие бабы. Одни забегали вперед, другие лезли с боков.

— Матушка, коза в яму упала, ногу сломала! — кричала одна.

— Матушка, мне вчерась покойник наснился, — перебивала другая.

— Матушка... — вылезла третья.

— Да что вы, окаянные, сразу налезли, — замахала на них руками Матрена. — Кыш отсюда, дайте матушке хоть в себя-то прийтить. Кыш! Кыш!

Наткнувшись на мать Владычицы, она смутилась, но достаточно строго спросила:

— Тебе чего, Авдотья?

Авдотья растерялась. Ей еще не приходилось говорить с дочерью через посредников.

— Там полушалок теплый остался, — оробев, сказала она. — Может, занесть?

— Занесите, маманя, — сказала Владычица почтительно.

— Слушаю, матушка, — благоговейно склонилась Авдотья.

Смущенная таким обращением матери, Владычица повернулась и быстро пошла к терему. За ней, едва поспевая, семенила Матрена.

— Красавица наша, — умильно глядя Владычице вслед, проговорила стоявшая рядом с Авдотьей баба.

— Вся в мать, вся в мать, — громко подхватила другая, заглядывая Авдотье в глаза.

Но Авдотья строго посмотрела на ту и другую и, не приняв лести, пошла к деревне. Она подходила к своей избе, когда ее догнала баба с ребенком.

— Лукинишна, — сказала она, сунув ей кусок сала, завернутый в тряпку, — замолви словечко перед Владычицей, дите мается, криком кричит...

— Ладно-ладно, скажу, — неохотно ответила Авдотья, но сало взяла.

Войдя в избу, она положила сало на стол и открыла сундук. Долго перебирала вещи, пока не нашла обещанный дочери полушалок. Растянула его на руках, села на лавку и, приложив полушалок к лицу, расплакалась.

Прошел месяц, а может, и больше.

Анчутка медленно плыла на лодке, нагруженной караваями хлеба и бочонком с пресной водой. На море стоял полный штиль, настроение у Анчутки было хорошее, и она дурным голосом, усугублявшим полное отсутствие слуха, пела:

> А и теща, ты теща моя,
> А ты чертова перечница!
> Ты погости у мине!
> А и ей выехать не на чем.
> Пешком она к зятю пришла,
> А в полог отдыхать легла...

Лодка неожиданно на что-то наткнулась. Раздался треск. Анчутка, оборвав песню на полуслове, обернулась, увидела, что ее лодка столкнулась с лодкой Гриньки, который проверял расставленные сети. Невдалеке виден был остров, на котором ждали ее рыбаки.

— Чего орешь? — грубо сказал Гринька. — Рыбу всю распугаешь.

— Гринька! — обрадовалась Анчутка. И засмущалась. — А я вот хлеб вам везу.

— А еще чего? — спросил Гринька.

— А еще воду колодезную. Холоднющая, аж зубы ломит.

— Дай испить.

Она налила ковш воды, подала Гриньке. Гринька припал к ковшу.

— А загорел! — с восхищением сказала Анчутка. — Весь нос облупился.

Она протянула руку, чтобы содрать с его носа кожу. Гринька, не отрываясь от ковша, ткнул ее пальцем в живот. Анчутка кокетливо захохотала.

Рыбаки, которые ждали Анчутку на острове, высыпали на берег. Мокеич нетерпеливо крикнул:

— Гринька, охламон, не задерживай девку!

Афанасьич, стоявший рядом, его охладил:

— Да что ты на его кричишь? Пущай побалуются, их дело молодое.

Гринька отпихнул Анчуткину лодку веслом, она погребла к берегу. Немного не доплыв, спрыгнула в воду босая и с силой вытащила лодку на песок.

— Здорово, мужички! — весело сказала она.

— Здорово, — ответил Афанасьич. — Чего там в деревне нового?

— А чего там нового? Бабы скучают, силу набирают, — бойко сказала Анчутка и повернулась к тщедушному рыжему мужичонке: — У тебя, Степан, баба сына принесла вот такого роста, а ревет басовито, что бык племенной.

Степан обрадовался, но виду не подал, мужское достоинство не позволило. Он только наклонил голову и скромно ответил:

— В меня, знать, пошел.

Рыбаки засмеялись. Афанасьич отвел Анчутку в сторону и тихо спросил:

— А Владычица чего говорила?

— Наказывала через три дня вам домой повертаться.

Афанасьич поднял голову, посмотрел на спокойное, чистое небо и ответил:

— Ну-ну.

Чем-то не нравилось ему это небо.

Утром того дня, когда должны были вернуться рыбаки, проснулась она на рассвете. Выглянула в окно. Огненный шар солнца медленно поднимался над горизонтом. Начинался ветер. Он скрипел входной дверью, раскачивая кроны деревьев и низко гнал дым над избами.

Владычица встала и в одной рубашке прошла в комнату Матрены. Комната была пуста, постель убрана. Матрена в хлеву доила корову.

— Ты что это рано так поднялась? — удивилась Матрена, увидев свою хозяйку в дверях.

— Да так, что-то не спится, — сказала Владычица, не решаясь доверить Матрене свои сомнения. Но не удержалась: — Ветер на дворе.

— Авось пройдет, — успокоила Матрена.

— Пройти-то пройдет, но все же... — Владычица повернулась и пошла назад в свою комнату.

Матрена прислушалась к свисту ветра, нахмурилась. Ей погода тоже не нравилась. Корова, которой надоело доиться, ударила ногой по подойнику, но старуха вовремя его подхватила.

— Ну-ну, не балуй, — строго сказала она корове и ткнула ее кулаком в бок.

Потом внесла подойник к себе в комнату, налила кружку молока и понесла Владычице, но уже не застала ее.

Владычица стояла на берегу, ветер рвал с нее платок, задирал юбку. Она напряженно смотрела вдаль, но там ничего не было видно, кроме белых барашков, вскипавших на гребнях волн.

— Ветер, матушка, — сказал кто-то сзади.

Она вздрогнула и обернулась. Позади нее и по бокам стояли бабы, все бабы, сколько их было в деревне. Многие с грудными детьми и с детьми постарше, державшимися за материнские юбки. Десятки пар глаз смотрели на нее с отчаянием и надеждой.

— Разве ж это ветер? — беспечно сказала она. — Ветерок. Идите, бабы, по домам, нечего тут собираться, все будет как надо.

Но никто не сдвинулся с места. Тогда она повернулась и пошла в терем мимо поджидавшей ее на крыльце Матрены, молча поднялась к себе. Села на край лавки, как тогда, когда первый раз вошла в эту комнату, сложила на груди руки. Потом подняла глаза к потолку и сказала, обращаясь к Духу совсем по-домашнему:

— Батюшка, свет родимый, не выдай. Ну на что это ты так рассердился? Ведь люди плывут по морю. А лодчонки у них сам знаешь какие, долго ли перевернуть? А ведь скажут-то все на меня. Обещала, мол, что будет путь, а где он? Уж ты, батюшка, если и осерчал, как ни то по-иному меня накажи, а море, сам посуди, стоит ли зазря баламутить.

— У-ууу, — прогудел в ответ ветер в трубе.

— Вот тебе и «у-у», — передразнила Владычица. — Спробуй только опрокинь хоть одну лодку, я тебе тогда поуукаю.

Она опять вышла из терема, но теперь, чтобы не попадаться на глаза Матрене, в другую дверь — через хлев. И по другой тропинке, вдалеке от собравшихся на берегу баб, спустилась к самой воде. Притаилась за выступом обрывистого берега и ждала. Волны шумели, налетали на берег и некоторые касались ее босых ног.

Где-то на гребне далекой волны мелькнула первая точка. За ней вторая. Лодки приближались к берегу, и люди, сидевшие в них, отчаянно боролись с волнами.

Первая лодка ткнулась наконец в песок.

Женщины и дети с радостными криками скатились вниз. Подходили другие лодки. Одной из них правил Гринька. В ней рядом с Мокеичем сидела Анчутка.

Привязав наспех лодки, рыбаки направились к терему Владычицы. Возглявлял шествие Афанасьич. На растопыренных руках он тащил огромную рыбину.

Владычица не сразу сообразила, что рыбина предназначалась ей. А когда сообразила, повернулась и низом кинулась к терему. Едва успела добежать, натянуть на ноги сапоги. Смахнула со лба пот рукавом, поправила волосы и, переводя дух, вышла на крыльцо как ни в чем не бывало, строгая и величественная.

— Здравствуйте, мужички, — весело поздоровалась она с подходившими рыбаками. — Каково вам плавалось, каково ловилось?

— Благодарствуем, матушка, — приблизился Афанасьич, изнемогая под тяжестью рыбы. — Хорошо нам плавалось, хорошо ловилось. Прими от нас гостинчик с благодарностью за удачу.

— Возьми, нянюшка, — сказала она вышедшей из толпы Матрене. — А вы, мужички, идите и отдыхайте.

Владычица быстро шла по деревне. Рядом с ней бежал горбун Тимоха.

— Матушка, — спрашивал, — а как думаешь, она горбатенького не может принести?

— Сплюнь трижды через левое плечо и таких глупостей больше не болтай, — строго сказала Владычица.

— Ой, и правда, что ж это я такое болтаю! — Горбун трижды сплюнул, как велела Владычица, забежал вперед, проявляя необычную для него суетливость. Распахнул перед Владычицей дверь в избу.

В избе за рваной занавеской стонала роженица. Тут же суетилась и Матрена. Она зачерпнула из квашни ложкой тесто и наговаривала на него:

— Отпирайте, отпирайте. Отперли, отперли. Поезжайте, поезжайте. — Сунула роженице в рот ложку с тестом. — Поехали. Поехали. Едут, — посмотрела, нахмурилась. — Нет, не едут. А вот и матушка Владычица пришли. Сейчас тебе будет святое благословение, и тогда уже родишь.

Со смешанным чувством боязни и любопытства Владычица заглянула за занавеску и спросила участливо:

— Больно, милая?

— Уж так больно, матушка, моченьки моей нет больше, — со стоном пожаловалась роженица.

— Ну ладно уж, рожай, — разрешила Владычица и, подержав ладонь у ее вспотевшего лба, поспешно направилась к выходу, провожаемая бормотанием Матрены:

— Отпирайте, отпирайте. Отперли, отперли...

Возле Гринькиного дома сидели на завалинке Мокей с Афанасьичем и о чем-то разговаривали. Когда Владычица проходила мимо, оба встали, сняли шапки и поклонились. Владычица им в ответ кивнула и улыбнулась. В это время со двора, ведя на ремешке петуха, выбежал Гринька, догнал Владычицу, снял шапку и поклонился учтиво.

— Матушка Владычица, у меня к тебе просьбица небольшая будет, — сказал Гринька, на ходу пристраиваясь к Владычице.

— Чего еще удумал? — сердито спросила Владычица, косясь на петуха, который рвался, натягивая ремешок и хлопая крыльями.

— Сотвори, будь добра, чудо: научи петуха по-собачьему лаять, а то и бегать на ремешке его научил, а вот лаять никак не хочет.

— Сгинь, — сказала Владычица и ускорила шаг.

Гринька снова догнал ее:

— Матушка Владычица, сон мне наснился. Чудной такой сон, а к чему он, не знаю.

— Ну, говори свой сон, да быстро, — тихо приказала она.

— Быстро-быстро, — согласился Гринька. — Значит, так. Наснилось мне, будто мы с тобой лежим вместе на сене, и будто я к тебе шасть под юбку. А тут спущается с неба Святой Дух и говорит: «Ты чего это к моей женке под юбку лазишь?» А я ему говорю: так я ж это, мол, просто так, по-соседски.

Она остановилась и посмотрела ему в глаза и неожиданно для самой себя сказала:

— Гринюшка, родненький, и так тошно, что ж ты меня терзаешь?

— Значит, ты меня еще не забыла, — сказал он, торжествуя. — И не забудешь, как я тебя забыть не могу.

Она отшатнулась от него в испуге, повернулась и быстро пошла прочь, почти побежала.

Гринька вернулся к избе. Отец с Афанасьичем по-прежнему сидели на завалинке и пытливо смотрели на него.

— Об чем это ты, милок, с матушкой калякал? — ласково спросил Афанасьич.

— Да так просто, — беспечно ответил Гринька. — Пытал у ней, как лучше рыбу чистить: с головы али с хвоста?

— Ой, милок, ты у мине и докалякаешься, — все так же ласково, но с явной угрозой сказал Афанасьич.

В это время петух взмахнул крыльями и налетел на Афанасьича. Старик пригнулся, закрывая руками голову.

— Не бойся, не укусит, — сказал Гринька, оттаскивая петуха. — Он тухлятиной брезгует.

Во дворе Гринька развязал ремешок, и петух, почувствовав свободу, радостно закричал и погнался за курицей, разгребавшей навоз. Гринька поднялся в избу.

— Ты, Афанасьич, на его не обижайся, — виновато сказал Мокеич, — он же у мине глупой. Без матери рос.

— Глупой-глупой, — рассердился Афанасьич, — а знает, за кем ухлестывать. Это ж надо нахальство такое иметь, на кого глаза-то таращит. Смотри, Мокеич, побереги сына. Ведь если что — зашибем.

— А что же мне с им делать? — робко спросил Мокеич.

— Жанить, — сказал Афанасьич решительно. — Жанить, да и все. Хоча бы на той же Анчутке, и как можно скорей.

— Да он на ней жаниться-то не захочет, — попытался возразить Мокеич.

Афанасьич посмотрел на него и твердо сказал:

— Захочет.

Во дворе Владычицы собралась вся деревня. Сама хозяйка сидела на высоком крыльце в нарядном полушубке, в расписных сапожках, принимала народ.

Первой вышла баба с перевязанной щекой. Положила перед Владычицей лепешку черную да кусок семги. Держась за щеку, застонала.

— Что у тебя? — спрашивает Владычица.

— Ой! — стонет баба.

— Зуб, что ли? Который?

— О-о! — баба засунула палец в рот.

— Змею живую добудь и вынь из нее желчь из живой, и чтоб она живая с того места сползла, а желчью мажь зуб, где болит, а если змея с того места без желчи не сползет, в той желчи пособия нет.

— У-уу, — благодарно простонала баба, пятясь задом в толпу.

Вышел из толпы мужичок, упал перед Владычицей на колени, приложился губами к ее ноге.

— Что у тебя, Степан? — спросила она ласково.

— Корова пропала, матушка. Третьего дня выгнал ее пастись к лесу, ввечеру пришел, а уж ее нет.

— Выйди поутру до света, стань на росу босой, плюнь трижды против солнца, говоря: «Пропади тень от света, роса от тепла, найдись, моя корова, приди к хозяину, дай молочка, напои меня, мою жену, моих детушек». Если волки не задрали, найдется. Понял, нет?

— Понял, матушка, благодарствую, понял.

— А ну-ка повтори, что делать должон.

— Ну, значит, это, выйти ночью, стать на росу босому, трижды плюнуть и сказать...

— Куда плюнуть-то?

— А я, матушка, и забыл.

— Вот, забыл! А это есть самое главное. Трижды плюнь против солнца. А что говорить надо?

— Ну, значит, «пропади тень от тепла»...

— Тьфу ты, несмышленый какой! Ну как же может тень от тепла-то пропасть? Ты видал такое?

— Не, — сказал мужик, — не видал.

— И значит, как надо говорить?

— А кто знает! — мужик растерянно почесал в затылке.

— Ладно, опосля придешь, назубок учить будешь.

Мужик, смущенный, отошел кланяясь.

Тут вышли из толпы отец Гриньки и отец Анчутки, вывели за руки своих детей. Гринька и Анчутка упали перед Владычицей на колени. Отец Гриньки бросил на крыльцо мешок. В мешке был поросенок. Он завизжал, забарахтался и покатился по крыльцу. В толпе все засмеялись. Матрена, выбежав на крыльцо, схватила поросенка и утащила в терем.

Отец Гриньки поклонился Владычице и сказал:

— Матушка наша, пресвятая Владычица, надумали мы оженить наших детушек, просим твоего святого благословения. Пусть промежду ними будут мир да совет.

Владычица сжала губы, и взгляд ее встретился с непроницаемым Гринькиным взглядом. Однако она сдержала себя и с подобающей случаю величественностью свела руки крестом, левую ладонь приложила ко лбу Гриньки, стоявшего справа, правую — ко лбу Анчутки.

Молодые отошли кланяясь.

Вышла баба с ребенком.

— Что у тебя? — строго спросила Владычица.

— Да я вот все с дитем, матушка. Уж ты не серчай, а только животик у него все не проходит.

— Медвежью печень высуши, истолки в ступе, смешай с молоком, мажь живот на ночь — пройдет.

Она поднялась, давая понять, что прием окончен. Старухе, которая сунулась к ней с какой-то жалобой, сказала:

— Ладно, хватит, в другой раз.

Придя к себе в комнату, она упала на кровать и зарыдала. Потом встала на колени и, воздев руки к потолку, закричала:

— Дух Святой, прости меня, накажи меня, побей меня громом небесным, укажи мне, как жить, что делать? Слаба я, грешна, не то что править другими, с собой совладать не могу. Что ж ты молчишь? Что не отзываешься? Уж я, кажись, не докучала тебе своими просьбами. Помоги же мне, ежели ты есть!

Уткнувшись лицом в подушку, она снова забилась в рыданиях.

Вечером в Гринькиной избе лохматый парень играл на жалейке. Другой парень и толстая девка плясали, от усталости не проявляя к этому занятию никакого интереса. Большинство гостей уже спали, кто за столом, кто на лавке. Огромного роста мужик храпел на полу посреди избы. Баба возле печки кормила ребенка грудью. Мокеич наседал на сидевшего рядом Афанасьича.

— Нет, Афанасьич, — кричал он, — вот ты человек умный, так ты мне разъясни, кто главнее: зверь или рыба?

— Да ну тебя! — отмахивался от него напившийся вдрызг Афанасьич.

Парень, которому надоело плясать, сел за стол и неожиданно закричал:

— Горько!

Гости, те, кто проснулся, испуганно схватились за кружки с брагой и повернули головы в тот конец стола, где должны были сидеть молодые. Но там была только Анчутка.

— А где этот... ну, как его... Гринька? — заплетающимся языком спросил Афанасьич.

— На двор пошел, — ответила, поднимаясь, невеста.

— Горько! — заорал опять парень.

— Не ори, — попросил его Афанасьич.

...Владычица лежала у себя в комнате, ворочалась. Ей не спалось. В тереме было тихо, только где-то за печкой изредка трещал сверчок. Вдруг заскрипели половицы. Владычица прислушалась. Кто-то ходил по терему.

— Матрена! — закричала она.

Вбежала встревоженная Матрена:

— Что, матушка?

— Слышишь? — сказала Владычица. Матрена прислушалась.

— Что? — шепотом спросила она.

— Кто-то ходит по терему.

Матрена опять прислушалась. Ничего не было слышно.

— Что ты, матушка, Дух с тобой! — сказала нянька. — Кто же здесь может ходить?

— Нянюшка, я точно слышала, кто-то ходил.

— Так это ж я ходила. Дрова в печку подкладала. Спи, матушка, закрой глазки и спи спокойно, никто к нам прийтить не может.

Матрена поправила на ней одеяло и вышла.

Владычица закрыла глаза. Но вот опять послышался скрип половиц, теперь шаги слышались явственно. Кто-то тяжелой походкой приближался к ее покоям. Она села на кровати с колотящимся сердцем и уставилась на дверь. Дверь отворилась. На пороге показалась длинная фигура в белом. Владычица вжалась в стенку.

— Ты кто? — свистящим шепотом спросила она.

— Я твой муж — Дух Святой, — каким-то странным, нездешним голосом ответил пришелец, медленно продвигаясь вперед. Владычица ущипнула себя. Но это был не сон. Человек в белом приближался к ее кровати. Обходя стол, он зацепился за лавку и с грохотом опрокинул ее.

Белое покрывало слетело. Он схватился за колено и, подпрыгивая, застонал Гринькиным голосом:

— Ай-яяяй, коленку зашиб.

— А-а-а-а-а! — завопила Владычица.

Матрена, выбежавшая на крик, застыла в дверях. Возле неподвижно лежавшей Владычицы суетился Гринька.

— Манька, ты что? — тормошил он ее. — Я ж пошутил. Слышь, что ли, я пошутил просто, и все. — Он обернулся, увидел Матрену и сказал ей: — Матрена, воды.

— Сейчас, — торопливо сказала Матрена. — Сейчас, милок, принесу.

Она по коридору прокралась в сени, из сеней на крыльцо и, спотыкаясь, побежала к деревне.

Гринька, увидев ее в окно, проворчал:

— Вот дура, вместо того чтоб воды подать, она доносить побегла. Где ж тут вода? — он заметался по комнате.

Матрена во весь опор неслась по деревне. За ней увязалась собака. Она тявкала, хватала Матрену за ноги, но та продолжала бежать, не обращая на собаку никакого внимания. С ходу ворвалась она в Гринькину избу.

Гости уже окончательно перепились и валялись кто где. Во главе стола, размазывая по лицу слезы, сидела невеста. Мокеич и Афанасьич сидели в обнимку на другом краю стола.

Увидев Матрену, Мокеич схватил со стола свою кружку и пошел гостье навстречу.

— Афанасьич, друг, — закричал он, — гляди-ко, кто к нам пришел. Матрена, иди сюда, выпей с нами, я тебя люблю.

— Отойди, — отодвинула его Матрена.

— Нет уж, не отойду, — упирался Мокеич. — Уж ты уважь!

Но она дорвалась все же до Афанасьича, нагнула его к себе и приткнулась к его уху губами.

Услышанное настолько потрясло Афанасьича, что он сразу протрезвел. Он прошел по избе и стал будить мужиков, кого тормоша за шиворот, а кого поднимая ногами.

— Эй, мужики, вставайте, беда!

Сквозь разрыв в тучах в окно заглянула луна. Она осветила лицо Владычицы и Гриньку, сидевшего рядом на постели. Гринька наливал в ладони из кувшина воду и плескал ее на Владычицу. Она открыла глаза.

— Ну вот, наконец-то, — проворчал Гринька. — Что за народ пошел, нельзя уж и пошуткоровать с ними.

— Гринька, это ты? — спросила она.

— Ну а кто ж? — сказал Гринька. — Правда, что ли, Дух Святой?

— Зачем ты это сделал? — спросила она.

— По дурости, — сказал Гринька.

— Беги отсюда, — сказала она, приходя в себя. — Беги, пока есть время, тебя же убьют.

— Какое там время, — сказал Гринька. — Погляди.

Она поднялась и посмотрела в окно. За окном при свете факелов угрожающе гудела толпа. Терем был окружен.

— Что же делать? — заметалась Владычица.

— Ничего, — сказал он. — Сейчас я с ними поговорю.

Он поднял с пола белое покрывало и завернулся в него.

— Ну как, хорош я? — спросил он, расправляя плечи.

Владычица испуганно смотрела ему в глаза. Он неожиданно схватил ее, хотел поцеловать, но она его оттолкнула. Гринька повернулся и направился к выходу. Толпа волновалась перед крыльцом, но никто не решался идти дальше. Факелы, колеблясь, дымили.

На крыльце показалась фигура в белом. Она застыла на мгновение и, медленно спустившись по ступеням крыльца, направилась прямо к толпе. Страх охватил людей. Кто-то упал первым, за ним другой, третий, и вот уже все люди лежали ничком, и факелы их шипели, уткнувшись в сырую траву.

Гринька шел, переступая через распластанные тела. Зацепил краем простыни горящий факел. Простыня вспыхнула. Гринька сбросил ее с себя и кинулся бежать.

— Гринька! — придя в себя, закричал Афанасьич. — Держи его!

— Дураки! — закричал Гринька, перескакивая через лежащие перед ним тела. — Пужливые дураки! Вот я вас ужо не так напужаю!

Горбун, мимо которого пробегал Гринька, изловчился и схватил его за ногу. Гринька упал, на него налетели другие, навалились, его били, топтали ногами.

Тут из терема выскочила Владычица. С ходу она влетела в толпу и стала расталкивать их локтями, крича:

— Отойдите! Отойдите!

Толпа постепенно приходила в себя. Люди, опомнившись, расступались перед Владычицей.

Гринька сидел на земле, держась обеими руками за правый бок, и стонал.

— Ну что ж ты, матушка, им мешаешь? — сказал он через силу. — У них же другой радости нет, как навалиться всем миром на одного.

Подошел Афанасьич.

— Матушка, дозволь, мы его порешим, — буднично попросил он.

— Не дозволяю.

Толпа была недовольна.

— Тогда пущай уходит от нас, — твердо сказал Афанасьич.

Владычица заколебалась, но, поняв, что другого выхода нет, тихо сказала:

— Пущай уходит.

— Твоя воля для нас закон, — почтительно ответил от имени всех Афанасьич, склоняясь перед ней в глубоком поклоне.

И все вслед за ним наклонили головы в знак согласия.

Утром Владычица видела в окно, как Гриньку всей деревней провожают в море. Справа от него шел Афанасьич, слева — отец. Позади всех на некотором расстоянии, всхлипывая, плелась Анчутка.

Гринька, избитый, с синяком под глазом, с распухшим носом, прихрамывая, тащил в одной руке узелок с одеждой, в другой вел петуха на ремешке. Еду и воду тащил отец.

Подошли к приготовленной заранее лодке, остановились, Гринька, не торопясь, уложил в лодку оба узла и кувшин с водой, посадил и привязал петуха, осмотрел весла, вернулся к толпе.

— Поди-ка сюда, — поманил он Анчутку и, когда она покорно приблизилась, обнял ее. — Ты, Анчутка, на меня не серчай, я ведь тебе зла не хотел, а уж как все получилось, и сам понять не могу. Хочешь так, а получается этак. Да, может, этак-то все и лучше. Коли тут, — он ткнул себя пальцем в левую сторону груди, — с самого начала нет ничего, так опосля и жисть-то не жисть, а одна маета. А для виду, Анчутка, жить я не могу.

Афанасьич из-под насупленных бровей смотрел на Гриньку.

Анчутка, уткнувшись головой в Гринькину грудь, задергалась от рыданий.

— Ну, будя-будя, — сказал он, отстраняя ее. — Радоваться должна, что так легко сбавилась от меня.

Он подошел к отцу.

— Ну а тебе, тятька, не знаю, что и сказать. Не поминай лихом, что ли.

Отец смотрел на него снизу вверх, пытался сохранить достоинство, но это плохо у него получалось, и он дергал носом, готовый вот-вот разреветься.

Гринька резко прижал его к себе и так же резко отпустил. Пошел было к лодке, но возле Афанасьича, не удержавшись, остановился.

— Ты, Афанасьич, для такого случая хоть бы бороду расчесал, все же народ от супостата избавил. А это разве борода? — он схватил его за бороду и подергал.

Афанасьич разжал его руку, а горбун Тимоха вышел из толпы и угрожающе двинулся к Гриньке.

— Ну-ну-ну, ты полегче, — сказал Гринька, отступая и грозя горбуну пальцем.

Оттолкнул лодку и прыгнул в нее.

— Эй, Тимоха, слышь, что ли! — берясь за весла, крикнул он горбуну, который стоял возле самой воды и сосредоточенно ковырял пальцем в носу.

— Чего тебе? — недовольно, подозревая подвох, спросил Тимоха.

— Не ковыряй в носе, мать помрет.

Горбун испуганно дернул рукой.

— Ковыряй, ковыряй, я пошутил, — разрешил Гринька, налегая на весла.

Петух вскочил на корму лодки и, захлопав крыльями, отчаянно закукарекал.

Владычица смотрела в окно, как удаляется Гринькина лодка. Сзади подошла нянька и, погладив хозяйку по голове, облегченно сказала:

— Ничего, матушка. Дух с ним совсем. Авось не пропадет.

А потом пришла в деревню беда. Заболела скотина. В одном дворе корова лежала на боку и смотрела грустными глазами на свою хозяйку, которая причитала, обливаясь слезами:

— Что же ты, кормилица моя, глядишь на меня своими глазоньками! Да и кто же тебе сделал порчу такую?

В другом дворе старик сидел и молча смотрел на дергающуюся в конвульсиях корову.

Еще одна корова лежала дохлая посреди деревни. Жалобное мычание не умолкая висело в воздухе.

Возле дома Владычицы собралась ропщущая толпа. Владычица металась по своей комнате, боязливо поглядывая в окно и не решаясь выйти к народу.

Дверь в ее комнату отворилась. Подталкивая перед собой девчонку лет пятнадцати, вошел Афанасьич.

— Вот, матушка, — сказал он, — Ксюшка болтает, будто видела, как Анчутка на восходе солнца собирала возле дома росу.

— Сама видела, матушка, — охотно подтвердила Ксюшка. — Вышла я это утром на двор, гляжу, Анчутка над травой руками эдак разводит и какие-то слова говорит, а какие — не разберешь: видать, бесовские. А еще, матушка, на плече у ней на левом, вот на энтом месте, — пятно. С ладонь, пожалуй, а то и поболе.

Перед теремом Матрена и горбун Тимоха воевали с бушевавшей толпой.

— Отойдите, окаянные! Отойдите, кому говорят! — надрывалась Матрена.

— Куда лезешь! — в тон ей кричал горбун, тыча кому-то кулаком в нос.

— А пущай выйдет, Владычица! — петухом налетал на Матрену Степан. — А пущай она нам объяснит, за что Святой Дух посылает на нас такую кару.

Дверь терема резко распахнулась, на крыльце появились Владычица, Афанасьич и Ксюшка.

Толпа мгновенно умолкла. Ксюшка старалась держаться за спиной Владычицы. Владычица схватила ее за руку и вытащила вперед.

— Ну, говори, — приказала она.

Ксюшка нерешительно мялась.

— Говори, — повторила Владычица, — не бойся. А то бегать наушничать все горазды, а выйти и сказать правду народу — страх берет.

Ксюшка сбежала с крыльца и стала пробираться к Анчутке. Народ расступился. Оставшись один на один с Ксюшкой, Анчутка смертельно побледнела.

Ксюшка прыгнула на нее кошкой, схватила за ворот, рванула. Платье затрещало, обнажив Анчуткину спину. И все увидели большое родимое пятно у нее на плече.

— Вот он, колдовской знак! — торжествующе объявила Ксюшка.

Толпа кольцом сомкнулась вокруг Анчутки и угрожающе надвигалась. Анчутка в страхе озиралась, заглядывала в лица людей, ища в них сочувствия, но все они были одинаково беспощадны.

— Топить ее! — истошно завопил кто-то.

— Топить! — всколыхнулась толпа.

— Стойте! — вскинула руку Владычица, и толпа перед ней расступилась.

Она шагнула к Анчутке, отогнула разорванный ворот платья, который Анчутка придерживала рукой, глянула на пятно и снова закрыла.

— Пущай она от нас уйдет, — объявила Владычица народу свой приговор.

— Пущай уйдет, — повторил Афанасьич.

— Пущай уйдет! — подхватила толпа.

— Благодарствую, матушка, — осмелев, поклонилась Анчутка Владычице. — Благодарствую за милость твою, за то, что ты Гриньку сперва загубила, а теперь вот и мой черед наступил. — Она выпрямилась и гневно крикнула: — Не можешь простить нашу с Гринькой любовь! Силу свою показываешь!

Владычица хмуро посмотрела на нее и сказала:

— Иди за мной! — и повернулась к терему.

— Не пойду! Не пойду! — Анчутка в ужасе кинулась прочь, но тут же забилась в руках мужиков.

Они протащили ее к терему, втолкнули в комнату. Вошла Владычица и прикрыла за собой дверь.

Анчутка стояла посреди комнаты и смотрела на Владычицу со страхом и ненавистью.

— Сядь! — приказала Владычица. Анчутка села.

Владычица подошла, погладила ее по голове и тихо сказала:

— Бедная ты моя.

Анчутка, не ожидавшая такого начала, упала лицом на стол и зарыдала.

— Ладно-ладно, — проводя ладонью по ее волосам, успокаивала Владычица.

Зачерпнула ковш воды из деревянной бадьи, стоявшей на лавке, поднесла гостье. Та судорожно впилась в ковш, стучала о его края зубами, но никак не могла напиться — вода проливалась, текла по подбородку на грудь.

Ожидая, пока Анчутка успокоится, Владычица ходила по комнате из угла в угол, потом заговорила, медленно подбирая слова:

— Вот ты говоришь насчет Гриньки и сама знаешь, что зря. Правда, люб он мне был и на тебя зло таила, но это все раньше, а теперь здесь, — она ткнула себя пальцем в грудь, — ничего не осталось. Ни любови, ни зла. Место мое такое — не позволяет сердце на одного тратить, остальным не хватит. И кабы ты была на моем месте, а я на твоем, то ты сделала бы то, что делаю я, потому что никто из нас в жизни своей не волен, а идет по тому пути, который Он, — она подняла палец вверх, — нам назначил.

Владычица остановилась у окошка.

— Ты погляди, сколько людей — столько и радости и горя. У каждого свое. Но ведь радость при себе держат, а горе несут ко мне. И Палашка, и Степан, и Тимоха. Как будто у меня своего мало. А я все принимай, всех утешай. Это ж откуда столь силы взять, чтоб такое-то выдержать?

И такая тоска и горечь были в глазах у Владычицы, что Анчутка не выдержала — отвела взгляд.

Владычица опустилась на скамью.

— Никому не говорила, а тебе скажу — не знаю, кому из нас нынче тяжельше.

Она закрыла лицо руками. Анчутка подошла к ней, встала на колени и приложилась губами к ее ногам.

— Прости, матушка, — тихо сказала Анчутка. — Виноватая я перед тобой.

— Иди, — не отрывая рук от лица, сказала Владычица.

Анчутка направилась к выходу, взялась за ручку двери, и тут Владычица остановила ее:

— Погоди.

Подошла к Анчутке, внимательно на нее посмотрела и тихо сказала:

— А что ж ты с Гринькой-то не ушла?

Анчутка опустила голову и еле слышно сказала:

— Не взял он меня.

Владычица отвернулась и, не глядя на Анчутку, вздохнула:

— Нет, Анчутка, ты не любила его.

Анчутка бросила на Владычицу отчаянный взгляд и вдруг сорвалась с места и бросилась к выходу.

Владычица подошла к кровати и легла, уткнувшись лицом в подушку.

Потом во дворе раздался шум. Люди что-то кричали на разные голоса, а слов было не разобрать. Владычица подняла голову и прислушалась. Вошла Матрена.

— Что там за шум? — поинтересовалась Владычица.

— Да ведь это... Анчутка от тебя выбегла, ровно шальная, да напрямки к морю. Ее хотели пымать, да куды там — с обрыва головой бухнулась, и только круги по воде.

Владычица села на кровати и расширенными от ужаса глазами посмотрела на Матрену.

Владычица бродила по лесу, искала траву. Лето клонилось к осени, и это было заметно по тому увяданию, которое тронуло уже своим дыханием лес. Было сыро и холодно.

Она зашла далеко и не столько собирала траву, сколько просто гуляла, наслаждаясь одиночеством и природой. И вдруг услыхала какой-то звук, который показался ей сначала криком зверя, а потом она поняла, что это стонет человек. Стон повторился, и она, продираясь сквозь кусты, осторожно пошла на него. Когда перед ней открылась небольшая поляна, она встала за дерево и затаилась.

На краю поляны под деревом стоял шалаш. Перед шалашом валялись перья и пустой ремешок, привязанный к колышку. Из шалаша доносился стон. Владычица осторожно приблизилась и заглянула внутрь шалаша. В шалаше на свалявшейся подстилке из отсыревшего сена лежал, разметавшись, Гринька. В какое-то мгновение она решила, что ей надо уйти, и пошла быстро, не оглядываясь, в сторону деревни. Наткнувшись на дерево, остановилась, прислонилась к нему щекой. И вдруг со всей ясностью поняла, что именно должна сейчас делать. Уже не раздумывая ни секунды, она кинулась со всех ног назад к шалашу. В шалаше она расправила сено под Гринькой, сняла с себя полушубок, укрыла им Гриньку, а его голову положила себе на колени. Напоила его из стоявшего рядом кувшина болотной водой. Он успокоился и затих.

Дело шло к вечеру, холодало, у Владычицы затекли ноги, но она сидела над Гринькой с неподвижным лицом, словно окаменела. Но вот он пришел в себя и открыл глаза. Увидев ее, он нисколько не удивился.

— Наконец-то, — вздохнул он облегченно. — Все же ты пришла. А я уже боялся, что ты меня не найдешь. Сейчас я встану, и мы с тобой отсюда пойдем.

Выражение ее лица нисколько не изменилось, будто она и не слышала этих слов, не заметила его пробуждения. Только из-под ресниц выступили и покатились по щекам две слезинки.

— Я так долго шел к тебе, — сказал он, помолчав и отдышавшись, — да вот захворал. Вчерась ночью волки напали. Я на дерево влез, а петуха задрали. Думал, один останусь, да вот ты подоспела. Теперь мы с тобой убежим отсюда.

Он хотел приподняться и снова потерял сознание.

В сумерках они пробирались к ее терему, далеко огибая деревню.

Вошли в терем через скотный двор. Она поддерживала Гриньку, помогая ему по шаткой лестнице взобраться на сеновал. Устроила ему в сене постель, накрыла полушубком. Потом прошла мимо Матрениной комнаты на цыпочках к себе, налила из кувшина кружку молока, отрезала ломоть хлеба. Только собралась выйти, когда на пороге появилась Матрена.

— Где это ты так поздно гуляла, матушка? — подозрительно спросила нянька.

— Траву в лесу собирала, — ответила Владычица, отхлебывая из кружки, — да заплутала маленько.

— А я уж собралась идтить в деревню, народ скликать. Ой, матушка, нешто можно одной далеко так в лес уходить? — Покачав головой, Матрена ушла.

Владычица подождала немного, долила в кружку молока и понесла Гриньке. Гринька спал, и дыхание его было спокойным. Владычица поставила рядом с ним кружку, накрытую хлебом, посмотрела на Гриньку и неожиданно для самой себя быстро поцеловала его в лоб. Тут же испугалась своего поступка и посмотрела на крышу. Но все было тихо. Дух ничего не заметил.

Летели на землю из-под топора щепки. Афанасьич тесал доски для новой лодки, каркас которой стоял тут же, во дворе. На завалинке сидел пьяный Мокеич и мотал головой:

— Мальчишку мово ты зря погубил, Афанасьич. Хороший был мальчишка, веселый. А то, что любил поозоровать, так это ж только по малолетству.

— Малолеток, — усмехнулся Афанасьич. — У меня в таки годы уже двое ребят было, а Гринька твой все в малолетках ходит. Да и озорство озорству рознь.

— Да он же просто любил пошуткаовать над людьми, и зла в ем не было никакого, — стоял на своем Мокеич. — Уж на что я ему отец родной, а и надо мной шуткаовал. Грех ты взял, Афанасьич, на свою душу, большой грех.

Афанасьич опустил топор.

— А что ты меня-то винишь? — сказал он сердито. — Вся деревня супротив твоего Гриньки стояла. Хороши тоже шуточки — в Духа Святого вырядился. Да ты передо мной на коленях ползать должон, что я Владычицу уговорил над им сжалиться. Анчутка вон не за такое на дно пошла. Да он небось где ни то пристал и живет себе припеваючи, а ты по нем тут...

Он не договорил, увидев подошедшую к дому Матрену.

— Ты чего? — спросил он Матрену.

— Поди-ка, — поманила она.

Он бросил на землю топор и подошел. Матрена поднялась к нему на цыпочки и зашептала в самое ухо:

— Гринька-злодей объявился. Уж я тоже взяла грех на душу, видела все и молчала покуда, а тут ведь поправился, а сидит...

Владычица вошла к себе в комнату и, вздрогнув, остановилась. В комнате за столом сидел Афанасьич. При ее появлении он слегка привстал и, сдержанно поклонившись, сказал:

— Вот пришел, матушка, кой о чем покалякать.

Дурное предчувствие охватило ее, но она не выдала себя и, сев напротив Афанасьича, разрешила:

— Калякай.

— Хочу, матушка, загадочку тебе загадать. Ты у нас смышленая, может, и отгадаешь. Сидела белочка в своем дупле, ховала зайчика. Пришли охотнички, говорят: «Белочка, а белочка, отдай нам свово зайчика». Что белочка ответила? — старик лукаво прищурился.

— А может, никакого зайчика у ней не было? — в тон ему спросила Владычица.

— Был, — уверенно сказал Афанасьич.

— Ну тогда, значит, смотря какой зайчик и какая белочка, — сказала Владычица. — А то ведь может сказать: «Не отдам».

Старик покачал головой, недовольный таким ответом.

— Охотнички-то — ведь они народ лютый. За зайку могут и белочке шкурку попортить.

У Владычицы пересохло во рту. Она зачерпнула из бадьи ковш воды, отхлебнула, не отрывая взгляда от гостя.

— Трудную я тебе, матушка, загадочку загадал, — сказал он, — а отгадка у ней простая. Выпустить надо белочке зайку в лес, и пущай себе бежит да обратно не возвертается.

Она перегнулась через стол к старику и, понизив голос, сказала:

— А ты, охотничек, за свою старую шкурку-то не боишься? А то, гляди, как бы белочка волчицею не обернулась.

— А ты меня, матушка, не пужай, — сказал старик, поднимаясь. — Ты хоча и набрала силу большую, а супротив меня слабовата будешь. Старая-то Владычица с моей помочью под холмик легла. А и та, что до ней была, тоже, — старик приблизил к ней свое лицо и хихикнул. Вдруг лицо его преобразилось и приняло откровенно злобное выражение. — Давай говорить напрямки. — Старик заходил по комнате. — Ты с Гринькой живешь, и я знаю про это. Но мне-то что. Я старый. Я много кой-чего знаю, да молчу. Но народ узнает — худо будет. Вера в людях пропадет. А как жить без веры? И потому мой тебе сказ такой. Нонче, как только стемняет, отведешь Гриньку в лес. И пущай себе идет, куды хочет, никто его трогать не будет. И тогда все, что было, забудем. А если все в точности не исполнишь, помни: в землю ляжешь живая. Прощай, матушка, — сменив тон с резкого на почтительный, заключил Афанасьич и, вежливо поклонившись, вышел.

Переждав немного, Владычица пошла за ним. Дверь в комнату Матрены была приоткрыта, в щелочке чернел глаз Матрены. Владычица потянула дверь на себя, едва не прищемив няньке нос.

Гринька ждал ее на сеновале. Самодельным ножом вырезал он из дерева какую-то фигурку.

— Что это? — спросила Владычица.

— Это петух, — сказал Гринька, протягивая ей деревяшку.

Владычица положила фигурку в сторону. Взяла из рук Гриньки нож, тоже отложила. Обняла Гриньку.

— Ты что? — испугался он. — Не боишься?

— Теперь все одно, — сказала она.

Вечером Матрена услышала плач и вышла из своей комнаты. Приложила ухо к двери Владычицы, послушала. Потом вышла на крыльцо и увидела: по тропинке в сторону леса с узелком в руках шел, спотыкаясь как пьяный, Гринька. Матрена постояла еще на крыльце и вернулась в терем, тихо прикрыв за собою дверь.

Петухи, надрывая глотки, старались перекричать друг друга. Над деревней вставало утро. Владычица сидела за столом, положив под голову руки. Очнулась, подняла голову. По ее изможденному лицу было видно, что она всю ночь не ложилась.

На дворе послышался голос Матрены:

— Куда ты прешь? А ну отойди отседова, сказано: не пущу.

Владычица выскочила на крыльцо. На крыльце Матрена боролась с Мокеичем, который пытался пробиться в терем.

— Отойди, — сказала Владычица, пихнув няньку локтем. — Ты что, Мокеич? — ласково спросила она.

Мокеич упал на колени и, воздев к ней руки, закричал в голос:

— Гриньку люди в лесе нашли... убитый...

Владычица сорвалась с места и побежала в сторону леса. За ней, отставая и падая, несся Мокеич.

Гринька лежал под кустом, наспех прикрытый хворостом и палыми листьями. Вокруг него молча толпился народ. Владычица разогнулась, посмотрела в лица людей. И каждый, встречая ее взгляд, опускал голову.

— Сейчас, — сказала Владычица, — всем идтить к моему терему.

Голос ее был спокоен. Она направилась в сторону деревни, сперва медленно, потом, вспомнив что-то, бегом.

Когда вошла к Афанасьичу, он сидел за столом и спокойно пил молоко. Увидев Владычицу, привстал, поклонился:

— Здравствуй, матушка! Садись откушай со мной молочка.

Одной рукой она выбила у него молоко, другой, сжатой в кулак, ударила старика в переносицу. Он опрокинулся через лавку, пытался вскочить, но Владычица снова свалила его и долго в исступленной ярости топтала ногами. Потом, шатаясь, вышла за дверь. Старик со стоном поднялся и, размазывая по лицу кровь, поплелся за ней.

Когда подошла к толпе, все наклонили головы, и мужики сняли шапки. Она прошла вдоль толпы туда и обратно. Остановилась. Тихо сказала:

— Вчерась я проводила Гриньку в лес. Он подбивал меня уйти с им, говорил, будто знает место, где нас никто не найдет. Я не пошла, потому как думала жить ради вас. А теперь мне больше жить неохота. Ни для вас и ни для себя. Вы убили Гриньку, убейте теперь и меня. Я была с им как с мужем.

Толпа зашумела. Держась за разбитую губу, выступил вперед Афанасьич.

— Не слухайте ее, люди! — закричал он. — Рассудок у нашей матушки помутился. Напраслину возводит она на себя.

Владычица подошла к нему и сказала почти ласково:

— Зачем так говоришь, Афанасьич? Уж кто-кто, а ты-то хорошо знаешь, что я с им жила.

— Врешь! — закричал Афанасьич, отшатываясь от нее. — Не знаю!

— И ты не знаешь, Матрена? — обратилась Владычица к няньке. — Не ты ли нас подглядела, а потом Афанасьичу донесла?

— Не было такого, — глядя в глаза Владычице, твердо сказала Матрена.

— Ну ладно, — Владычица вбежала в дом и тут же вернулась с мужским кушаком в руке. — Вот кушак. У Гриньки я на память взяла. Мокеич, может, это не Гринькин?

— Гринькин! — Мокеич выхватил у нее кушак и, припадая к нему лицом, заплакал.

— Коли этого мало, так, может, на сеновал пойдем, поглядим, где мы с ним целовались да миловались? — предложила она толпе.

— Бей ее! — заорал горбун, выскакивая вперед и замахиваясь на Владычицу дубиной.

Афанасьич успел удержать его руку.

— Погоди, Тимоха, — сказал он. — Ей будет другая кара.

— Об одном только прошу, — Владычица поклонилась народу, — покладите вместе с Гринькой. Не дали нам вместе быть на земле, хоть под землей будем вместе.

Секундное молчание нарушил Афанасьич.

— Не можем мы этого допустить, — мрачно сказал он, опуская голову. — Гринька был человек простой, и лежать ему среди простых людей. А ты какая ни на есть грешная, а Владычица, и похороны тебе будут особые.

> Ты, рябинушка, ты, кудрявая,
> Ты когда цвела, когда вызрела?
> Ты, рябинушка, ты, кудрявая,
> Ты когда взошла, когда выросла?

Старухи в черных одеждах выстроились в две шеренги по обеим сторонам дорожки, ведущей от крыльца к калитке. Крайняя начинала, остальные подхватывали, косясь на носилки, которые проносили между ними два мужика. Владычица лежала вся в белом и смотрела живыми глазами в небо. Старухи с песней поворачивали и шли вслед за носилками. В толпе, как и положено при настоящих похоронах, причитали и плакали бабы. Носилки принесли на кладбище и положили возле могилы. Афанасьич первым наклонился и поцеловал Владычицу в лоб. За ним по очереди пошли остальные.

— Доченька, моя родная! — кинулась к носилкам Авдотья, но ее тут же схватили и оттащили, бьющуюся в истерике, в сторону.

> Со восточной со сторонушки
> Подымалися да ветры буйные...

— Опускайте! — приказал Афанасьич.
А старухи еще громче завыли:

> Со громами да со гремучими,
> Со молоньями да со палючими...

И вырос на кладбище Владычиц новый холм.

На рассвете другого дня горбун Тимоха ходил по деревне и, как ни в чем не бывало, выкрикивал весело:
— Эй, народ, выходи, никто дома не сиди. Будем пить и гулять, Владычицу вызнавать.

Но никто не откликался на его веселый призыв. Наглухо были заперты двери и окна. Не бродила по деревне скотина, не копошились в кучах мусора куры, собаки забились в будки и не выглядывали. Даже дым не курился над трубами.

На поляне возле леса за большим столом сидели старики, готовые к церемонии вызнавания. Вопросительно и тревожно поглядывали они на сидевшего во главе стола Афанасьича, но тот с каменным выражением смотрел в одну точку перед собой и молчал.

Солнце поднялось уже высоко. Сбившийся с ног Тимоха медленно брел по деревне и, потеряв всякую надежду, уныло выкрикивал:
— Эй, народ, выходи, никто дома не сиди...

Потом сел в пыль посреди дороги и, обращаясь к молчащим избам, отчаянно закричал:
— Да что ж это деется, люди? Что же вы не выходите? Неужто теперь нам без веры жить?

Обхватив голову руками, он зарыдал.

И тогда со скрипом робко приотворилась какая-то дверь...

1968 год

РАССКАЗЫ

Запах шоколада

Недавно В. В. оказался в польском городе Бжег на Одере, где ровно сорок лет тому назад стоял 159-й гвардейский истребительный краснознаменный и ордена Суворова третьей степени полк. Сначала В. В. ничего не мог вспомнить, но вдруг подуло каким-то ветром, возник шоколадный запах, он вспомнил, что да, тут была шоколадная фабрика, а рядом с ней солдатская столовая, а тут была (вот она тут и есть!) булыжная мостовая от столовой к казарме. Когда солдаты шли по этой дороге в столовую или из, вдоль строя бежали мальчишки и просили «зигарек». В. В. думал, что зигарек — это что-то курительное, а оказалось — часы. Привычка выпрашивать часы перешла к детям послевоенных лет от предыдущего поколения, произраставшего во времена немецкой оккупации. У германских солдат часы-штамповка ничего, говорят, не стоили, но у их советских преемников у самих наручные часы были редкость.

Дорога шла мимо озера, где, убегая в самоволку, В. В. на берегу, отдаленном от пляжа, в негустых зарослях ивняка встречался с девушкой по имени Элька Гемба. Они виделись регулярно, но всегда только днем, потому что вечером долгое отсутствие В. В. в казарме было бы замечено. Днем же он был почти всегда свободен, поскольку служил с некоторых пор планшетистом при командире полка, дежурил только во время нечастых ночных полетов, а в остальное время его ничем не занимали и не тревожили, может быть, потому как раз, что, отсутствуя то на ночных дежурствах, то в самоволках, он выпал из сферы внимания своих непосредственных мелких начальников.

Их знакомство произошло через папиросы «Неман», которые В. В. как авиамеханик получал по пачке в день. Она подошла, попросила закурить, потом подошла еще. Так оно и продолжилось. В. В. приходил со своим «Неманом», угощал ее, угощался сам, но их отношения, несмотря на настойчивые домогательства В. В., за пределы платонических, увы, так никогда и не перешли. Хотя она иногда обещала большее.

Она работала посменно на той самой шоколадной фабрике, и сама вся пахла шоколадом целиком, запах шоколада источали ее пальцы, губы и волосы. Этот запах кружил ему голову, сводил с ума не меньше, чем даже прикосновение к ней.

Ей было двадцать пять, а ему двадцать. Ему казалось, она не знала, как его зовут, и даже не интересовалась. Она называла его просто Мальчик, и ему это нравилось. Она учила его польскому языку, всяким словам, приличным и неприличным, и учила целоваться, а когда он слишком распускал руки, она убирала их оттуда, куда они забирались, прижимала к груди, целовала их и тихо шептала: «Я ти (тебе) дам. Мальчик. Скоро. Але не тераз (но не сейчас). Але дам».

Они встречались в кустах и только иной раз купались вместе, но расходились поврозь, потому что общение с ней грозило ему наказанием «за связь с местным населением», а это что-то близкое к моральному разложению и шпионажу. А у нее тоже могли быть немалые неприятности, потому что женщина, которая путается с русским солдатом, — это курва и достойна презрения.

Вспомнив Эльку, он вспомнил и весь этот город — до каждого дома и дерева и до прочих мелких подробностей и, оглядевшись вокруг, вдруг увидел: да здесь совсем ничего не изменилось! Все стоит на тех же местах и в том же виде, как сорок лет назад, словно время над этим местом не властно. И он вдруг почувствовал, что расхожее выражение «время летит» неправильно. Оно движется очень медленно, может быть, даже вообще стоит, а мы сквозь него пролетаем.

Впрочем, как сказать... Теория относительности утверждает, что если вы сидите в поезде и вам кажется, что поезд стоит, а дома и деревья едут мимо, то считайте, что так оно и есть.

В Бжег на Одере прикатил он из Чехословакии, из города Миловице, в котором еще недавно проживало сто тысяч человек советских военных и обслуживающих. После оставления его советскими войсками Миловице превратился в город-призрак. Пустые улицы, танковые ангары, армейский клуб, вывеска на строении «...ольствен... агазин» и сотни совершенно одинаковых «хрущебных» домов, пустых и безжизненных, как после атомной войны, с окнами нижних этажей, заклеенными (зачем?) газетами «Красная звезда», «Правда», «Известия».

Осматривая этот странный город-призрак, он вспомнил свою собственную службу и места, где она протекала, сел на свой «БМВ» и через четыре часа въехал в город, из которого его когда-то вывезли на тягаче «ГАЗ-63».

Добравшись до центра, он вылез из машины, стоял, вертел головой, но ничего не мог вспомнить.

Пока не подуло от шоколадной фабрики.

И тогда город стал проступать в памяти, как фотография в проявителе, и проявленное один к одному совместилось с реальностью. И он тут же нашел и узнал дома, которые были казармами, а теперь в них жили польские цивильные обыватели (obyvatel — по-польски гражданин), и дорогу, и саму столовую, и озеро, вдоль которого проходила дорога.

В пивной возле озера он встретил одного русского человека, который здесь жил давно, по-польски не понимал ни слова, но знал всех и за кружку пива готов был на многое. За кружкой пива В. В. спросил его, знает ли он Эльку Гемба, он сказал «знаю», и они поехали. По дороге В. В. ругал себя, думая, зачем ему встречаться с какой-то старухой, что может иметь она общего с девушкой, от которой он уходил с искусанными губами и распухшими частностями приложения к организму, но вдруг его охватило и испугало странное предположение, что если в этом городе время застыло, то, может быть, и Элька осталась такой, как была. И он встретит молодую женщину, которая скажет: «Мальчик, что же с тобой случилось?» Но его провожатый совпал в своих мыслях с В. В. и предупредил: «Но она старушка. Ей лет шестьдесят пять». В. В. согласился, что так примерно быть и должно, и, как ни странно, обрадовался.

Они подъехали к какому-то дому, В. В. постучался в дверь на первом этаже, дверь отворилась, и запах шоколада наплыл на него и окутал, предметы немедленно потеряли отчетливость очертаний. Из тумана не сразу вырисовывалась хозяйка, она стояла на пороге и выжидательно смотрела то на него, то на провожатого, вытирая мокрые руки о фартук. Ошалев от запаха, он внезапно потерял представление о времени, возрасте и обстоятельстве места действия и потянулся к ней руками и телом, но движение оказалось скорее воображаемым, чем физическим, и осталось незамеченным двумя другими участниками встречи, которые, впрочем, тоже были как будто взволнованы.

— Ну вот, — сказал провожатый, раскинув руки, одну — в сторону хозяйки, другую — в сторону В. В., как бы собираясь их обоих вместе соединить. — Ну вот.

В. В. пришел в себя и теперь смотрел на хозяйку с сомнением. Она была в возрасте, но взгляд еще живой и женский. Он спросил, зовут ли ее Элька. Она закивала головой: «Так, так, естем Элька». Он спросил фамилию. «Гембка». Не Гемба, а Гембка, но, может быть, он забыл, перепутал, может быть, Гембка. Он, вглядываясь в нее, спросил, не было ли у нее когда-нибудь русского друга, она, вглядываясь в него, сказала: нет, нет, русского не было. Хотя ей сейчас было бы приятно, чтобы какой-нибудь пожилой иностранец разыскивал ее из лирических побуждений. «Но может быть, ты не помнишь?» — спросил ее провожатый. «Нет, — сказала она, сожалея о несостоявшемся прошлом. — Если бы у меня такое было, я бы запомнила».

В. В. на этом не остановился и спросил, не жила ли пани когда-нибудь по улице Школьна, чтернаштя (четырнадцать). Пани покачала головой: нет, нет, не жила. И вдруг спохватилась: «Я знаю, о ком вы говорите! Она жила на Школьной, а потом переехала на Костюшко, у нее дочери лет уже, может, сорок. Да, правильно, ее звали Элька Гемба, «але она юж не жие» (но ее уже нет в живых).

Правду сказать, В. В. не очень-то удивился, он даже и не очень-то надеялся увидеть ее живой. Он сказал: извините, пани. Пани сказала: ну что вы, что вы. Она закрыла дверь, а он начал спускаться вниз, но вернулся и не успел еще дотянуться до кнопки, как дверь отворилась и хозяйка возникла снова с таким выражением, словно надеялась, что приезжий напомнит ей что-то, что сама она в памяти не удержала.

— Скажите, — сказал В. В. — вы работаете на шоколадной фабрике?

На фабрике? Шоколадной? Она удивилась: почему пан так думает? Пан объяснил: пахнет шоколадом. Правда? Она смутилась, как будто этот запах уличал ее в чем-то и соотносился с ней не по праву. Ах да! Она делала торт. Для внука. У него день рождения. И для него шоколадный торт. А на фабрике она не работает, пенсионерка. А когда работала, работала не на фабрике, а...

— Пшепрашем, пани, — перебил он ее. — Пшепрашем и привет вашему внуку. И передайте ему от меня... — Он снял с себя часы... чепуховые... та же штамповка, но современная, с календарем, будильником, таймером, чем-то еще и уверением, что в этих часах можно нырять на пятьдесят метров. — Вот... от меня... зигарек...

Провожатый вышел с ним на улицу и предложил поехать к Элькиной дочери. В. В. не захотел, а он спросил: «Почему ж ты не хочешь ее увидеть? Может быть, она твоя дочь?» — «Нет, — сказал В. В., — она не может быть моей дочерью». — «Почему?» — «Потому что не может быть».

Хотя так могло быть, но так не случилось. В день последнего их свидания В. В. расхрабрился и проявил большую настойчивость, и она уже почти совсем поддалась, но в последнее как будто мгновение опомнилась, оттолкнула его от себя и твердо сказала: нет, так не бенде (не будет). Он обиделся и отодвинулся. Она придвинулась, поцеловала и сказала на ухо, словно кто-то мог их подслушать: «Я ти кохам (я тебя люблю), Мальчик, я ти кохам». Он продолжал сопеть обиженно и услышал старый текст с новой вариацией: «Я ти дам. Але не тераз. Але не тутай (не тут)».

— Когда? Где? — спросил он сердито, подозревая, что ответа не будет, а будет сдавленный смешок, нежный поцелуй и повторение, что але не тераз.

— Ютро (завтра), — сказала она просто. — Ютро вечером. Пшидешь до мне, Школьна, чтернаштя...

И стала объяснять ему, что она хочет, чтобы все было красиво. Чтобы были вино, свечи...

— Я на тебе женюсь! — вдруг пообещал он, хотя его никто за язык не тянул. Но он не врал, чувствовал, что он правда хочет прийти к ней, и прийти навсегда.

— Глупый, глупый, — сказала она, произнося это слово на польский манер, когда «л» почти не слышится и слово звучит как «гупый». — Гупый, то ти не вольно (нельзя).

— Можно, — сказал он с вызовом не слышащим его высшим силам. — Можно. Я ничей не раб и сам знаю, на ком можно жениться, на ком нельзя.

— Не вольно, — повторила она. — Ти ниц (ничего) не вольно, але я ти дам. Ютро вечором, Школьна, чтернаштя. Запаментал (запомнил)? Школьна, чтернаштя...

... В тот день под влиянием каких-то неосознанных ими ощущений они расслабились и пошли по городу вместе. Никогда этого не делали раньше. А тут... Пошли вместе, и она взяла его под руку. И он шел, замерев, желая на всю жизнь приютить ее руку здесь.

Они не заметили группу военных на другой стороне улицы. Это были офицеры чужой, танковой, части и с ними один солдат.

Между прочим, в Советской армии между родами войск всегда была вражда, такая же бессмысленная и такого же точно происхождения, какая бывает между живущими по соседству народами. В. В. приходилось служить в местах, где встретить в темном закоулке человека с погонами другого цвета бывало страшней, чем солдата враждебной армии.

Солдат в черных погонах приблизился ленивой рысцой и, никак не обращаясь, сказал:

— Старший лейтенант Куроедов приказал тебе подойти.

Будучи человеком законопослушным (не очень, не очень), В. В. в другое время обязательно бы (может быть) подошел. Но тут с ним была девушка, в которую он был по уши (сегодня он это понял), потерявши голову (ой, что-то тут, кажется, грамматически не согласуется), в общем, совсем не в себе.

Элька хотела немедленно выдернуть руку, но он ее придержал и, слегка только повернув голову к гонцу, сказал:

— Если старшему лейтенанту нужно, скажи ему, пусть подойдет.

Гонец порысил назад, к офицерам, доложил, и В. В. увидел, что от группы офицеров отделился и направляется к ним старший лейтенант, наверное Куроедов.

— Мальчик, втекай (беги)! — прошептала Элька и вырвала руку из-под его подмышки.

— Зачем же? — спросил он беспечно.

Офицер прибавил шагу.

— Мальчик! — сказала Элька.

Он взял ее руку, чтобы пристроить на старое место.

Офицер побежал.

— Мальчик, — закричала она шепотом. — Мальчик, я ти прошу, втекай и запаментай: Школьна, чтернаштя...

Наконец-то он понял, что она права, и потек. Будучи лет на шесть-семь-восемь моложе старшего лейтенанта Куроедова, ему от последнего оторваться было не трудно. Но трудней было уйти от реальности.

Утром следующего дня 159-й гвардейский истребительный краснознаменный и ордена Суворова третьей степени полк был выстроен на плацу, и, сопровождаемый замполитом полка (под присмотром начальника особого отдела), старший лейтенант Куроедов ткнул пальцем в одну из выпяченных грудей и сказал уверенно:

— Он!

После чего В. В. был доставлен на гарнизонную гауптвахту, а оттуда прямо на поезд и в конце концов сам себя обнаружил на пересыльном пункте (армейском, а не тюремном) в городе Кинель Куйбышевской области. Власти проявили свойственный им гуманизм и не посадили преступника, а всего лишь выслали на родину.

Ужин при свечах с обещанными последствиями на Школьной, чтернаштя, не состоялся. И в появлении когда-то на свет Элькиной дочери, проживающей и поныне в городе Бжеге на Одере, В. В. ни малейшим образом не повинен.

А путешествие сорок лет спустя закончилось тем, что таможенник на польско-чешской границе спросил В. В., что он везет. В. В. показал две бутылки вина.

— А шоколад? — поинтересовался таможенник и попросил открыть багажник. Там не оказалось ничего, кроме запаски, набора инструментов и буксировочного троса на всякий случай. — Странно, — сказал таможенник, — очень странно, но ваша машина пахнет так, как будто сделана из шоколада.

— Моей машине это приятно слышать, — ответил В. В., — но она сделана в основном из металла. Правда, из надежного металла, потому что это «БМВ».

— Хорошая машина, — подтвердил таможенник с уважением. — Пан не собирается ее продать?

И, узнав, что пан не собирается, вернулся к теме шоколада, которым, по его мнению, где-то что-то все-таки пахло. В. В. ничем ему помочь не мог. Ничего похожего на шоколад он с собою не вез, кроме памяти, которая может хранить запахи, но вряд ли способна их источать.

1994

В кругу друзей

*Не очень достоверный рассказ
об одной исторической вечеринке*

Этот дом стоял за известным всему миру высоким забором из красного кирпича. В доме было много окон, но одно из них отличалось от всех прочих хотя бы тем, что светилось во всякое время суток. И люди, собираясь по вечерам на широкой площади перед забором, вытягивали шеи, до слез напрягали глаза и взволнованно говорили друг другу:

— Вон, видите, оно светится. Он не спит. Он работает. Он думает о нас.

Людям было лестно, что он думает именно о них, а не о чем-нибудь постороннем.

Если кто-нибудь из провинции ехал в этот город или должен был остановиться проездом, ему наказывали обязательно побывать на той знаменитой площади и посмотреть, горит ли окно. И осчастливленный житель провинции, возвращаясь домой, авторитетно докладывал на закрытых и общих собраниях: да, горит, да, светится, и, судя по всему, он действительно не спит и думает о нас.

Конечно, уже и в те времена некоторые люди злоупотребляли доверием своих коллективов: вместо того чтоб смотреть на окно, мотались по магазинам — где бы чего достать. А по возвращении все равно докладывали: светится, — и попробуй скажи, что нет.

Окно, конечно, светилось. Но того, про кого говорили, что он не спит, за тем окном никогда не бывало. Его заменяло гуттаперчевое чучело, сделанное лучшими мастерами, да так искусно, что, пока не потрогаешь, нипочем не поймешь, что оно не живое. Чучело повторяло основные черты оригинала и держало в руке изогнутую трубку английской работы, к которой при помощи специальных устройств подавался в определенном ритме табачный дым.

Что касается его самого, то он трубку курил только на людях, а усы носил накладные. Жил он совсем в другой комнате, в которой не было не то что окон, но даже дверей, а был потайной лаз через сейф с дверцами на две стороны, стоявший в официальном его кабинете.

Он любил эту комнату, где можно было быть самим собой: не курить трубку, не носить усы и вообще жить просто и скромно, соответственно обстановке, состоявшей из железной кровати с полосатым, набитым соломой матрацем, таза с теплой водой для умывания и старенького патефона с набором пластинок, на которых он собственноручно отмечал: хорошо, посредственно, замечательно, дрянь.

Здесь, в этой комнате, проводил он лучшие часы своей жизни тихо, спокойно; здесь, втайне от всех, жил иногда со старушкой-уборщицей, которая через тот же сейф пролезала к нему по утрам с веником и ведром. Он звал ее к себе, она по-деловому ставила веник в угол, отдавалась, а затем снова продолжала уборку. За многие годы он не обмолвился с ней ни словом и даже не знал толком, одна это старушка или каждый раз разные.

Но однажды с ней произошел странный случай: она вдруг стала закатывать глаза и шевелить беззвучно губами. Он испугался и спросил:

— Ты чего?

— Да вот я думаю, — с безмятежной улыбкой сказала старушка. — Плименница ко мне приезжает, братнина дочка. Угощенье надо приготовить, а денег всего три рубли. То ли купить на два рубли пошена, а на рупь масла, то ли на два рубли масла, а на рупь пошена.

Его тогда глубоко тронула эта народная мудрость, и он написал записку на склад, чтобы старухе выдали сколько надо пшена и масла. Старуха, не будь дура, отнесла записку не на склад, а в Музей Революции, где получила такую сумму, что купила под Москвой домик, коровку, ушла с работы и, по слухам, до сих пор возит молоко на Тишинский рынок.

А он, вспоминая тот случай, часто говорил соратникам, что настоящему диалектическому мышлению надо учиться у народа.

Как-то, проводив старушку и оставшись один, он завел патефон и под музыку думал о чем-то великом. И под музыку вспомнилось ему далекое детство в маленьком кавказском городке, вспомнилась мать, простая женщина с морщинистым скорбным лицом, и отец, упорным и каждодневным трудом достигший заметных успехов в сапожном искусстве.

«Сосо, из тебя никогда не выйдет настоящий сапожник. Ты хитришь и экономишь на гвоздях», — говорил, бывало, отец, ударяя его колодкой по голове.

Это все не прошло даром, и теперь, в позднем возрасте, его часто мучили жестокие головные боли. Если бы отца воскресить и спросить: разве можно бить ребенка колодкой по голове? Как ему хотелось, как страстно хотелось воскресить отца и спросить...

Но сейчас его волновало другое. До него доходили мрачные слухи, что Адик, с которым он в последнее время крепко подружился, собирается изменить дружбе и перейти границу. Он считал себя самым вероломным человеком на свете и не мог поверить, что есть человек еще вероломнее. Его призывали приготовиться к защите от Адика, он эти призывы расценивал как провокацию и ничего не делал, чтобы не обидеть Адика напрасной подозрительностью. Самый подозрительный человек на земле, в отношениях с Адиком он был доверчив, как дитя.

Все же, чем ближе была самая короткая ночь, тем тревожнее было у него на душе. Боязно было оставаться в ту ночь одному.

* * *

Вечером, накануне самой короткой ночи, он надел свой выцветший полувоенный костюм, приладил под носом усы, раскурил трубку и стал тем, кем его знали все, то есть товарищем Кобой. Но прежде чем выйти в люди, он обратился к большому зеркалу, висевшему на стене против его кровати. С трубкой в руке мягкой походкой прошел он перед зеркалом туда и сюда, искоса поглядывая на свое отражение. Отражением он остался доволен. Оно передавало некоторую величественность отражаемого объекта, если не вглядываться слишком подробно. Но кто же позволит себе разглядывать товарища Кобу подробно? Усмехнувшись, товарищ Коба кивнул своему отражению и обычным путем, через сейф, пролез к себе в кабинет. Здесь он сел за стол и принял такую позу, словно работал, не отрываясь, целые сутки. Не меняя позы, нажал кнопку звонка. Вошел личный его секретарь товарищ Похлебышев.

— Послушай, дорогой, — сказал ему товарищ Коба, — что ты все ходишь со своими бумажками, как какой-то бюрократ, честное слово. Собери лучше наших ребят, пусть придут после работы, надо как-то отдохнуть, отвлечься, поболтать, повеселиться в дружеском тесном кругу.

Похлебышев вышел и вернулся.

— Все собрались и ждут вас, товарищ Коба.

— Очень хорошо, пускай подождут.

Он уже успел увлечься интереснейшим делом — вырезал из свежего номера «Огонька» портреты передовиков производства, мужские головы приклеивал к женским туловищам и наоборот. Получалась прелюбопытная композиция. Правда, заняла она у него довольно много времени.

Наконец он появился в той комнате, где его ожидали. На столе в три ряда стояли бутылки «Московской», «Боржоми» и сухого вина «Цинандали». Закуски тоже хватало. Ребята, во избежание путаницы, занимали за столом свои места в алфавитном порядке: Леонтий Ария, Никола Борщев, Ефим Вершилов, Лазер Казанович, Жорж Меренков, Опанас Мирзоян и Мочеслав Молоков. При появлении Кобы все поднялись из-за стола и приветствовали вошедшего бурными аплодисментами и возгласами: «Да здравствует товарищ Коба!», «Слава товарищу Кобе!», «Товарищу Кобе ура!»

Товарищ Коба обежал глазами лица ребят и удивился, заметив свободное место между Вершиловым и Казановичем.

— А где же наш верный соратник товарищ Жбанов? — поинтересовался он.

Похлебышев выступил из-за его спины и доложил:

— Товарищ Жбанов просил разрешения задержаться. Его жена умирает в больнице, ей хочется, чтобы последние минуты он побыл рядом с ней.

Товарищ Коба нахмурился. По лицу его пробежала легкая тень.

— Интересное получается положение, — сказал он, не скрывая горькой иронии, — мы здесь собрались, ждем, а ему, видите ли, женский каприз дороже внимания товарищей. Ну что ж, подождем еще.

Сокрушенно покачав головой, он вышел и вернулся к себе в кабинет. Заниматься было вроде бы нечем, все картинки из «Огонька» он вырезал, остался только кроссворд. Он сунул кроссворд Похлебышеву.

— Ты читай, а я буду отгадывать. Что там у нас по горизонтали?

— «Первая грузинская нелегальная газета», — прочел Похлебышев и сам же закричал: — «Брдзола»! «Брдзола»!

— Что ты мне подсказываешь? — рассердился Коба. — Я и сам мог бы угадать, если б подумал. Ну ладно, теперь читай по вертикали.

— Крупнейшее доисторическое животное», — прочел Похлебышев.

— Это очень просто, — сказал товарищ Коба. — Самое крупное животное — слон. Почему не пишешь «слон»?

— Не подходит, товарищ Коба, — робея, сказал секретарь.

— Не подходит? Ах да, доисторическое. Тогда пиши «мамонт».

Похлебышев склонился над кроссвордом, потыкал острием в клетки, поднял на товарища Кобу отчаянные глаза.

— Опять не подходит? — удивился Коба. — Да что же это такое? Разве может быть животное крупнее, чем мамонт? Дай-ка сюда. — Посасывая трубку, смотрел, считал, размышлял вслух: — Десять букв. Первая буква «бэ». Может быть, бармалей, нет? Нет. Баран, бурундук — все это довольно мелкие животные, как я понимаю. А что, если позвонить нам нашим видным ученым-биологам? Что нам гадать, пусть ответят научно: было животное на «бэ» крупнее, чем мамонт, или же не было. А если не было, то автору этого кроссворда я не завидую.

Поздно ночью в квартире академика Плешивенко раздался резкий телефонный звонок. Хриплый и властный голос срочно потребовал академика к аппарату.

Сонная жена академика сердито сказала в трубку:

— Товарищ Плешивенко не может подойти к телефону. Он не здоров и спит.

— Разбудить! — последовал короткий приказ.

— Как вы смеете! — возмутилась жена. — Вы знаете, с кем говорите?

— Знаю, — нетерпеливо ответил голос. — Разбудить!

— Но это безобразие! Я буду жаловаться! Я позвоню в милицию!

— Разбудить! — настаивал телефон. Но академик и сам уже пробудился.

— Троша, — кинулась к нему жена. — Троша, ты слышишь?

Троша недовольно взял трубку и услыхал:

— Товарищ Плешивенко? Сейчас с вами будет говорить лично товарищ Коба.

— Товарищ Коба? — Плешивенко словно ветром сдуло с постели. В одних кальсонах, босой, стоял он на холодном полу. Жена со смешанным выражением счастья и ужаса стыла рядом.

— Товарищ Плешивенко, — раздался в трубке знакомый голос с кавказским акцентом, — извините, что звоню вам так поздно...

— Что вы, товарищ Коба... — захлебнулся Плешивенко. — Я так счастлив... Я и моя жена...

— Товарищ Плешивенко, — перебил Коба, — я вам, собственно говоря, звоню по делу. Тут у некоторых наших товарищей родилась довольно-таки смешная и необычная мысль: а что, если в целях поднятия производства мяса и молока вернуть в нашу фауну крупнейшее доисторическое животное... черт, никак не могу вспомнить название. Помню, что из десяти букв, на «бэ» начинается.

— Бронтозавр? — подумав, неуверенно спросил Плешивенко.

Коба быстро прикинул на пальцах:

— Бэ, рэ, о, нэ... — Прикрыл трубку ладонью и, подмигнув лукаво, шепнул Похлебышеву: — Запиши: «бронтозавр». — И громко сказал в трубку: — Совершенно верно. Именно бронтозавр. Как вы относитесь к этой идее?

— Товарищ Коба, — растерялся Плешивенко, — это очень смелая и оригинальная идея... То есть я хотел сказать, что это просто...

— Гениально! — очнувшись от оцепенения, ткнула академика кулаком в бок жена. Она не знала точно, о чем идет речь, она знала, что слово «гениально» в таких случаях никогда не бывает лишним.

— Это просто гениально! — решительно заявил академик, тараща глаза в пространство.

— Для меня это просто рабочая гипотеза, — скромно сказал товарищ Коба. — Сидим, работаем, думаем.

— Но это гениальная гипотеза, — смело возразил академик. — Это величественный план преобразования животного мира. Если только вы разрешите нашему институту взяться за разработку хотя бы отдельных аспектов проблемы...

— Мне кажется, об этом еще надо очень крепко подумать. Еще раз извините, что так поздно вам позвонил.

Плешивенко долго стоял с трубкой, прижатой к уху, и, напряженно вслушиваясь в далекие частые гудки, шептал благоговейно, но громко:

— Гений! Гений! Какое счастье, что мне довелось жить с ним в одну эпоху!

Академик не был уверен, что его слушают, но надеялся, что не без этого.

Когда товарищ Коба вернулся в общую комнату, все было в порядке: Антона Жбанова успели доставить и водворить на отведенное место. Леонтий Ария разлил водку в большие фужеры, товарищ Коба провозгласил первый тост.

— Дорогие друзья, — сказал он, — я пригласил вас сюда для того, чтобы в дружеском тесном кругу отметить самую короткую ночь, которая сейчас наступила, и самый длинный день, который придет ей на смену...

— Ура! — крикнул Вершилов.

— Не спеши, — поморщился Коба. — Ты всегда спешишь поперед батьки в пекло. Я хочу провозгласить тост за то, чтобы все наши ночи были короткие, чтобы все наши дни были длинные...

— Ура! — крикнул Вершилов.

— Тьфу ты, мать твою так! — Товарищ Коба, рассердившись, плюнул ему в лицо.

Вершилов смахнул плевок рукавом и осклабился.

— Я также хочу провозгласить тост за самого мудрого нашего деятеля, за самого стойкого революционера, за самого гениального...

Вершилов на всякий случай хотел еще раз крикнуть «ура!», зная, что каши маслом не испортишь, но товарищ Коба на этот раз успел плюнуть прямо в открытый для выкрика рот.

— ...За великого нашего практика и теоретика, за товарища... — Коба выдержал многозначительную паузу и четко закончил: — Молокова.

В комнате стало тихо. Меренков переглянулся с Мирзояном, Борщев расстегнул ворот украинской рубахи, Ария хлопнул в ладоши и схватился за задний карман, из которого выпирало что-то угловатое.

В дверях появились и застыли две безмолвные фигуры.

Молоков, бледнея, отставил фужер и, поднявшись на ноги, вцепился в спинку стула, чтоб не упасть.

— Товарищ Коба, — упрекнул он коснеющим языком, — за что? Зря обижаете. Вы же знаете, что я недостоин, что у меня и в мыслях ничего похожего не было. Вся моя скромная деятельность — только отражение ваших великих идей. Я, если можно так выразиться, только рядовой проповедник кобизма, величайшего учения нашей эпохи. Я, если прикажете, готов отдать за вас все, даже жизнь. Это вы самый стойкий революционер, вы — великий практик и теоретик...

— Гений! — провозгласил Ария, поднимая фужер левой рукой, так как правая лежала еще на кармане.

— Замечательный зодчий! — констатировал Меренков.

— Лучший друг армянского народа, — вставил Мирзоян.

— И украинского, — добавил Борщев.

— А ты, Антоша, что же молчишь? — обратился Коба к грустному Жбанову.

— А что говорить мне, товарищ Коба? — возразил Жбанов. — Товарищи очень хорошо осветили вашу разностороннюю роль в истории и в современной жизни. Мы, может быть, еще слишком мало об этом говорим, может быть, слишком стесняемся высоких слов, но ведь это же все правда, все это действительно так, и сама наша жизнь повседневно дает нам много наглядных примеров того, что кобизм все глубже и глубже проникает в сознание масс и становится поистине путеводной звездой для всего человечества. Но мне, товарищ Коба, хотелось бы здесь, в непринужденной товарищеской обстановке, напомнить еще об одном громадном таланте, которым вы обладаете и о котором с присущей вам скромностью не любите говорить. Я имею в виду ваш литературный талант. Да, товарищи, — возвысив голос, сказал он, обращаясь уже ко всем. — Недавно мне довелось еще раз перечесть старые стихи товарища Кобы, которые он подписывал псевдонимом Соселло. И я должен сказать со всей прямотой, что стихи эти, как драгоценные жемчужины, могли бы украсить сокровищницу любой национальной литературы, всей мировой литературы, и если бы был жив сейчас Пушкин...

И тут Жбанов заплакал.

— Ура! — крикнул Вершилов, на этот раз тихо и безвозмездно.

Обстановка разрядилась. Леонтий хлопнул в ладоши — две безмолвные фигуры возле дверей испарились. Товарищ Коба смахнул со щеки набежавшую внезапно слезу. Может быть, он не любил, когда ему говорили такие слова. Но еще больше он не любил, когда ему таких слов не говорили.

— Спасибо, дорогие друзья, — сказал он, хотя слезы мешали ему говорить. — Спасибо за то, что вы так высоко цените мои скромные заслуги перед народом. Я лично думаю, что мое учение, которое вы так удачно назвали кобизмом, действительно хорошо не потому, что оно — мое учение, а потому, что оно передовое учение. И вы, дорогие друзья, вложили немало сил для того, чтобы сделать его действительно таковым передовым. Так выпьем же без ложной скромности за кобизм.

— За кобизм! За кобизм! — подхватили товарищи. Хлопнули по фужеру, потом еще. После четвертого фужера товарищ Коба решил поразвлечься и попросил Борщева сплясать гопака.

— У тебя, хохол, это очень хорошо получается, — поощрил он.

Борщев с места пошел вприсядку, Жбанов аккомпанировал на рояле, остальные прихлопывали в ладоши.

В это время бесшумный помощник принес Жбанову телеграмму, в которой сообщалось, что жена Жбанова скончалась в больнице. Это сообщение рассердило Жбанова.

— Не мешайте мне, — сказал он помощнику. — Вы же видите, что я занят.

Помощник удалился. Пока еще твердой походкой подошел лично товарищ Коба. Шершавой мужской ладонью погладил он верного соратника по голове.

— Ты настоящий большевик, Антоша, — сказал он проникновенно.

Жбанов поднял на учителя преданные и полные слез глаза.

— Играй, играй, — сказал товарищ Коба. — Из тебя мог бы получиться очень большой музыкант. Но все силы, весь свой талант ты отдаешь нашей партии, нашему народу.

Коба отошел к столу и сел напротив Молокова, Мирзояна и Меренкова, которые о чем-то толковали между собой.

— О чем беседа? — поинтересовался товарищ Коба.

— Мы говорим, — охотно отозвался Молоков, сидевший в центре, — что контракт с Адиком, заключенный по вашей инициативе, был весьма мудрым и своевременным.

Коба нахмурился. В свете поступавших сообщений меньше всего ему хотелось вспоминать об этом проклятом контракте.

— Интересно, — сказал он, глядя в упор на Молокова, — интересно мне знать, Моча, почему ты носишь очки?

Снова запахло грозой. Жбанов стал играть несколько тише. Борщев, приседая, поглядывал то на Молокова, то на Кобу. Меренков с Мирзояном на всякий случай отодвинулись, каждый к своему краю стола.

Молоков, белый как полотно, поднялся на непослушные ноги и, не зная, что сказать, молча смотрел на товарища Кобу.

— Так ты не можешь сказать мне, почему ты носишь очки?

Молоков молчал.

— А я знаю. Я очень хорошо знаю, почему ты носишь очки. Но я тебе этого пока не скажу. Я хочу, чтобы ты сам подумал своей головой и сказал мне правду, почему ты носишь очки.

Погрозив Молокову пальцем, Коба вдруг уронил голову в тарелку с зеленым горошком и тут же заснул.

— Надо ноги размять, — бодро сказал Мирзоян и с независимым видом вылез из-за стола. Вылез и Меренков. Пользуясь бесконтрольностью, Вершилов и Казанович сели в угол сыграть в картишки. Борщев, не получивший разрешения на отдых, все еще плясал под аккомпанемент Жбанова, но уже халтурил и не приседал, а лишь слегка подгибал ноги.

Ария играл сам с собой в «ножички».

Эта мирная картина неожиданно рухнула. Вершилов вдруг размахнулся и врезал Казановичу звонкую оплеуху. Казанович не стерпел и с визгом вцепился ногтями в лицо Вершилова. Покатились по полу.

Разбуженный шумом, поднял голову лично товарищ Коба. Заметив это, Борщев с новой силой пустился вприсядку, Жбанов заиграл в более быстром темпе, а Меренков и Мирзоян в такт музыке снова стали прихлопывать.

— Хватит, — сердито махнул рукой Коба Борщеву. — Отдохни.

Никола, шатаясь, подошел к столу и выпил фужер «Боржоми».

Вершилов и Казанович, рассыпав карты, все еще катались по полу. Казановичу удалось схватить противника за правое ухо, Вершилов же норовил ударить Казановича коленом ниже живота. Коба подозвал Арию.

— Послушай, Леонтий, что это за люди? Это наши вожди или же гладиаторы?

Ария, отряхнув колени, стоял перед Кобой с кривым кавказским кинжалом, тем самым, которым он только что играл в «ножички».

— Разнять, что ли? — мрачно спросил Ария, пробуя лезвие ногтем.

— Будь добр. Только, пожалуйста, убери кинжал. Не дай Бог, случится несчастье.

Леонтий засунул кинжал за пояс, подошел к дерущимся и дал пинка сперва одному, а затем и другому. Оба вскочили на ноги и предстали перед товарищем Кобой в весьма неприглядном виде. Вершилов размазывал по лицу кровь, Казанович осторожно трогал налившийся под левым глазом синяк.

— Ну и ну! — покачал головой Коба. — И этим людям наш народ доверил свою судьбу. Во что это вы играли?

Враги смущенно потупились.

— Ну, я вас спрашиваю. — Казанович исподлобья глянул на Кобу.

— В буру, товарищ Коба.

— В буру?

— Просто так, товарищ Коба. Просто ради шутки.

— Не понимаю, — товарищ Коба развел руками. — Кто здесь находится? Вожди? Руководители? Или просто блатная компания? И что же вы не поделили?

— Жид передергивает, — выступил вперед Вершилов.

— Что это за слово такое — жид? — сердито спросил Коба.

— Извиняюсь, еврей, — поправился Вершилов.

— Глупый человек, — вздохнул Коба. — Антисемит. Сколько раз я тебе говорил, чтобы ты бросил эти свои великодержавные замашки. Даю тебе неделю сроку, чтобы ты изучил все мои работы по национальному вопросу. Ты понял меня?

— Понял.

— Иди. А ты, Казанович, тоже ведешь себя не совсем правильно. Вы, евреи, своим вызывающим поведением и своим видом создаете самую лучшую почву для антисемитизма. Я уже устал от борьбы с антисемитами, и когда-нибудь мне эта борьба надоест.

Он хотел развить эту мысль, но появился Похлебышев.

— Товарищ Коба, поступило донесение: войска Адика подошли вплотную к границе.

От этих слов неуютно стало товарищу Кобе.

— Подойди сюда, — сказал он секретарю. — Наклони голову.

Он взял со стола погасшую трубку и стал выбивать ее о лысеющее темя Похлебышева.

— Адик — мой друг, — сказал он, как бы вколачивая эти слова в голову секретаря. — У нас на Кавказе существует обычай горою стоять за друга. Можно простить, когда обижают сестру или брата, можно простить, когда обижают отца или мать, но когда обижают друга, простить нельзя. Обижая моего друга, ты обижаешь меня.

Он бросил трубку на стол и пальцем поднял подбородок Похлебышева. По лицу Похлебышева текли крупные слезы.

— О, ты плачешь! — удивился товарищ Коба. — Почему же ты плачешь, скажи мне?

— Я плачу потому, что вы так трогательно говорили о дружбе, — сказал Похлебышев, всхлипывая и дергая носом.

Товарищ Коба смягчился.

— Ну ладно, — сказал он потеплевшим голосом. — Я знаю, что ты хороший человек, ты только с виду такой суровый. Пойди отдохни и скажи доктору — пусть помажет тебе голову йодом. Не дай Бог, получится заражение.

После этого товарищ Коба собрал всех к столу и предложил выпить за дружбу.

— Товарищ Коба, — спросил Молоков, — мне тоже можно выпить с вами?

Коба ничего не ответил, пропустил вопрос мимо ушей. Молоков подержал фужер с водкой и, ни на что не решившись, поставил на место.

Затем товарищ Коба выразил желание немного помузицировать. Он подошел к роялю и, аккомпанируя себе одним пальцем, исполнил известную частушку следующего содержания:

Я на горке была,
Я Егорке дала...
Не подумайте плохого,
Я махорки дала.

Все дружно засмеялись и зааплодировали. Товарищ Жбанов в короткой речи отметил высокие художественные достоинства произведения. Вершилов, достав из кармана блокнот и огрызок химического карандаша, попросил разрешения тут же списать слова.

— Я тоже спишу, — сказал Борщев. — Жинке завтра спою. Вот будет смеяться.

— Пускай посмеется. — Коба вернулся на свое место за столом, сел и, подложив под голову руки, тут же заснул.

Наступал самый ранний в то лето рассвет. За окном постепенно светлело, словно чернила понемногу разбавляли водой. На фоне светлевшего неба все резче очерчивались и становились все выпуклее золотые маковки церквей.

Выпито было немало, вся компания слегка притомилась. Товарищ Коба спал за столом. Ария, держась за задний карман, полулежа дремал на диване. Мирзоян громко храпел под столом, упираясь подошвой в щеку Меренкова. Молоков с каменным лицом, не рискуя пошевелиться, сидел перед товарищем Кобой. Казанович с Вершиловым, помирившись, играли в карты. Жбанов в другом углу, упершись лбом в холодную стену, пытался блевать. Один только Борщев тихо бродил по комнате с таким сосредоточенным видом, словно что-то потерял и хотел найти. Он, кажется, протрезвел, и теперь голова болела с похмелья и наполнялась неясными мрачными мыслями. Сочувственно морщась, он постоял возле Жбанова и порекомендовал ему старое народное средство — два пальца в рот. Жбанов промычал что-то неопределенное и помотал головой. Борщев подошел к картежникам и стал следить за игрой просто из любопытства, но Вершилов его вскоре прогнал. Борщев посмотрел на Леонтия и, убедившись, что тот спит, подсел к Молокову, соблюдая, однако, некоторую дистанцию. Стремясь обратить на себя внимание соседа, шумно вздохнул. Молоков, не поворачивая головы, скосил глаза на Борщева. Тот подмигнул в ответ и сказал шепотом:

— Ты бы очки снял покамест. Товарищ Коба в последнее время нервенный ходит, и ты его не дражни. Потом забудет, обратно наденешь. — Он схватил со стола огурец, надкусил и выплюнул: огурец был горький. Покосился на Кобу и снова вздохнул. — Трудно с им, конечно, работать. Ведь не простой человек — гений. А я-то тут при чем? Я раньше на шахте работал, уголь долбал. Работа нельзя сказать чтобы очень чистая, но жить можно. А теперь вот в вожди попал и портреты мои по улицам перед народом носят. А какой из меня вождь, если все мое образование — три класса да ВПШ. Вы-то все люди выдающие. Теоретики. Про тебя в народе слух ходит, будто двенадцать языков знаешь. А я вот, к примеру, считаюсь будто как украинец и жил на Украине, а языка ихнего, хоть убей, не понимаю. Чудной он какой-то. По-нашему, скажем, лестница, а по-ихнему драбына. — Словно впервые пораженный странностями непонятного ему языка, Борщев засмеялся.

Улыбнулся и Молоков. Слухи о его познаниях в иностранных языках были сильно преувеличены. Просто товарищ Коба когда-то для поднятия авторитета вождей наделил их достоинствами, о которых они раньше не подозревали. Так Меренков стал крупнейшим философом и теоретиком кобизма, Мирзоян — коммерсантом, Казанович — техником, Ария — психологом, Вершилов — замечательным полководцем, Жбанов — специалистом по всем искусствам, Борщев — украинцем, а он, Молоков, зная несколько чужих слов и выражений, — полиглотом.

Ничего этого Молоков своему собеседнику, естественно, не сказал, а сказал только, что и ему здесь живется несладко.

— Да я нешто не вижу, — вздохнул Борщев. — Это ж надо совесть какую иметь — из-за очков придираться. Почему, мол, носишь очки. А может, тебе так нравится. Да я бы, на мой характер, — загорелся Никола, — ему за такие слова в рожу бы плюнул, не постеснялся.

В это время товарищ Коба пошевелился. Борщев замер, холодея от ужаса, но тревога оказалась напрасной — товарищ Коба пошевелился, но не проснулся. «Вот дурак-то, — с облегчением подумал про себя Никола. — Вот уж правда язык без костей. Да с таким языком ой как вляпаться можно!» Он решил больше не разговаривать со своим опальным коллегой, но, не удержавшись, снова склонился к уху Молокова.

— Слушай, Мочеслав, — зашептал он, — а что, если попроситься у него, чтоб отпустил? Ведь ежли он гений, так пущай сам все и решает. А мы-то ему на кой?

— Ну да, — сказал Молоков. — А жить на что?

— А в шахту пойдем. Уголь долбать я тебя научу — дело простое. Снизу пласт подрубаешь, сверху отваливаешь. Заработки, конечно, не то что у нас, но зато ж и риску меньше. Завалить-то может, но это ж один раз, а тут каждый день помираешь от страху.

Он вздрогнул и выпрямился, услышав сзади чье-то дыхание. Сзади стоял Ария. Почесывая за ухом рукояткой кинжала, он переводил любопытный взгляд с одного собеседника на другого.

— О чем, интересно, такой увлекательный разговор? — спросил он, подражая интонации товарища Кобы.

«Слышал или нет?» — мелькнуло у обоих одновременно.

«Слышал», — решил Молоков и тут же нашел самый верный выход из положения.

— Да вот товарищ Борщев, — сказал он с легким сарказмом, — предлагает мне вместе с ним отстраниться от активной деятельности, уйти во внутреннюю эмиграцию.

Но Борщев был тоже парень не промах.

— Дурак ты! — сказал он, поднимаясь и расправляя грудь. — Я тебя только пощупать хотел, чем ты дышишь. Тебе все равно никто не поверит, все знают, я очки не ношу, я ясными глазами смотрю в глаза товарища Кобы и в светлые дали прекрасного будующего.

— Вот именно что «будующего», — передразнил Молоков. — Ты бы русский язык сперва подучил, а потом...

Фразу он не закончил. К счастью для обоих, в комнату ворвался Похлебышев с перебинтованной головой.

— Товарищ Коба! Товарищ Коба! — закричал он с порога, за что тут же получил по уху от Леонтия.

— Ты разве не видишь, — сказал Леонтий, — что товарищ Коба занят предутренним сном? Что там еще случилось?

Похлебышев трясся от необычайного возбуждения и повторял одно слово: «Адик». С большим трудом удалось из него выжать, что войска Адика хлынули через границу.

Тут же состоялось экстренное, специальное и чрезвычайное заседание. Председательствовал Леонтий Ария. Почетным председателем был избран спавший тут же товарищ Коба. Стали думать, как быть. Вершилов сказал, что необходимо объявить всеобщую мобилизацию. Казанович предложил немедленно взорвать все мосты и вокзалы. Мирзоян, взяв слово для реплики, заметил, что, хотя они собрались своевременно и в деловой обстановке, нельзя не учитывать факта присутствия и одновременно отсутствия товарища Кобы.

— Мы, — сказал он, — конечно, можем принять то или иное решение, но ведь не секрет, что никто из нас не гарантирован от серьезных ошибок...

— Но ведь мы представляем собой коллектив, — сказал Казанович.

— Коллектив, товарищ Казанович, состоит, как вам известно, из отдельных личностей. Если одна личность может совершить одну ошибку, несколько личностей могут совершить несколько ошибок. Безошибочно мудрое и правильное решение может принять только один человек. Этот человек — товарищ Коба, но он, к сожалению, занят сейчас предутренним сном.

— Что значит «к сожалению»? — вмешался Леонтий Ария. — В этом вопросе я должен поправить товарища Мирзояна. Это большое счастье, что в такое трудное для всех нас время товарищ Коба занят предутренним сном, накапливает силы для дальнейшего принятия самых мудрых решений.

В порядке ведения слово взял Меренков. Он сказал:

— Целиком и полностью поддерживаю товарища Арию, который вовремя одернул за непродуманное выступление товарища Мирзояна. По всей видимости, товарищ Мирзоян не имел преступного умысла, и данное его высказывание следует считать простой оговоркой, хотя, конечно, иногда бывает довольно затруднительно провести достаточно четкую грань между простой оговоркой и продуманным преступлением. В то же время, я думаю, было бы целесообразно признать правоту товарища Мирзояна, считающего, что только товарищ Коба может принять правильное, мудрое и принципиальное решение по поводу вероломного нападения Адика. Однако в связи с этим встает и другой вопрос, требующий незамедлительного разрешения, вопрос, который я предлагаю немедленно обсудить: будить ли товарища Кобу сейчас или подождать, пока он проснется сам?

По этому вопросу мнения товарищей разделились. Некоторые полагали, что надо будить, другие предлагали подождать, потому что товарищ Коба сам знает, когда ему нужно спать, когда просыпаться.

Товарищ Жбанов, несмотря на только что сообщенную ему весть и нездоровье от отравления алкоголем, принял активное участие в прениях и сказал, что, прежде чем решать вопрос о том, будить ли товарища Кобу, необходимо решить предыдущий, так сказать, подвопрос, насколько серьезны намерения Адика и не есть ли это только провокация, направленная к перерыву сна товарища Кобы. Но решить, серьезное это нападение или же провокация, может опять-таки только лично товарищ Коба.

В конце концов были поставлены на голосование два вопроса:

1. Разбудить товарища Кобу.

2. Не будить товарища Кобу.

Результаты голосования по обоим вопросам были такие:

Кто за? Никто. Кто против? Никто. Кто воздержался? Никто.

В протоколе было записано, что решения по обоим вопросам приняты единогласно. Товарищу Мирзояну было указано на непродуманность некоторых его высказываний.

После составления протокола неожиданно в порядке дополнения взял слово товарищ Молоков. Он понял, что спасение его сейчас только в активных действиях, и сказал, что ввиду сложившейся ситуации он намерен немедленно разбудить товарища Кобу и взять на себя ответственность за все последствия своего поступка. После этого он решительно подошел к товарищу Кобе и стал трясти его за плечо:

— Товарищ Коба, проснитесь!

Товарищ Коба, не просыпаясь, мотал головой и дрыгал ногами.

— Товарищ Коба, война! — в отчаянии крикнул ему Молоков в самое ухо и на этот раз так тряхнул, что Коба проснулся.

— Война? — переспросил он, обводя лица соратников ничего не понимающим взглядом. Вылил себе на голову бутылку «Боржоми» и остановил взгляд на Молокове. — С кем война?

— С Адиком. — Молокову терять было уже нечего.

— Значит, война? — Товарищ Коба приходил постепенно в себя. — И когда же она объявлена?

— В том-то и дело, товарищ Коба, в том-то и вероломство, что война не объявлена.

— Не объявлена? — удивился Коба, набивая трубку табаком из папиросы «Казбек». — Интересно. Откуда же вам известно, что она есть, если она не объявлена?

— Получено донесение, — отчаянно докладывал Молоков. — Адик пересек границу.

— Но если война не объявлена, значит, ее нет, значит, мы, кобисты, ее не признаем и не принимаем, ибо принять то, чего нет, значит — скатиться в болото идеализма. Не так ли, товарищи?

Товарищи были поражены. Ни одному из них не могла прийти в голову такая блестящая мысль. Никто из них не мог бы решить столь сложный вопрос с такой гениальной легкостью.

— Ура! — смело крикнул Вершилов.

— Ура! — поддержали его остальные.

— А теперь я хочу спать, — решительно заявил товарищ Коба. — Кто меня понесет?

Молоков и Казанович подхватили учителя под мышки. Вершилов кинулся тоже, но не успел.

— Кричишь больше всех, — заметил неодобрительно Коба, — а когда доходит до дела, не успеваешь. В другой раз будешь порасторопнее. А ты, Моча, — он похлопал Молокова по щеке, — настоящий стойкий боец и кобист, и я скажу тебе прямо, почему ты носишь очки. Ты носишь очки потому, что у тебя не очень хорошее зрение, но каждый человек, у которого не очень хорошее зрение, должен носить очки, чтобы зорко смотреть вперед. Ну, поехали!

Возле кабинета он отпустил своих носильщиков и заперся изнутри. Прислушавшись, убедился, что Казанович и Молоков удалились, и только после этого обычным способом, через сейф, пролез в свою комнату. Здесь он бросил в угол трубку, а затем сорвал и швырнул туда же усы. Он был совершенно трезв. Он отдавал себе отчет в том, что происходит. Он не спал, когда Похлебышев сообщил о нападении Адика, он не спал, когда заседали товарищи, он играл спящего пьяного человека, и играл хорошо, потому что из всех талантов по-настоящему он обладал одним: он был артистом.

Теперь играть стало незачем, не было зрителей. Товарищ Коба сел на кровать, стянул сапоги, расстегнул штаны и задумался. Как-то нескладно все получается. Никому никогда не верил, один раз поверил — и вот результат. После этого и доверяй людям. Надо, однако, искать какой-то выход из положения. Ведь ты в этой стране один, который думает за всех, но никто из всех за тебя не подумает. Что делать? Обратиться с воззванием к народу? А что сказать? Попросить военной помощи у американцев? Или политического убежища для себя?

А что? Поселиться где-нибудь в штате Флорида, написать мемуары «Как я был тираном». Если, конечно, получится. А может быть, скрыться в Грузии и жить там под видом простого сапожника?

«Сосо, — говорил ему, бывало, отец, — из тебя никогда не выйдет настоящий сапожник».

Товарищ Коба поднял глаза и увидел у противоположной стены жалкого безусого старика. Машинально растирая худые колени, он сидел на железной кровати в штанах, упавших на щиколотки. Товарищ Коба горько усмехнулся.

— Ну вот, — сказал он старику, — вот видишь. Ты думал, что ты самый хитрый и коварный. Ты не слушал ничьих советов и предостережений. Ты вырывал каждый язык, который пытался говорить тебе правду. Но тот единственный в мире, кому ты доверился, оказался хитрей и коварней тебя. Кто теперь тебе поможет? На кого сможешь ты опереться? На народ? Он тебя ненавидит. На своих так называемых соратников? Ха-ха, соратники. Кучка придворных лгунов и подхалимов. Они первые продадут тебя, как только появится такая возможность. Раньше хотя бы шутам и блаженным разрешалось говорить правду. Кто скажет ее теперь? Ты требовал лжи, теперь ты можешь в ней захлебнуться. Тебе лгут все: твои газеты, твои ораторы, твои разведчики и доносчики. Но есть еще один человек, у которого хватит мужества сказать тебе правду в глаза. Он сидит сейчас перед тобой. Он видит тебя насквозь, как самого себя. Ты, возомнивший себя сверхчеловеком, посмотри на себя, какой ты сверхчеловек? Ты маленький, ты рябой, у тебя все болит. У тебя болит голова, болит печенка, твои кишки плохо переваривают то, что ты жрешь, тот кусок мяса, который ты отнял у своего голодного народа. Почему же, если ты сверхчеловек, у тебя вылезают зубы и волосы? Сверхпаразит, зачем ты убил столько народу? Меньшевиков, большевиков, попов, крестьян, интеллигентов, детей, матерей... Ради чего ты разорил хозяйство и обезглавил армию? Ради светлого будущего? Нет, ради личной власти. Тебе нравится, что тебя все боятся, как чумы. Но, создатель империи страха, не есть ли ты самый запуганный в ней человек? Чего только ты не боишься! Выстрела в спину, яда в вине, бомбы под кроватью. Ты боишься своих соратников, охранников, поваров, парикмахеров, своей собственной тени и своего отражения. Гонимый собственным страхом, ты выискиваешь всюду врагов народа и контркобистов. Тебе не надо искать их. Посмотри на себя, ты и есть главный враг народа и главный контркобист.

Коба говорил, а лицо старика хмурилось и становилось все более злобным. Видно, ему, как всегда, не нравилась правда. В ответ на бросаемые ему упреки он морщился, гримасничал и размахивал руками. Произнося последние слова, Коба невольно стал тянуть руку к подушке. Он заметил, что и старик делает то же самое. Его следовало опередить. Коба резко рванулся и выхватил из-под подушки лежавший там пистолет. И в то же мгновение в руках старика сверкнул точно такой же. Но Коба уже нажал на спусковой крючок.

Стрельба в закрытых помещениях всегда производит много шуму. Один выстрел, другой — и рябое лицо старика треснуло, извилистые полосы пересекли его во всех направлениях. Пахло горелым ружейным маслом, колебались барабанные перепонки, мерзкая рожа лопалась, расползалась и выпадала кусками, создавалось ощущение, что там действительно корчится и гибнет живой человек.

И вдруг все стихло. Кончились патроны. Коба посмотрел напротив, там не было уже никого.

— Все, — грустно и значительно сказал Коба неизвестно кому. — Я избавил народ от его палача. — С этими словами он отшвырнул ненужный уже ему пистолет.

Впоследствии выяснилось, что выстрелов никто не слышал. Не следует удивляться — стены Кобиной комнаты были настолько глухими, что не пропускали даже звуков большой силы.

Старуха, пришедшая утром убрать помещение, увидела, что по всей комнате рассыпаны осколки зеркала. Хозяина комнаты нашла она в постели, лежащим навзничь. Левая нога его была на кровати, правая со штанами, зацепившимися за щиколотку, — на полу. Правая рука безжизненно свисала, не достигая пола. Сперва решив, по ее словам, что товарищ Коба «застрелимшись», старуха хотела поднять тревогу, но, убедившись, что на теле лежащего нет никаких разрушений, решила погодить, чтобы не призвали в свидетели. Она положила на кровать его руку и ногу, стащила совсем штаны и укрыла товарища Кобу верблюжьим одеялом, заботливо подоткнув его под разные части тела. После чего принялась за уборку стекол, надеясь, что к завтрему товарищ Коба непременно проспится. Но он не проснулся ни завтра, ни послезавтра и, как показывают заслуживающие доверия источники, провел следующие десять дней в летаргическом сне. Вот в эти десять дней старуха как раз, говорят, и уволилась, и отнесла записку насчет пшена в Музей Революции. Но я так не думаю. Я думаю, что в эти десять дней записка несколько упала в цене, а потом снова возвысилась. А старуха эта, видать по всему, была не такая уж дура, чтобы носить куда попало записку, не дождавшись подходящей цены. Впрочем, насчет старухи существует много разноречивых суждений. Сторонники прокобистского направления в нашей исторической науке, не отрицая самого факта существования старухи, сомневаются, что она снимала с товарища Кобы штаны, ибо они были несъемные. Эти ученые указывают нам, что товарищ Коба как родился в мундире генералиссимуса, так в нем и жил, никогда не снимая. Приверженцы же контркобистского направления, напротив, утверждают, что товарищ Коба вообще был гол, но покрыт густой шерстью. Ее-то современники и принимали издали то за простую солдатскую шинель, то за мундир генералиссимуса. Не присоединяясь ни к одной из этих версий, автор признает, что каждая из них по-своему интересна.

1967

В стиле Андре Шарля Буля

О том, что его бывший ученик Борис Студенцов стал профессором, Виктор Егорович узнал совершенно случайно. То есть, конечно, это не такая уж и случайность, если в газете, которую ты ежедневно читаешь от корки до корки, напечатана (и довольно жирным шрифтом) знакомая фамилия, попробуй на нее не наткнись. Именно так все и произошло. После завтрака сидел Виктор Егорович у себя в сарае на верстаке и, напялив на нос очки, читал газету. Прочел передовую, вести с полей, международные сообщения и прочее, пока не дошел до этой статьи на третьей странице. Броский заголовок привлек внимание: «Нужны ли самолету крылья?» Эту статью, как и весь предыдущий материал, прочел от начала до конца, не пропуская ни строчки, и под статьей увидел подпись: «Б. Студенцов, доктор физико-технических наук, профессор».

Взгляд Виктора Егоровича задержался на этой фамилии, какое-то смутное воспоминание было с ней связано. Знал он, что ли, какого-то Студенцова? Да, возможно, знал — мало ли с кем приходилось в жизни встречаться, — но не обязательно именно этого. И, решительно переместившись на четвертую страницу, стал читать спортивные новости. Футболом он мало интересовался, а вот шахматы его огорчили. Тайманов проиграл Фишеру шестую партию...

За шахматами Виктор Егорович следил давно. Еще в сорок шестом году, кажется, когда был турнир в Гронингене, он болел за Ботвинника. Турнир был очень серьезный хотя бы потому, что в нем участвовал экс-чемпион мира Макс Эйве. Смешно сказать, но тогда он, Виктор Егорович Кондратюк, был совершенно убежден, что «экс» означает что-то вроде «высший». И однажды, проводя со своими учениками политинформацию (читал и комментировал газетные сообщения), он сказал: «И я надеюсь, что Ботвинник станет экс-чемпионом мира». Мало того что сказал, выделил интонационно, произнес, как самый торжественный титул. Не какой-нибудь чемпион, не просто чемпион, а экс! Вот какой чемпион!

Сказав это, он тогда заметил усмешку на губах одного из своих учеников. Сейчас, по прошествии многих лет, он вдруг четко вспомнил этого маленького ушастого паренька с озорными смеющимися глазами на скуластом лице. Студенцов!

Того Студенцова, кажется, звали Борисом. Виктор Егорович вернулся на третью страницу и посмотрел подпись под ученой статьей. «Б. Студенцов, профессор». Конечно, это могло быть совпадение. Не такая уж редкая, должно быть, эта фамилия Студенцов. К тому же профессор мог оказаться вовсе и не Борисом, а Болеславом или Бенедиктом (был же когда-то у Виктора Егоровича ученик Бартоломео Валявкин). Но почему-то ему ужасно захотелось, чтобы этот профессор оказался именно тем Борькой Студенцовым, который учился у него когда-то в ремесленном училище, в группе столяров-краснодеревщиков.

Выйдя из сарая, Виктор Егорович увидел жену, она развешивала белье на нейлоновом шнуре.

— Поди-ка сюда! — поманил он ее.

— Ну что? — подошла Наталья Макаровна.

— Помнишь, я когда-то давно тебе рассказывал: был у меня ученик такой Борис Студенцов?

Она не помнила, но на всякий случай сказала:

— Ну?

— В настоящее время является профессором, доктором физико-технических наук, — сказал Виктор Егорович почти уверенно. И этот титул он произнес торжественно, как когда-то произносил: «экс-чемпион мира».

«Уважаемый тов. профессор! Пишет вам бывший мастер РУ № 8 города Заднепровска Кондратюк Виктор Егорович, здравствуйте. Обращаюсь к вам с небольшим вопросом. В период 1946—1948 гг. у меня в группе столяров-краснодеревщиков учился Борис Студенцов, если это ты, то здравствуй, Боря. Статью твою прочитал, очень хорошая. Опиши, как сложилась твоя дальнейшая жизнь. Я работал в РУ, а потом в ПТУ. Теперь по возрасту лет на пенсии. Также и моя супруга Н. М. Дети выросли. Люда замужем, имеет двоих детей, Александр служит лейтенантом в милиции, пока неженатый. Опиши, как здоровье мамаши, и передай ей привет. Есть ли у тебя супруга и детки? По возможности вышли фото. А если это не ты, тогда, тов. профессор, извините за беспокойство.

Остаюсь с уважением, В. Кондратюк».

Борис Петрович Студенцов, или просто Боб (так, несмотря на то что Студенцов недавно стал профессором, звали его жена и товарищи), спустившись как-то за «Вечеркой», обнаружил в почтовом ящике письмо из газеты, в которой он напечатал недавно свою статью о современных самолетах. Поднимаясь в лифте, он вскрыл редакционный конверт и обнаружил в нем второй конверт, адресованный на его имя в редакцию: «Профессору Б. Студенцову лично».

Когда полминуты спустя Боб вошел в комнату жены, она поняла, что он чем-то взволнован.

— Слушай, Ленка, — сказал он, — ты помнишь, я тебе когда-то рассказывал о мастере, который был у нас в ремесленном?

— Который надеялся, что Ботвинник станет экс-чемпионом мира?

— Он самый.

— Ну и что?

— На, почитай. — Он дал ей письмо. Лена читала, улыбаясь.

— Побей меня гром, — сказал Боб, — если я хоть какое-нибудь представление имею о супруге Н.М. или о лейтенанте милиции Александре.

— А его самого помнишь?

— Еще бы! — сказал Боб. — Занятный был человек. Мне от него доставалось. Бывало, запорешь какую-нибудь деталь, он вытянет указательный палец, длинный, как палка, и в лоб: «Ах ты, дубинушка, свинцовая голова!»

— И это все, что ты можешь о нем сказать?

Студенцов задумался.

— Вообще у него была болезненная тяга к иностранным словам и торжественным выражениям. «Этот комод, — он вспомнил и изобразил интонацию мастера, — выполнен в стиле Андре Шарля Буля».

Лена засмеялась.

— Ну а сам-то он мастер был хороший?

— Кто его знает! Я ученик был неважный. В ремесленное пошел только потому, что там давали семьсот граммов хлеба, трехразовое питание и одевали. Мать заставила. Я тогда учился еще в вечерней школе и бредил авиацией. Николай Егорович Жуковский интересовал меня гораздо больше, чем Андре Шарль Буль. Однажды делали мы табуретки, и у меня получилось что-то такое, на что не только сесть, но и дышать было страшно. Мастер поставил это сооружение на верстак, выстроил всю группу и вызвал из строя меня. «Что это?» — грозно спросил он, тыча в табуретку пальцем, отчего она чуть не рассыпалась. «Табуретка в стиле Андре Шарля Буля», — сказал я. Ребята засмеялись, а мастер посмотрел на меня печально и сказал: «Нет, Студенцов, скорее можно корову научить кружева вязать, чем тебя столярному делу».

* * *

10 августа Виктор Егорович не пошел в сарай, где помещалась его мастерская. Несмотря на стоявшую жару, он облачился в темный костюм, белую рубашку с галстуком, начистил ботинки, надел старую шляпу, которую не носил уже несколько лет, и вышел на улицу. Во дворе трехэтажного дома, где жил Виктор Егорович, сидел на лавочке сосед Шарашкин в подшитых валенках. Виктор Егорович сел рядом.

— А ко мне ученик должен сегодня приехать. Профессор.

— Профессор? — оживился Шарашкин. — По каким болезням?

— Он не по болезням, а по самолетам.

— А! — Шарашкин потерял сразу всякий интерес.

За неимением другого собеседника, Виктор Егорович все же стал рассказывать ему о том, как нашел профессора через газету, как списались. В последнем письме профессор сообщил: «Собираюсь с женой на машине в Крым, думаю завернуть по дороге к вам. Буду числа десятого».

На это сообщение Шарашкин отозвался только междометием «гм!», после чего соседи обоюдно молчали часа два с половиной. Профессора не было. Наконец Виктор Егорович решил разрядить слишком затянувшуюся паузу и сказал со вздохом:

— Что-то моего профессора не видать. Уж не заблудился ли?

— А ты сходи на тракт, — посоветовал Шарашкин, имея в виду шоссе Москва — Симферополь.

Дважды в тот день Виктор Егорович ходил «на тракт» наблюдать интенсивный грузо- и пассажиропоток. Машины на огромных скоростях проносились мимо, профессора в них не было. Весь следующий день Виктор Егорович тоже провел в шляпе и галстуке. Опять сидел на лавочке и ходил на шоссе. За два дня он так наволновался, что на третий и вовсе не вышел из дому и послал жену в аптеку за валидолом. Наталья Макаровна в аптеку сбегала, но ругала последними словами и мужа, и неизвестного ей «профессора кислых щей». К концу третьего дня ожидания, когда Виктор Егорович уверился, что профессор скорее всего проскочил мимо, во двор въехали вишневые «Жигули», в которых находились два пассажира — он и она.

Услышав звонок, Виктор Егорович всполошился (болезнь как рукой сняло) и, пока жена открывала дверь, свернул кое-как постель и запихал ее в бельевой ящик. И ринулся в коридор, где, судя по голосам, уже толклись приехавшие. «Это ж надо, — мелькнуло в мозгу огорчение, — два дня в костюме проходил, а встречаю в пижаме». Оказалось, что профессор и его жена (хотя встретились с Виктором Егоровичем не неожиданно) были одеты не лучше. Оба в каких-то потертых штанах, подпоясанных широкими ремнями, на нем клетчатая рубашка с короткими рукавами, на ней кофта (тоже не первый сорт) и очки с синими стеклами, огромными, как чайные блюдца. В первую секунду простота их одежды как-то покоробила Виктора Егоровича: ведь он-то готовился их встретить иначе! Но тут же заглушив в себе сомнение (все-таки люди в дороге), он широко расставил руки и шагнул к профессору.

— Здравствуй, Борис... — И, поколебавшись, добавил: — Петрович!

Вскоре он уже похлопывал Студенцова по спине и поворачивал его так и эдак:

— Ну, Борис Петрович, — бормотал он, — ну, нисколько не изменился! Ну, совсем такой же, как был!

Конечно же, Борис изменился, раздался в плечах и приобрел брюшко и нисколько не был похож на того ремесленника, которого знал когда-то Виктор Егорович. Но на профессора он был похож еще меньше (встретишь на улице, ни за что не подумаешь), и этим Виктор Егорович был огорчен, хотя виду не подал.

Отрекомендовавшись затем жене профессора и отрекомендовав обоим свою половину, Виктор Егорович отступил в сторону и, сделав приглашающий жест рукой, торжественно, как на дипломатическом приеме, произнес:

— Прошу в мои... — Он только чуть-чуть запнулся, но все же одолел звучное иностранное слово, — апартаменты!

Переступив порог комнаты Виктора Егоровича, Борис оторопел и остановился, не в силах двинуться с места. Стало жарко, и захотелось тут же разуться.

— Боже! — ахнула сзади Лена. — Что это?

— В каком смысле? — спросил Виктор Егорович, как показалось Борису, испуганно.

— Это музей? — спросила Лена.

— Так все спрашивают, когда первый раз заходят, — сказала Наталья Макаровна не то с гордостью, не то с осуждением. — Да вы проходите вперед, не стесняйтесь.

— Нет, — сказала Лена, — это невозможно. Здесь надо летать по воздуху. Этот паркет, эти стены...

То, что поразило Лену и Бориса (его настолько, что он не мог слова вымолвить от удивления), надвигалось на них со всех сторон. Пол был застелен узорным паркетом, а стены состояли из резных деревянных панелей самых разных пород. Резьба на стене справа изображала как бы дремучий лес, из-за деревьев которого выглядывала всякая лесная дичь — волки, лоси, лисы, медведи, а ближе к потолку — птицы. И все так похоже, что даже страшно. Но левая стена поражала воображение еще больше. Здесь над деревянной кроватью с горой подушек резная панель изображала семью Виктора Егоровича Кондратюка в натуральную величину. Посредине этого группового портрета восседал сам Виктор Егорович, положив ногу на ногу и сцепив на колене руки, рядом с ним сидела Наталья Макаровна с напряженным выражением лица. Сбоку от Натальи Макаровны помещался молодой человек в милицейской форме, а сбоку от Виктора Егоровича молодая женщина. Между молодой женщиной и Виктором Егоровичем и между милиционером и Натальей Макаровной разместились две девочки — лет пяти и восьми, с косичками, выпущенными вперед. Застывшие, напряженные лица на портрете напоминали деревенскую фотографию, но ведь это была не фотография! Поражало сходство с оригиналами, скрупулезное исполнение всех деталей до мельчайших подробностей, до морщин под глазами, до пуговиц, до кокарды на милицейской фуражке, до вздувшихся вен на руках, до шнурков на ботинках.

Лена покачала головой и сказала:

— Этого не может быть!

— Неужели это все сделали вы, Виктор Егорович? — спросил Студенцов.

— Я, — тихо ответил Виктор Егорович. На фоне созданного им чуда он казался теперь маленьким и невзрачным, неудачной копией собственного портрета.

— Этого не может быть! — повторила Лена.

— Отчего же не может быть? — рассудительно и с некоторой вроде даже обидой сказала Наталья Макаровна. — Сам все и сделал своими руками.

— В этой своей работе, — значительно сказал Виктор Егорович, — мною использовано тридцать шесть различных пород древесины.

Борис перевел взгляд на резную спинку кровати.

— Тоже моя работа, — перехватил его взгляд Виктор Егорович и стал показывать гостям остальные предметы мебели: письменный стол с кривыми ногами, с какими-то резными и инкрустированными ящичками, дверцами, задвижками, затем столь же фантастический комод, два кресла, стулья, обеденный стол.

— Поразительно! — бормотала Лена, как в гипнозе. — Никогда в жизни ничего подобного не видала!

Дав гостям налюбоваться и наахаться вдоволь, Виктор Егорович отступил к дверям и тоном циркового конферансье, объявляющего коронный номер программы, торжественно провозгласил:

— Весь этот мебельный гарнитур также выполнен мною собственноручно из ценных пород древесины в стиле Андре... — Он сделал паузу. — Шарля... — Он сделал вторую паузу. — Буля!

Борис вздрогнул. Ему показалось, что сейчас в распахнутое окно в старинной французской одежде влетит Андре Шарль Буль и сделает сальто-мортале.

Но в окно никто не влетел, только ветер качнул занавеску, которая Студенцову показалась тоже сотканной из ценных пород древесины.

— Вот вы говорите «мастерство, мастерство», — сказала Наталья Макаровна после того, как гости и хозяева понемножку выпили за этим роскошным обеденным столом и уже не стеснялись друг друга. — А сколько мы через это его мастерство натерпелись. В прошлом году пришел новый домоуправ. «Что это, — говорит, — у вас на стенах безобразие?» Он ему, — она кивнула на мужа, — про свой стильбуль, а домоуправ: «Никакого стильбуля не знаю, а за порчу казенного помещения выселю». Он ему: панели, мол, съемные. А тот: раз съемные, так и сыми. «Да как же я их сыму, — изображая мужа, она повысила голос, — когда я над ними двадцать пять годов изо дня в день трудился?» А тот: «Значит, ты двадцать пять лет помещение портишь. Сыми по-хорошему, не то милицию вызову, протокол составлю, комиссию на тебя напущу». И что вы думаете? Была комиссия. Хорошо, председатель попался умный. «Ты, говорит, не домоуправ, а самоуправ, дурак, говорит, ты и не лечишься. Куда ж ты его выселять-то собрался? Да ты гордиться должен, что по одному с ним двору ходишь. Да здесь, может, музей будет когда-то. Да это, может, наш новый...» Как он сказал-то? — повернулась она неожиданно к мужу.

— Не помню, — смутился Виктор Егорович.

— Помнишь, — не поверила Наталья Макаровна. — Ну ты скажи, как он говорил? Ку... Ку...

— Ку-ку, — передразнил ее Виктор Егорович, и Лена весело засмеялась.

— Кулибин, — подсказал Студенцов.

— Вот точно, Кулибин.

— Русский народный умелец. Самородок, — почтительно вставил Виктор Егорович.

— Ты тоже умелец, — махнула она рукой. — Только от твоего умелья (она так и сказала «умелья») одни неприятности. Вот ведь сколько раз нам предлагали квартиру отдельную. А как туда поедешь? Музей же этот туда не вставишь, к новому месту не подойдет. Вот и живем, спасибо еще, соседи попались хорошие. Нет, вы не подумайте, — спохватилась она, — я его не ругаю, руки у него, ничего не скажешь, золотые, хотя посмотришь и не подумаешь. С виду вроде руки как руки, даже как будто и не рабочие. Вот покажи людям руки! — Она снова повысила голос.

— Ладно тебе, — поморщился мастер и спрятал руки под стол. — Вы не обращайте на нее внимания, — сказал он гостям. — Проявляется возбуждающее действие алкоголя. Ты все про меня. Давай лучше гостей послушаем, Бориса Петровича я мальчиком помню, а теперь он профессор. Доктор физико-технических наук! — еще раз с удовольствием произнес Виктор Егорович и поднял вверх указательный палец. — Создаешь конструкции самолетов? — спросил он, повернувшись к Борису.

— Не совсем. Я занимаюсь аэродинамикой. — И Студенцов стал рассказывать что-то о своей науке, но впечатление от всего увиденного было столь велико, что он никак не мог переключиться...

Было уже за полночь, все устали. Наталья Макаровна сказала, что постелит гостям в комнате, а сами они пойдут ночевать в сарайчик, там у них есть постель.

...Лена заснула сразу, а Борис долго еще лежал с открытыми глазами, думал и не мог понять, как же случилось, что в свое время он, наблюдательный и впечатлительный юноша, два года изо дня в день общался с таким замечательным мастером и не заметил в нем ничего, кроме манеры смешно выражаться?

1970

Этюд

Я проснулся среди ночи в неизвестном часу и долго всматривался во что-то смутное, белевшее передо мной, пытаясь определить, где я и кто я.

Чье-то шумное дыхание волнами наплывало слева, чье-то тихое отзывалось справа, я лежал, стараясь не шевелиться, смотрел на то, что белело передо мной, это был, видимо, потолок, да, похоже, что потолок, белый, с косо размазанными по нему тенями оконных рам.

Я скосил глаза влево: свет уличных фонарей сочился сквозь открытое наполовину окно, слабый ветер шевелил сдвинутые к краям занавески, шум прибоя накатывал волнами (значит, там, за окном, было море), я перевел взгляд направо и увидел, что рядом со мной лежит, посапывая во сне, какое-то существо с обнаженным плечом, какая-то женщина, может быть, даже моя жена, но, не помня, кто я, я не мог вспомнить и кто она, как ее зовут, сколько ей лет, когда мы поженились и есть ли у нас с нею дети.

«Что же это такое? — подумал я не без тревоги. — Откуда я взялся здесь, как оказались вокруг меня этот потолок, это море и эта женщина, что было до этого и было ли что-нибудь?»

Может быть, я только что родился, может, очнулся после наркоза, после реанимации, может, до этого я попал в катастрофу, у меня отняли руки-ноги, и обрубок, называемый «Я», не имея памяти, ощущает только то, что сиюминутно воспринимают глаза и уши.

Я пошевелил одной рукой, затем другой. Руки были тяжелые, но важно, что они были. Были и ноги. Я видел, слышал, двигал конечностями, значит, со мной все в порядке, я цел и невредим, единственное, чего мне сейчас не хватало, — это сознания, кто я и где я.

Я закрыл глаза и попытался сосредоточиться.

В сознании что-то забрезжило...

...По дождливому морю мы плыли на каком-то кораблике, пили водку из граненых стаканов, ловили рыбу на «самодур», то есть голыми крючками без всякой приманки, пили, жарили на берегу барана, купались, пили, шел дождь, и какая-то женщина возбужденно меня вопрошала: «Владимир, почему вы не уезжаете?»

Сейчас, лежа с закрытыми глазами, я вспомнил ее слова и удивился, если можно назвать удивлением то вялое чувство, которое во мне возникло. Почему она задала мне этот странный вопрос? Разве я не уехал мальчиком из Петербурга, разве не ютился в берлинской мансарде, страдая от холода, голода, безвестности и унижений, пробавляясь шахматными сеансами, уроками игры в теннис, и не я ли ловил бабочек в штате Вайоминг? Куда же мне ехать еще?

Бабочки, теннис, шахматы были связаны одной ниточкой, стоило потянуть за один конец, как я сразу все вспомнил и сразу себя осознал: я старый человек, у меня все болит, я кое-что сделал в жизни, но зачем, скажите, зачем я написал «Лолиту»?

Эта мысль явилась ко мне неожиданно. Она меня озадачила, она меня растревожила; кажется, я никогда не жалел, что написал «Лолиту», и даже считал ее своей лучшей книгой, но сейчас мне стало ужасно не по себе, я понял, что это не лучшая, это плохая книга, худшая не только из моих, но и из всех когда-либо написанных книг. Мне стало больно, и я заплакал.

Каждый, кто когда-нибудь о чем-нибудь думал, знает, что мы не всегда, я бы даже сказал, очень редко думаем словами. Мы думаем образами, ощущениями, представлениями, которые затем более или менее беспомощно пытаемся выразить словами. Мыслить и выражать свои мысли — далеко не одно и то же. Я думаю, многие гении остались человечеству неизвестны только потому, что не сумели выразить свои мысли ясно, то есть столь примитивно, чтобы они стали доступны другим.

Я лежал неподвижно и плакал беззвучно, слезы из-под полуприкрытых век текли по щекам, к подбородку, но, не дойдя до него, скатывались на шею. Я плакал и думал, что написал «Лолиту», чтобы потрафить читателю, его больному и извращенному вкусу, потому что мне надоело бедствовать, мне захотелось известности и денег, которые за нее платят, и независимости, которую на них покупают.

Для многих «Лолита» оказалась полной неожиданностью, критики, застигнутые врасплох, сначала не отзывались, не зная, как реагировать, потом накинулись все сразу, одни превозносили, другие ругали, я с радостью воспринимал и то и другое: хорошо, когда хвалят, неплохо, когда ругают, хуже, когда молчат.

Кто-то из критиков назвал меня хулиганом, я был доволен, потому что литература, если хотите знать, есть вид хулиганства. Хулиган на улице привлекает к себе внимание тем, что шокирует общественное мнение и общественную мораль, то же делает в книге писатель, который хочет привлечь внимание к себе или к тому, что он хочет сказать.

С помощью «Лолиты» мне удалось прорвать блокаду непризнания или, точнее, полупризнания, признания в среде знатоков и эстетов, которые, когда вам их представляют, делают умильные лица и говорят: «О!»

Да, в мире знатоков и эстетов меня знали, знали прекрасно, для знатоков было даже престижно быть лично со мною знакомыми, в моей малой известности для всякого знатока был даже свой шарм, знаток потому и слывет знатоком, что знает известное не всем, а лишь узкому кругу ценителей, так сказать, литературной элите.

«Лолита» принесла мне известность, деньги, и знатоки были разочарованы. Я нужен был им полунищим, в их представлении истинный художник и должен быть полунищим, если не нищим вовсе, по их романтическим представлениям он должен петь, как птичка, не заботясь о хлебе насущном, он должен им доставлять удовольствие, пользуясь их малой благотворительностью и ничтожными их подачками, сопровождаемыми благодушным хлопаньем по плечу: «Ладно, когда-нибудь разбогатеешь, отдашь» (надеясь, что никогда не разбогатеешь, никогда не отдашь и всегда будешь жить в ощущении своего неоплатного долга).

Потрясенные моим вероломством, знатоки поносили «Лолиту» в своих элитарных кругах, находя в ней много непристойности и мало художества, они даже себе не отдавали отчета, что на самом деле недовольны не непристойностями и не малой художественностью, а тем, что я как бы изменил их особому клану, как бы не оправдал надежд, и теперь им, для того чтобы по-прежнему слыть знатоками, надо искать мне замену, а это не так-то просто.

Я перестал плакать, открыл глаза. В комнате стало светлее, перекрестья теней от окна сползли с потолка на дальнюю стену. Стали видны отдельные предметы: спинка стула с повешенным на него полотенцем и кусок зеркала, отражавшего угол стоявшего дальше шкафа.

В комнату проникали все новые звуки: торопливый стук каблуков, шуршанье метлы по асфальту, отдаленный гул самолета.

Вдруг в соседней комнате что-то зашипело, как шипит на сковородке яичница, потом сквозь шипение пробился звон колоколов на башне... Биг-Бен? Нет, Биг-Бен — это, кажется, в Лондоне, а здесь... Где здесь? Что здесь? Лион? Дижон? Монте-Карло? Женева?..

Раздражающе громко грянула музыка, которую лет пятнадцать исполняли без слов, подбирали новые, не подобрали, скроили что-то из старых. Гимн Советского Союза.

И сразу сознание прояснилось, все стало на свои места: я не в Лионе и не в Дижоне, никогда я не играл в теннис, не ловил бабочек в штате Вайоминг. И «Лолиту» писал не я. Я не так уж и стар и лежу рядом со своею женой в сочинской гостинице у Черного моря. Срок нашего пребывания здесь кончается, скоро мы вернемся в Москву, я засяду за стол сочинять что-нибудь длинное или короткое и, кроме всего прочего, запишу этот бред, возникший у меня от того, что я пил водку, как в молодости, гранеными стаканами и был уже сильно пьян, когда какая-то женщина (Алла? Неля? Леля?) возбужденно меня вопрошала: «Владимир, почему вы не уезжаете? Неужели вы думаете здесь что-нибудь изменить?» И я, помнится, наклонился к ней и, с трудом ворочая языком, обещал, что, как только выйдем на берег, я обязательно что-нибудь или все изменю.

1979—1981

Роман

Трагедия

Недавно я написал трагический роман из жизни эмигрантов. Роман называется... Впрочем, я не помню, как он называется, я загляну в рукопись и название впишу позже.

Хотя я писал этот роман примерно два с половиной года, не могу сказать, чтобы я очень уж напрягался. Работа шла, в общем, легко. Стоило мне написать одну строку, как в моем воображении всплывала сразу другая, а за другой — третья. Никаких трудностей в описании природы или состояния героев я не испытывал, да и сюжет развивался как бы сам по себе.

Сюжет, между прочим, простейший. Русский писатель-эмигрант обнаруживает, что жена ему изменяет с его ближайшим другом — художником. Он устраивает скандал, ей ничего не остается, как уйти к художнику. Как только она ушла, он понимает, что не может жить без нее ни секунды. Он ей звонит, и она немедленно возвращается, потому что не может жить без него. Но, вернувшись к нему, она понимает, что не может жить без художника. Положение осложняется тем, что писатель и художник не могут жить друг без друга. Все трое проклинают друг друга, попрекают и объясняются в любви. Они пытаются разрешить проблему по-разному. То писатель выгоняет ее из дому, то художник. Иногда она уходит сама от одного к другому. Иногда уходит от обоих. Иногда писатель, бросив их обоих, куда-то уезжает, но, не выдержав, возвращается. Другой раз уезжает художник. Потом они решают жить втроем и страдают от ревности и ненависти. Потом решают, что они вообще все должны разойтись. Дело кончается тем, что они собираются в мастерской художника все трое в строгих вечерних туалетах. Они ставят пластинку

Шуберта и при свечах пьют шампанское. Шампанское, конечно, отравлено.

В двух словах такой вот роман. Я поставил точку примерно месяц назад и тут же отнес рукопись издателю.

Вчера издатель пригласил меня к себе.

Мы сидели в мягких кожаных креслах у него в кабинете, увешанном портретами его лучших авторов (мой портрет, разумеется, среди них), нас разделял только журнальный столик, на котором заглавием вниз лежала какая-то книга.

Прежде чем начать разговор, издатель предложил мне что-нибудь выпить: кофе, коньяк, виски, пиво. Я попросил кофе. Он выглянул за дверь и распорядился. Секретарша внесла кофе и удалилась.

Помешивая кофе, издатель посмотрел на меня внимательно и сказал:

— Слушайте, Владимир, вы написали потрясающий роман!

— Да, — сказал я смиренно, — я тоже так думаю.

— Когда я его перечитывал, я плакал.

— Я тоже, — сказал я.

— А последняя сцена, когда они при свечах и слушая Шуберта пьют отравленное шампанское, грандиозна. В мировой литературе ничего подобного не было.

— Да, — сказал я, — мне тоже так показалось.

— Но, Владимир, послушайте меня внимательно. Дело в том, что этот роман мы уже напечатали два с половиной года назад.

— Вы его напечатали до того, как я его написал? — удивился я.

— Нет, нет. До такой изощренности наша техника еще не дошла. Два с половиной года назад вы написали этот роман, а мы его напечатали. Он шел с очень большим успехом, на него была отличная пресса, вы получили за него премию и при получении ее выступили с замечательной речью.

— Этого не может быть, — возразил я. — Неужели вы думаете, что я уже не помню, что написал?

— Я ничего не думаю, — сказал он со вздохом. — Но вот вам ваша рукопись, и вот вам ваш роман в напечатанном виде. — Он перевернул лежавшую на столе книгу и протянул мне.

Мне стало нехорошо. Я увидел, что напечатанный роман, так же как и рукопись, называется... Сейчас я не могу вспомнить, как он называется, но потом посмотрю и скажу. Расстроившись, я положил в портфель книгу и рукопись и ушел домой, забыв попрощаться с издателем. Дома я положил перед собой книгу и рукопись и стал сравнивать. Когда я читал это, я плакал.

Интересно, что я не просто написал слово в слово тот же самый роман, под тем же названием и с тем же самым количеством глав и слов, но даже знаки препинания везде стояли одни и те же. Это тем более удивительно, что знаки препинания я обычно ставлю где попало.

Всю ночь я проплакал. Я плакал над постигшим меня ужасным несчастьем. Я думал, что же это случилось? Ведь я еще не так стар, чтобы быть пораженным столь глубоким маразмом. Два с половиной года изо дня в день, не разгибаясь, я писал этот роман страстно и вдохновенно. Я выкурил тысячи сигарет и выпил цистерну кофе. У меня все так хорошо получалось, я то смеялся над своей выдумкой, то обливался слезами, то хлопал себя по колену, восклицая: «Ай да Пушкин, ай да сукин сын!»

И что же?

К утру я решил, что, как только встану, немедленно пойду к доктору. Конечно, маразм зашел далеко, но все же есть от него какие-то средства, антисклеротин какой-то или как это там называется. Уже светало, когда я все же заснул.

Проснувшись, я свой визит к доктору решил отложить. Я подумал: ладно, я потратил два с половиной года впустую, ну и черт с ними. Жалко, конечно, но я не буду тратить время на визиты к докторам, а сразу же примусь за новый роман. Тем более что у меня есть потрясающая идея, которую я вынашивал уже два с половиной года. Сюжет простейший. Русский писатель-эмигрант обнаруживает, что жена ему изменяет с его ближайшим другом — художником. Он устраивает ей скандал, она уходит, происходят еще разные коллизии (я еще не все придумал), и дело кончается тем, что все трое собираются в мастерской художника, ставят пластинку Шуберта и при свечах пьют отравленное шампанское.

Собственно говоря, у меня уже все продумано, и года через два — два с половиной я, пожалуй, этот роман закончу.

1984

Успех

Роман в объявлениях

Даю уроки русского языка.

Даю уроки русского языка.

Даю уроки русского языка и рисования.

Даю уроки русского языка и рисования, переписываю на машинке.

Даю уроки рус. яз., переп. на маш., ухаживаю за домашними животными.

Даю ур. рус. яз., пер. на маш., ухаж. за дом. жив., стираю, готовлю, подметаю полы, поливаю цветы.

Даю ур. рус. яз., переписываю, ухаживаю, подметаю, поливаю, стираю. Ищу знакомства с интеллигентной состоятельной дамой не старше 35 лет. Серьезные намерения. Фото обязательно.

Даю ур. рус. яз., переп., подмет., полив. Ищу знак. с сост. дамой средних лет. Серьез. нам.

Д. ур. рус. яз. пер. ух. под. пол. Ищу знак. сост. дамой возраст неогран. оч. серьез. нам.

Беру уроки русского языка, ищу стройную, спортивную, интеллигентную даму до 30 лет для ухода за престарелой. Рекомендации и фото обязательны.

1981

ДВС

Конечно, главные принципы в нашей советской жизни — это свобода, равенство и братство. Это каждому известно. А если кто забудет — может выйти на улицу и сразу обязательно вспомнит, потому что сейчас же где-нибудь неподалеку такое будет написано большими буквами: СВОБОДА, например, или РАВЕНСТВО, или БРАТСТВО. Так что даже если хочешь забыть, то тебе об этом напомнят.

А все-таки случаются еще иногда в нашей повседневной жизни отдельные случаи проявления неравенства, что вызывает, конечно, нарекания со стороны трудящихся масс. Некоторые даже проявляют недовольство, брюзжат, создавая вокруг себя нездоровые настроения. Почему, мол, одному то-то и то-то, а другому ни того, ни того-то. Но при этом не понимают, что у нас еще полного коммунизма нет, а есть только социализм. А при социализме, как известно, никакой уравниловки нет и быть не должно. От каждого по способности, каждому по чину. Это еще Маркс сказал. Или Ленин. А может, я и сам так придумал, я уже точно сейчас не помню. Во всяком случае, я вам так скажу, что привилегии — это дело хорошее. Конечно, для тех, у кого они есть. Но тоже я бы сказал — дело хорошее, но не всегда. На почве разницы в этих привилегиях иногда такие неприятности случаются, что иной раз задумаешься, может, этих привилегий лучше и совсем не иметь.

Ну вот хотя бы такой случай.

Один большой, очень большой писатель из одной не очень большой азиатской или, может, кавказской даже республики приехал однажды в Москву по делам. Само собой, привез подарки всякие своим московским собратьям по перу и всему другому. Собратья его — люди важные. Один — секретарь Союза писателей, другой — главный редактор журнала, третий — директор издательства, четвертый — в комитете по Ленинским премиям шишка. И каждому же надо привезти сувенир какой-нибудь, что-нибудь такое из местных народных промыслов, какой-нибудь, скажем, ковер или блюдо серебряное, или еще что-нибудь недорогое, рублей, скажем так, за пятьсот-семьсот. Ну, само собой, всякие сладости восточные, кишмиш, дыни, чурчхелу или что-нибудь подобное. Коньяку ящик тоже привез. Поскольку он был действительно большой писатель и даже чуть ли не основоположник своей национальной литературы, то поселился он, как всегда, в гостинице «Москва», куда, между прочим, кого попало не пустят. Ну, как он там с собратьями со своими встречался, кого сам посещал, кто к нему в гостиницу приходил, сейчас подробно описывать не буду. Скажу только, что много было выпито и много закушено, много было тостов всяких произнесено. И за дружбу народов, и за расцвет нашей многонациональной литературы, и за дорогого гостя, и за дорогих хозяев, так что того ящика коньяку, который он с собой привез, даже и не хватило, пришлось второй закупать уже здесь, на месте. И к тому времени, когда уже и второй ящик к концу подходил, до того наш герой допился и до того докушался, что однажды ночью стало ему нехорошо. Проснулся писатель среди ночи, чует в груди: бубух, бубух. А потом что-то ка-ак саданет, будто сердце шампуром, как барана, проткнули. И чувствует писатель, что вроде он как-то бледнеет и как-то вроде слабеет, помирает, короче.

А был приезжий этот писатель хоть и большой, да глупый. И с такими людьми в Москве общаясь, многого еще в столичной жизни не освоил. Лежит он себе на кровати, одной рукой за сердце хватается, другой телефон к себе придвигает и дрожащим пальцем набирает 03.

Ну, это, как известно, наша «Скорая помощь», самая скорая в мире. Не успел писатель концы отдать, а она уже тут как тут.

Открывается дверь, врывается в номер доктор с чемоданчиком, врывается санитар с ящиком, которым кардиограмму пишут, врывается другой санитар — с носилками: две палки, а между ними парусина. И коридорная испуганно в дверь тоже заглядывает. Доктор, понятно, спросил, на что больной жалуется, а тот даже не жалуется, только мычит и пальцем себя в левую сторону тычет. Доктор времени терять не стал, кардиограмму сделал, давление смерил, пульс посчитал.

— Ну что? — спрашивает больной еле слышно и при этом волнуясь, конечно.

— А ничего, — говорит доктор. — Ничего определенного пока сказать не могу, но думаю, что у вас такой это небольшой обширный инфаркт. А больше совсем ничего.

Больной, слыша такие слова, глаза закатил и лежит, не дышит. Сердце дергается, больно, ноги холодеют, язык пересох, писатель волнуется, а волноваться ему как раз и нельзя.

— Да вы ничего, — говорит доктор, — вы, аксакал, не волнуйтесь, мы вас доставим в больницу, а для начала укольчик.

Достает из чемоданчика шприц со здоровенной иглой, и иглу эту куда надо, то есть в мышцу, засаживает. А затем переваливает нашего писателя с дивана на носилки, дает знак санитарам, те носилки подхватывают и волокут их к дверям. А в это время двери эти распахиваются, и в номер врывается дежурный администратор и за ним опять коридорная. Как увидел администратор санитаров и доктора, встал перед ними, руки раскинув в стороны. «Кто, — говорит, — вы такие и куда его тащите?» Доктор вежливо объясняет, что они — «Скорая помощь», а тащат они больного вниз к машине для доставки к месту лечения.

Администратор говорит: я его выпустить не могу, ставь носилки обратно на пол. Доктор объясняет, что на пол носилки поставить не может, потому что больной срочно нуждается в помощи.

Администратор говорит: нуждается не нуждается, не вашего ума дело, а я товарища выпустить не могу, поскольку он — ДВС.

— Дэвэ кто? — переспрашивает доктор.

— Дэвээс, — повторяет администратор и объясняет доктору, который не понял, что ДВС — это значит депутат Верховного Совета.

Доктор говорит, я не знаю, ДВС он или ДОСААФ, меня это не касается, для меня все люди равны, и ссылается на клятву Гиппократа, которую он, между прочим, не давал, потому что у наших врачей есть своя клятва, советская.

Администратору, само собой, на Гиппократа этого с высокого дерева наплевать и на его эту клятву тоже.

Врач в конце концов сдается и звонит в центральную, сообщает, что администрация гостиницы препятствует исполнению врачебного долга. Центральная сначала думает, а потом говорит, черт с ним, с этим администратором, если больного не отдает, пусть даст расписку, что за возможные фатальные последствия он берет ответственность на себя. Администратор расписки не дает, больного не выпускает и сам звонит по какому-то номеру.

— Пришлите, — говорит, — карету специальной «Скорой помощи», у меня тут ДВС загибается.

Время идет, больной лежит, администратор сидит, врач стоит, коридорная смотрит в окно, санитары вышли в коридор покурить.

Часу не прошло, врывается еще один врач, кремлевский, с медсестрой и четырьмя санитарами. Носилки, между прочим, уже не брезентовые, а кожаные.

Пошептался кремлевский врач с приехавшим ранее, выяснил, какие меры были приняты, вкатил еще один шприц больному и приказал санитарам перевалить его с парусины на кожу.

Администратор помягчел, выдал ранее приехавшему справку, что в его помощи никакой необходимости нет, и тот со своими санитарами и носилками отправился к лифту.

А вновь приехавший врач придвинул к себе телефон и звонит в свою центральную, в какой из филиалов кремлевской больницы доставить больного.

Те спрашивают, а как его фамилия. Врач спрашивает у администратора, администратор отвечает врачу, тот отвечает центральной. Потом небольшое молчание, потом врач говорит: «Понятно», — потом поднимается и администратору холодно так говорит: «Что вы глупости, — говорит, — городите, что вы панику поднимаете и занятых людей в заблуждение вводите, когда больной ваш вовсе не ДВС, в списках ДВС его фамилии нету».

Администратор слегка бледнеет, смотрит вопросительно на больного, тот слегка очухивается и говорит слабым голосом: «Давай сыр!»

Кремлевский врач слегка рассердился, какой, говорит, тебе сыр, когда тебе о Боге пора подумать. И говорит администратору: «Где там этот ваш врач для простых людей, пусть он этого больного теперь себе берет, а нам с ним возиться некогда».

Администратор посылает коридорную за простым врачом, та вниз по лестнице летит быстрей скоростного лифта. Перехватывает доктора на самом выходе, загораживает дорогу. «Вертайтесь, — говорит, — обратно, поскольку больной оказался не ДВС». Доктор отказывается, потому что ему это дело надоело, справка от администратора у него есть, а клятву Гиппократа он не давал.

Но коридорная подзывает швейцара, и вдвоем они доктора кое-как уговаривают, обещая ему и санитарам по полкило охотничьих сосисок из ночного буфета.

Доктор и санитары возвращаются в номер и опять перекладывают больного с кожи на парусину. А тот уже совсем плох, глаза закачены, щеки серые, губы синие, изо рта пена идет коричневатая, коньяком пахнет. Больной сучит ногами и хрипит, и слова все те же выхрипывает: «Давай сыр! Давай сыр!»

— Что это он говорит? — спрашивает обыкновенный врач необыкновенного. — Какой еще сыр? При чем тут сыр?

— Восточный человек, — говорит врач необыкновенный. — Привык есть сыр. Без сыра и помирать не желает.

— Постойте, — говорит администратор обоим врачам, — он, может быть, не про сыр говорит, а про что-то другое. Наклоняется к больному и спрашивает его как-то непонятно: «Дэвэсээр?»

— Дывысыр, дывысыр, — хрипит больной, соглашаясь.

— Ну вот видите, — говорит администратор кремлевскому доктору. — Я же вам говорил. Он депутат Верховного Совета республики. Не ДВС, а ДВСР. Кладите его обратно. — И сам хватает больного за ноги, чтобы перетащить с парусиновых носилок на кожаные.

— Стоп! Стоп! Стоп! — говорит кремлевский доктор, отрывая администратора от больного. — Мы перевозим только депутатов Верховного Совета СССР, а для давайсыров другая «Скорая» есть.

В это время обыкновенный доктор кивнул своим санитарам, и они вместе с парусиновыми носилками и с ящиком, которым кардиограммы делают, не дождавшись обещанных ночных сосисок, сбегают.

А больной уже и вовсе глаза закрыл, не хрипит и не дергается. Дергается администратор, понимая, что больной — депутат хоть и не СССР, а республики, а и за него отвечать придется. И требует администратор от кремлевского доктора, чтобы тот вез больного куда хочет, лишь бы из гостиницы. А доктор, поупиравшись, звонит снова в свою центральную и говорит: так и так. А те сначала с кем-то связались, с каким-то ночным начальником этот вопрос согласовали, проявили гуманность и говорят: хорошо, в порядке исключения разрешаем использовать перевозку для дэвэсээр.

Так что в конце концов писателя вытащили наружу и повезли в Кунцево Если бы был он ДВС, может, его успели бы довезти. Если бы был простой человек — тем более. А он был ни то ни се. Так что привилегии дело, конечно, хорошее, но иногда лучше без них.

Открытие

Один известный советский астроном рассказал мне такую историю. В конце сороковых — начале пятидесятых годов работал он в одном научно-исследовательском институте, вел какие-то наблюдения, смотрел в телескоп на сверхновые звезды и никак не мог понять, отчего они возникают. Может быть, я неправильно излагаю проблему, может быть, астрономы меня даже поднимут на смех. Но, во-первых, я надеюсь, что большинство моих читателей в астрономии понимают не больше меня, а во-вторых, суть не в проблеме, а в том, что этот ученый смотрел в телескоп на эти звезды и не мог в их поведении понять чего-то существенного.

Иногда его отрывал от телескопа его коллега из соседней лаборатории. Он приходил к нашему астроному и рассказывал на ухо о неприятностях, которые происходят с представителями других наук, генетики и кибернетики. После того как эти науки были объявлены буржуазными лженауками, генетиков и кибернетиков травили в печати и на собраниях, увольняли с работы, а особо злостных просто сажали.

Астроном выслушивал эти новости, и, хотя они были ему весьма неприятны, он думал: «Слава Богу, что я не генетик и не кибернетик, а занимаюсь астрономией, которую со времен Галилея никто не рисковал и уже вряд ли рискнет назвать лженаукой».

И он опять прилипал к телескопу и опять смотрел на звезды, записывал в тетрадь свои наблюдения, но чего-то главного все же понять не мог.

И опять приходил коллега из соседней лаборатории, и опять рассказывал о кампании против безродных космополитов, большинство которых оказалось евреями, а потом об аресте врачей-убийц, которые, как сообщалось, состояли в международной еврейской буржуазной организации «Джойнт» и по ее заданию собирались уничтожить некоторых советских вождей, включая самого Сталина.

Конечно, все эти новости, которые астроном узнавал не только от коллеги, но слышал по радио и вычитывал в газетах, были ему неприятны. Но все же он думал, что, может быть, происходящее его не касается, потому что он лично занимается только своей астрономией и ничем больше, он не еврей и ни в каких буржуазных организациях не состоит. Его самого пока что никто не трогал, он ходил на работу, получал приличную для молодого ученого зарплату, смотрел на звезды, думал о них, но чего-то главного додумать все же не мог.

Впрочем, и на Земле происходило что-то не очень понятное. Вдруг в марте 53-го года умер бессмертный Сталин, хотя врачи-убийцы были к тому времени уже обезврежены.

И как только это случилось, вдруг стало теплеть буквально и фигурально.

В одно прекрасное весеннее утро, как раз через месяц после смерти Сталина, собрался ученый идти на работу. Вышел из дому, идет, через лужи переступая, к трамваю, видит — на заборе газета «Правда» висит.

Смотрит он на эту газету и глазам своим не верит: что это — орган КПСС или еврейской буржуазной организации «Джойнт»? В газете написано, что обвинения против врачей были ложными, а показания арестованных получены путем применения зверских приемов следствия, строжайше советскими законами запрещенных.

Все это ученый прочел сначала в очках, а потом очки снял, лицо к газете приблизил и опять прочел.

И вдруг он почувствовал: словно камень с души свалился. И сразу он осознал, что все происходившее с генетиками, кибернетиками, космополитами и врачами-убийцами имело к нему самое непосредственное отношение, хотя он не был ни генетиком, ни кибернетиком, ни евреем, ни космополитом, ни врачом-убийцей.

Тут как раз подошел трамвай, но давиться в нем ученому не захотелось, и он пошел на работу пешком. А была весна, текли лужи, светило солнце и затмевало все звезды, старые, новые и сверхновые. Он стал думать об этих звездах, и вдруг его осенило или, как говорят в народе, вдруг что-то стукнуло в голову, и он сразу понял то, до чего столько лет не мог додуматься: что это за звезды, почему они возникают и почему так странно себя ведут. То есть совершил крупнейшее в своей науке открытие. Может быть, суть открытия я пересказываю неточно, потому что я в этом ничего не понимаю, но люди, которые понимают, оценили его высоко.

За это открытие наш астроном был принят в Академию наук СССР и во многие иностранные академии и даже получил много денег, но дело не в них.

Эта действительно происшедшая в жизни история произвела на меня большое впечатление. Я обсуждал ее со многими другими учеными, и все они со мной согласились, что общественный подъем самым непосредственным и благотворным образом сказывается на любой, даже очень, казалось бы, оторванной от реальной жизни науке.

Толик Чулков

Осенью 1956 года, после двухмесячных мытарств в Москве, я устроился на работу плотником в Бауманский ремонтно-строительный трест и получил койку в общежитии по адресу: Доброслободский переулок, дом 22, у Разгуляя. Общежитие по тем временам образцовое. Новый четырехэтажный дом, большие светлые комнаты, широкие коридоры, просторные кухни и на первом этаже, как водится, красный уголок, он же ленинская комната, то есть помещение, где в свободное время можно отдохнуть, полистать подшивки газет «Правда» и «Московская правда». Субботними вечерами эта комната превращалась в танцевальный зал. Обитатели общежития одевались во что получше и спускались сюда на танцы под радиолу. Обстановка была обычная. Парни, чаще всего подвыпившие, приглашали девушек или стояли просто так, разглядывая танцующих. Девушки бросали на понравившихся парней тайные взгляды, надеясь с кем-нибудь из них соединить свою жизнь, для чего они и приехали сюда из своих деревень. Две воспитательницы, Тамара Андреевна и Надежда Николаевна, застыв у входа, бдительно следили за порядком, зная, что танцы — это всегда такое место, где разгоряченные водкой, движением и кружением парни могли затеять драку, а то и пырянье ножами. Впрочем, драки случались крайне редко, обычно все шло тихо и мирно: музыка играла, пары танцевали, но вдруг по залу и особенно среди девушек проносился легкий шелест, и, если прислушаться, в этом шелесте можно было расслышать передаваемое по цепочке имя: Толик. И девушки, даже танцующие, теряли интерес к своим кавалерам и поворачивали головы к дверям, в которых только что появился он, причина шелеста — Толик Чулков, молодой человек двадцати пяти лет в форме флотского офицера, без погон. Роста немного выше среднего, широкоплечий, с темными, слегка вьющимися волосами, с темными, аккуратно подстриженными и, наверное, с точки зрения девушек, привлекательными усиками. Когда он оглядывал переодевшихся в крепдешин наших крановщиц, электросварщиц и подсобниц, у них у всех, я думаю, сердце замирало в тайной надежде, что пригласит хотя бы на танец. Не говоря обо всем прочем. Не замирало только у тех, кто на такое чудо и не надеялся.

В морской форме Толик ходил не для форсу, а потому что действительно еще несколько месяцев тому назад был лейтенантом флота и другой выходной одежды пока не имел.

А из флота он был уволен, как все в общежитии знали, за разврат. В чем проявился этот разврат, никто не знал, но сама эта легенда лелеяла слух и делала личность Толика загадочной и еще более для девушек привлекательной. Так, я думаю, девицы предыдущих эпох когда-то относились к гусарам, наказанным, а тем более разжалованным за участие в дуэли.

Я, между прочим, с Толиком жил в одной комнате. А познакомились мы еще до того, в очереди перед отделом кадров. Куда оба явились для устройства на работу. В тесной прихожей перед кабинетом сидели тогда несколько человек и он среди них. Толик спросил меня, кем я собираюсь работать. Я ответил: «Плотником. А ты?» — «А я не знаю, кем лучше, — сказал он, — каменщиком или маляром». — «Что значит не знаешь, кем лучше? — не понял я. — Ты кто по профессии?» — «А никто, — пожал он плечами. — Был морской офицер, а теперь никто. Но мне говорили, что тут все без профессии, записываются кем придется, а потом по ходу дела учатся».

Толик ошибался: у некоторых из поступавших профессия была, а у меня даже и с избытком — я был столяром-краснодеревщиком, то есть, по Чехову, плотник против меня был, как Каштанка супротив человека. Тем не менее я объявил себя именно плотником, а Толик записался маляром и, как впоследствии выяснилось, вполне для этого дела оказался пригоден.

Нас в комнате общежития было восемь человек, из них пятеро — провалившиеся при поступлении в институты. Я не прошел творческий конкурс, другие срезались на приемных экзаменах и решили зацепиться в Москве до следующей попытки. Трое из нас метили в престижные вузы (я — в литинститут, Володька Кузнецов в МГИМО, Алик Гришин в ГИТИС). Сашка Шмаков считал своим призванием медицину, а Толик готов был учиться чему попроще и нацелился на строительный институт, который располагался от нашего общежития через дорогу.

Когда я сошелся с Толиком поближе, он оказался скромным, бесхитростным парнем, неприхотливым, уживчивым со всеми и услужливым. Несмотря на колоссальный успех у девушек, он ими, кажется, совсем не интересовался. На танцы приходил, танцевал то с одной, то с другой, но не заигрывал и никаких намеков не делал, отчего казался еще более загадочным. Может быть, потому проявлял он такое равнодушие к девушкам, что собирался учиться, стать инженером и не хотел обременять свою жизнь тем, что могло помешать исполнению планов.

Он был обыкновенный молодой человек из простой рабочей семьи, со средним в прямом и переносном смысле образованием, ни особых способностей, ни ярких черт характера я за ним не замечал. Сам он разговорчивостью не отличался, но с большим интересом слушал других. Если было смешно, смеялся. В свободное время, надеясь на поступление институт, занимался понемногу математикой и что-то читал. Большого интереса к литературе не проявлял, но пару раз ходил со мной в литобъединение «Магистраль», слушал стихи молодых поэтов.

Вообще мало что мог я о нем сказать. Славный, добрый, скромный, застенчивый человек, и загадки в нем не было вроде бы никакой. А вот чем-то он кого-то привлекал, и, может быть, не только морской формой.

Летом у нас у всех был отпуск, я навестил своих родителей в Керчи, он — своих в Пятигорске. Вернулись. Через некоторое время он по секрету рассказал мне странную историю. Уезжая в Пятигорск, он, как обстоятельный человек, приехал на вокзал задолго до отправления поезда и сидел в зале ожидания на собственном чемодане, когда подошел к нему прилично одетый мужчина, представился Михаилом Борисовичем и стал расспрашивать, кто он, откуда, где живет, чем занимается, куда направляется. До отхода поезда времени все еще оставалось достаточно, а тайн у Толика не было никаких. И он новому своему знакомому рассказал всю свою жизнь, включая и службу, и теперешнюю работу, и так далее. Тот ответил взаимной откровенностью и рассказал о себе. Что работает в министерстве культуры, ведает театрами, живет на Арбате, один со старенькой мамой. Была у него жена, известная киноактриса, но жизнь у них как-то не сложилась, оказалось, что слишком разные интересы, пришлось разойтись. Но остались друзьями. Теперь он чувствует себя очень одиноким и будет рад, если Толик когда-нибудь его навестит. Да и Толику, может быть, будет небезынтересно посетить его, выпить хорошего вина, послушать интересные пластинки. Он продиктовал Толику свой адрес, номер телефона и предложил сообщить телеграммой, когда будет возвращаться. Пообещал, что встретит на вокзале.

Толик этим знакомством был несколько заинтригован. Ему было непонятно, чем он мог привлечь внимание столь важного и занимающего высокий пост человека. В серьезность предложения Михаила Борисовича встретить его на вокзале Толик не поверил, телеграмму не послал, приехал сам. Но не успел приехать, как пришла открытка: Михаил Борисович приглашал его к себе на ужин. «Как ты думаешь, — спросил меня Толик, — что бы это значило?» Я ничего про это не думал. Через несколько дней пришла вторая открытка: Михаил Борисович повторял приглашение очень настойчиво и в таких выражениях, которых я теперь уже не помню, но что-то там было о первом взгляде, о возможном соединении одиноких душ. Письмо было такое страстное, что я заподозрил самое худшее.

— Толик, — сказал я, — он хочет тебя убить.

Толик и сам склонялся к той же мысли, но не понимал (и мне было непонятно), зачем его жизнь понадобилась этому незнакомому человеку. Мы даже обсудили, не обратиться ли ему в милицию, но после следующего послания решили разобраться сами. Я вызвался быть при Толике сопровождающим.

Помню, был морозный и ветреный вечер. Мы долго блуждали по каким-то околоарбатским переулкам, наконец нашли этот бревенчатый двухэтажный дом с высоким крыльцом, со старинным звонком, при котором была ручка-барашек с надписью, прочитанной при свете спички: «Прошу покрутить». Мы покрутили, и, едва слабый звонок продребезжал внутри, как послышались торопливые шаги по лестнице, дверь распахнулась, на пороге стоял мужчина лет сорока пяти в темном костюме с бабочкой.

— Вы не один? — спросил он разочарованно.

— Да вот с товарищем, — смущенно сказал Толик. — Я ему рассказал про вас. Он тоже хочет с вами познакомиться.

Я не заметил большой радости на лице нашего хозяина.

Но, человек вежливый, он провел нас внутрь и на первом этаже представил своей маме, полной пожилой женщине в темном платье с пуховым платком на плечах. Горбясь и кутаясь в платок, она сидела в углу у телевизора КВН с экраном размером чуть больше пачки папирос. Вид этой мирной старухи меня слегка успокоил, мне трудно было представить, чтобы сын в ее присутствии умерщвлял завлеченных им в свои сети людей. Хотя потом, много лет спустя, посмотрев фильм Хичкока «Психо» о сумасшедшем молодом хозяине гостиницы, убивавшем своих постояльцев как бы по повелению своей мертвой матери, я почему-то вспоминал этот дом на Арбате и его хозяев.

Старушка спросила, как на дворе погода. Мы ответили, что погода неважная (а была она и впрямь самая подходящая для мокрого дела), после чего были приглашены Михаилом Борисовичем к ужину. Поднялись по скрипучей деревянной лестнице наверх, где посреди большой комнаты стоял покрытый скатертью стол, тоже скрипучий, с приборами на две персоны и со свечой в серебряном подсвечнике посредине.

— Извините, — сказал мне хозяин, — я на вас не рассчитывал.

И выждал паузу, может быть, ожидая, что я пойму, что я здесь лишний, и удалюсь. Но я не понял, и третий прибор был вынут из серванта и неохотно поставлен на стол. В комнате было еще два стула: на одном — стопка книг, а другой — пустой.

— Извините, — сказал хозяин, — этот стул сломан, если позволите, у меня есть еще вот это...

Из темного угла он принес и поставил мне крашеную табуретку. Я потом, но не сразу, а спустя годы подумал, что табуретка вместо стула — это была попытка меня унизить, не состоявшаяся, потому что испытать унижение — это значит его осознать. Но я не осознал.

Стали говорить о том о сем. Я расспрашивал нашего хозяина о его работе, он отвечал неохотно. Толик, чтобы повысить интерес его ко мне, сказал ему, что я поэт, посещаю литературное объединение и иногда даже печатаюсь. После этого представления я хотел, чтобы Михаил Борисович попросил меня прочесть стихи, он не попросил, а сам навязаться я постеснялся. Он говорил со мной вежливо, но со скрываемым раздражением. Раздражение я все-таки заметил и думал, что оно вызвано тем, что я мешаю ему спокойно убить и расчленить Толика. Я вернулся к своим подозрениям, несмотря на то что у него была мать. У него была мать, но глухая, а кроме того, я все-таки не исключал мысли, что и мать может быть пособницей в таком деле. Тем не менее благодаря моему присутствию убийство не состоялось, и мы около полуночи ушли с подаренными нам билетами в ВТО на концерт юмориста Виктора Ардова.

Мы были люди наивные, сейчас, наверное, любой четырнадцатилетний мальчик догадался бы об истинных целях Михаила Борисовича, но я только через несколько лет, вспомнив эту историю, понял, какими мы были дураками. Кажется, после нашего визита Михаил Борисович потерял надежду на Толика, а Толик его и вовсе забыл, потому что был традиционной ориентации (по тем временам), и его сдержанное отношение к противоположному полу не означало полного безразличия. Что проявилось в его отношениях с Шурой Голевой.

Шура, как большинство деревенских девушек, работала на стройке разнорабочей. Она была высокая, некрасивая, с лошадиным лицом, шумная. Любила выпить, а выпивши, бузила. Бегала по этажам, что-то громко кричала, громко хохотала, громко материлась и вообще вела себя экстравагантно, но именно поэтому мужчин не привлекала. Однажды влипла в историю тем, что решила подзаработать. Кто-то подговорил Шуру заняться проституцией и научил конкретным действиям. Наученная, она встала недалеко от входа в гостиницу «Метрополь» и, сложив на груди руки, два пальца правой руки выставила как сигнал для возможного покупателя.

— Ну что, пойдем? — спросил молодой человек, взяв ее за эти два пальца.

— Пойдем, — согласилась Шура, наверное, с волнением, поскольку освоить этот заработок пыталась впервые.

Молодой человек привел ее туда, где числился секретным сотрудником, то есть в милицию.

Разразился скандал. Мелкий, но для бесправной лимитчицы достаточный. Над Шурой возникла угроза лишения московской прописки и отправки домой в деревню, откуда она, может быть, с неимоверным трудом когда-то вырвалась. Но за нее заступились Тамара Андреевна и Надежда Николаевна. И она осталась в общежитии с предупреждением, что еще раз, и Москвы ей уже не видать.

Женская часть общежития была на четвертом этаже, и туда, естественно, по вечерам поднимались жильцы этажей пониже. Там по углам широкого коридора при тусклом свете пары обнимались, целовались и занимались любовью, стоя или сидя, или в каких-нибудь еще неприметных позах. Как-то на четвертом этаже рядом с Шурой Голевой был замечен и Толик. Он стал появляться там каждый вечер, и в конце концов я его спросил, не завел ли он с Шурой роман.

— Нет, — сказал он твердо, — у меня с ней ничего нет, но я решил ее повоспитывать. Я ее ругаю. Я ей сказал: как тебе не стыдно, ты молодая женщина, а пьешь водку, материшься, бегаешь за мужиками и даже готова была сама себя продать за деньги. Тебе еще только двадцать три года, а что с тобой будет лет через десять?

— А что она? — спросил я.

— Она меня слушает, — сказал он, довольный собой. — И сказала, что больше пить не будет. У нее в тумбочке было полбутылки водки, она отдала мне, и я вылил ее в туалет.

Шура постепенно исправлялась, но процесс воспитания не закончился: Толик каждый вечер пропадал на четвертом этаже.

В конце концов отношения его с Шурой продвинулись далеко, и однажды он спросил меня, немного смущаясь:

— Знаешь что, ты не можешь мне сказать, а где у женщины п...?

Наш разговор услышал Сашка Шмаков, который засмеялся и сказал:

— Под мышкой.

Меня вопрос насмешил еще больше, я долго смеялся, а потом спросил:

— Толик, за что тебя уволили из флота?

— За разврат, — повторил он не без гордости уже известную мне формулировку.

— А в чем этот разврат проявился?

— Понимаешь, я на корабле был интендантом, и в моем распоряжении был весь корабельный спирт. У меня офицеры просили спирт, и я им давал. Двадцать третьего февраля я дал им шесть литров, все перепились, устроили драку, а замполит откусил ухо штурману. И во всем оказался виноват я, хотя сам я не пил.

Теперь выяснилось, что Толик был не только не развратник, а вообще девственник. Тем временем его роман развивался и однажды принял драматический оборот. К Шуре пришел ее бывший любовник и на глазах Толика стал ее домогаться. Она ответила отказом, он вынул из кармана самый настоящий пистолет «ТТ», такое оружие в те времена даже у отъявленных бандитов водилось нечасто. Когда он навел пистолет на Шуру, Толик кинулся на него, выбил пистолет, а самого его скрутил, положил лицом к полу и сидел на нем, пока не появился вызванный наряд милиции. После чего авторитет Толика в нашем общежитии возрос еще выше, тем более что большинство все еще считало его уволенным из флота за разврат.

Через некоторое время с помощью Шуры Толик познал ее анатомию и, как честный человек, вскоре на ней женился.

Никакой свадьбы не было. Шура хотела отметить событие вдвоем. Купила и выставила на стол четвертинку.

— В нашей семье никаких выпивок больше не будет, — сказал Толик и вылил водку за окно.

После такой свадьбы он достал из-под кровати свой чемодан со всем своим тогдашним имуществом и перенес на четвертый этаж к Шуре. Где они и зажили тихой семейной жизнью, отгородившись от других обитательниц комнаты занавесками из простыней. С тех пор я его встречал редко. Но, встречая, спрашивал, как течет семейная жизнь и можно ли ожидать продолжения рода.

Оказывается, нельзя. Поскольку в результате сексуальной жизни в организме Шуры никаких изменений не происходило, молодые супруги обратились к гинекологине, которая им обоим объяснила, что у Шуры отмечено что-то вроде загиба матки, при котором сперматозоиды не могут достигнуть яйцеклетки. Врач посоветовала проделать Шуре небольшую операцию по открытию матки, но молодые решили, что сделают это попозже. Пока понаслаждаются друг другом, а потом сделают операцию и заведут потомство. Я Толика потом встречал еще несколько раз в течение нескольких лет, и чем дальше, тем более печальным он выглядел. Кажется, жизнь его не удалась. Шура оказалась более бесплодной, чем предполагалось, но очень скандальной. Ругала Толика за то, что мало зарабатывает денег и, не желая жить на стипендию, не допустила поступления его в институт. Она не пила, но он запил. И крепко. Она, как многие другие, в день получки бегала в кассу и требовала, чтобы деньги отдавали ей, и ей отдавали. Но он был маляр и иногда подхалтуривал и на это покупал водку. И пил. А она его била. В институт он так и не поступил. Но, соблазненный моим примером и, должно быть, от отчаяния, когда-то решил стать поэтом. А я к тому времени уже кое-что написал, напечатал и даже стал членом Союза писателей. И вот Толик пришел однажды ко мне со своими стихами. Очень плохими. И я ему сказал, что стихи ему писать не стоит.

— Я тоже так думаю, — сказал он и ушел.

Смешнее Джонни Карсона

Лет двадцать тому назад, теплым майским днем ехал я на своей «Тойоте» из Принстона, где тогда жил, в один из северных штатов Америки, чтобы выступить с лекцией в тамошнем университете. Погода была хорошая, дорога свободная, я не опаздывал и не спешил. Такое путешествие обычно не доставляет мне ничего, кроме удовольствия, сейчас же оно было омрачено беспокойством по поводу предстоявшего мне выступления. Казалось бы, о чем волноваться? Столько раз выступал в больших и малых аудиториях и весьма в этом деле поднаторел, но данный случай отличался от предыдущих тем, что впервые я решил употребить в дело свое знание английского языка. Прожив какое-то время в Америке, я уже довольно сносно изъяснялся по-английски в магазинах, на улице и в гостях, но выступать перед студентами и профессорами до сих пор не решался.

Конечно, перед этим я изрядно потрудился. Написал всю речь на бумаге. Назвал ее «Писатель в советском обществе». Вставил в нее много фактов, цитат, исторических дат и статистических данных. Выучил все наизусть. Проверил выученное на жене, дочери и друзьях. Учел их замечания и с ощущением, что подготовлен неплохо, отправился в путь. Но чем ближе был пункт моего назначения, тем больше я волновался. Конечно, я в общем готов, но все-таки как именно выступать? Читать по бумаге плохо. Говорить без бумаги страшно. Вдруг что-то забуду. А еще ведь мне будут задавать вопросы. Сумею ли я их понять? Смогу ли кратко и находчиво ответить?

Полный неуверенности и сомнений, въехал я в кампус, нашел на плане, а потом и на местности нужное здание и у входа в него увидел большую афишу со своей фамилией. Текст, написанный крупными буквами, извещал студентов и преподавателей, что сего числа в таком-то зале выступит известный (и другие лестные эпитеты) русский писатель-сатирик, автор романа о солдате Чонкине и прочих (опять лестный эпитет) произведений. И дальше сочинитель афиши вписал от себя буквально следующее:

«О чем он будет говорить, я не знаю, но ручаюсь, что это будет очень смешно».

Прочтя такое, я не на шутку перепугался. Дело в том, что я никого не собирался смешить. Я подготовил серьезное выступление на серьезную тему.

Первый импульс у меня был повернуть тут же назад. Поддавшись второму импульсу, я сорвал со стены объявление и вошел в зал. Он был переполнен, что выглядело весьма необычно. Каждый писатель-эмигрант, выступающий с лекциями в американских университетах, только вначале удивляется, но потом принимает как должное, что его аудиторией бывает маленькая комната, а в ней пять-шесть студентов, плохо понимающих по-русски, и пара преподавателей факультета славистики, еще не вполне овладевших английским. А тут даже и мест не хватило: студенты сидят на подоконниках, стоят у стен и в проходах. Еще бы! Ведь им пообещали, что будет смешно, и даже очень, а посмеяться задаром кто же не хочет?

В ужасе и ярости взошел я на трибуну, поднял над головой сорванную афишу и спросил: какой умник написал это глупое объявление? В зале наступила секундная тишина, затем пронесся легкий веселый гул. Публика поняла, что смешное уже начинается, и приготовилась, как говорят в России, «поржать и животики надорвать». Что меня и пугало. Сейчас они услышат не то, что ожидали, начнут покидать зал, и это самое страшное. Я повторил свой вопрос. Какой умник написал эту глупость? В первом ряду встал худощавый кудрявый человек лет сорока пяти и печально сказал: я, профессор Браун (фамилию я изменил), тот умник, который написал эту глупость. В зале засмеялись. Я немного смутился. Профессор Браун был как раз тот человек, кто пригласил меня сюда, и мне не хотелось его обижать. Извините, сказал я ему, я не хотел вам сказать ничего неприятного, я просто подумал, что такое мог написать студент первого курса, но никак не профессор. Публикой моя нечаянная колкость была оценена по заслугам и отмечена взрывом смеха. Я подождал, пока смех утихнет, и стал объяснять, что здесь, кажется, имеет место недоразумение. Вам обещали, что я вас буду смешить, но я этого делать не собираюсь. Поэтому, если хотите повеселиться, пойдите в кабаре, варьете или в цирк. Там клоуны ходят в больших ботинках, у них штаны спадают, они корчат рожи, дают друг другу пинка под зад, это смешно, правда? Публика смехом подтвердила, что правда смешно.

Прямо передо мной сидела парочка, студент и студентка, молодые, полные и смешливые. Пока я говорил, он показывал на меня пальцем, толкал ее локтем в бок, она толкала его и тихо хихикала.

— У меня, — продолжал я свое объяснение, — нет ни малейшего желания вас смешить. Может быть, в книгах моих попадаются смешные места, но мои устные выступления — это что-то другое. Тема моей лекции «Писатель в советском обществе». Советское общество — это... Я не понимаю, чему вы смеетесь. Какое из произнесенных мною слов кажется вам смешным? Советское? Это смешно? Ха-ха? Или общество? «Общество» — это очень смешное слово? — В зале уже стоял хохот или даже гогот. Профессор Браун смеялся сдержанно и довольно. Его обещание сбывалось. Толстый студент хохотал, обхватив руками свой круглый живот, его соседка повизгивала, как поросенок. Кажется, все веселились, кроме двух мужчин сурового вида, может быть, охранников университетской службы безопасности, которые в черных униформах зачем-то стояли у двери, с видом неприступным, дающим понять, что они здесь несут службу, а не развлекаются.

Я глянул на часы. Уже прошло пятнадцать минут, а я еще и не начал своей столь старательно приготовленной лекции. Придется ее на ходу подсократить.

Я выждал длинную паузу и, когда слушатели, наконец, успокоились, попытался подействовать на них своей рассудительностью. Мне кажется, сказал я, вы ложно настроились. Вы решили, что я сатирик и поэтому должен говорить смешно. Но вы путаете разные жанры. Сатира сатире рознь. Есть сатира и есть эстрадные шутки. И шутники, которых называют сатириками. Они выходят на эстраду, рассказывают какую-то глупость из разряда «А вот был еще случай». Например, холостой мужчина увидел объявление, что продается машинка, заменяющая женщину. Побежал, купил, принес домой, оказалось, что это машинка для пришивания пуговиц. Смешно? Правда? Хотя не очень политкорректно: пуговицы могут пришивать и мужчины. Если смешно, вы посмейтесь, а я подожду. Вы меня принимаете за кого-то вроде Джонни Карсона. Он хороший, смешной актер, я сам смеюсь, когда его вижу, но я-то не Джонни Карсон. Я предпочитаю другую сатиру, в которой юмор горький, а смех сквозь слезы. Понимаете?

Конечно, они поняли. Только наоборот: у них были слезы сквозь смех. Соседка толстого студента просто рыдала сквозь хохот. Да и он тряс головой и смахивал слезу рукавом.

— Пушкин... — сказал я и сделал паузу.

Я до сих пор не понимаю, что смешного они нашли в слове «Пушкин», но и оно было встречено приступом смеха.

— Пушкин... — повторил я и в отчаянии умолк.

Когда они кое-как успокоились, я им быстро, скороговоркой, не давая опомниться, сообщил, что Пушкин, читая «Мертвые души», смеялся не хуже их, а прочтя, сказал: «Боже, как грустна наша Россия!» А сам Гоголь свою смешнейшую повесть закончил словами: «Скучно на этом свете, господа». Чтобы передать публике испытанное Гоголем чувство, я произнес последнюю фразу таким жалким голосом, что все опять залились хохотом. Профессор Браун пытаясь сдержаться, хватался за затылок, который, видимо, уже ломило от смеха. Толстый студент падал на свою соседку, корчился в конвульсиях и сучил ногами. Соседка отталкивала его и сама верещала, как полицейский свисток. В середине зала кто-то свалился со стула. Один из охранников не выдержал и тоже начал смеяться. Причем сразу бурно, хлопая себя по ляжкам и стукаясь затылком о стену. Зато другой был по-прежнему суров и неподвижен, как изваяние.

Стоит ли говорить, чем было встречено мое утверждение, что настоящие сатирики вообще очень невеселые люди. Гоголь был меланхоликом. Очень мрачным человеком был Михаил Зощенко.

— А вы? — спросил меня с места профессор Браун.

Я еще не успел ответить, а зал уже опять покатился со смеху.

— Но я все-таки хочу рассказать вам о том, что представляет собой советское общество и какую роль в нем играет советский писатель...

Я попытался объяснить им, что Советский Союз — это тоталитарное государство, которым управляет одна-единственная политическая партия. Там есть парламент, но в него избирают одного депутата из одного кандидата. Там есть десять тысяч членов Союза писателей, которые все до единого пользуются методом социалистического реализма. Советские писатели — это, как сказал один из них, люди, которым партия дала все права, кроме права писать плохо.

Публика чуть посерьезнела, когда я сообщил ей, что пишу роман о России будущего под условным названием «Москва 2042», но опять стала смеяться, когда я излагал подробности сюжета. Я рассказал, что согласно моему прогнозу (не научному, а основанному только на интуиции) Советский Союз скоро распадется на отдельные территории или кольца враждебности, что в одной из маленьких республик СССР (я назвал ее Бурят-Монголией) начнется большая война, что в стране произойдет Великая Августовская революция, после чего власть возьмет в свои руки и будет объявлен Гениалиссимусом герой Бурят-монгольской войны, бывший резидент советской разведки в Германии, хорошо знающий немецкий язык. Что Гениалиссимус откажется от государственного атеизма и будет единолично управлять государством, построенным на пятиединстве: народность, партийность, религиозность, бдительность и госбезопасность.

Теперь люди, знакомые с новейшей российской историей, удивляются и спрашивают меня, как я мог предвидеть Августовский путч 1991 года, распад Советского

Союза, приход к власти Владимира Путина, растущий культ его личности и слияние в единое целое государства, церкви и службы госбезопасности. Но тогда, 20 лет тому назад, моим слушателям нарисованная мной картина показалась такой смешной (да и сам я писал ее отчасти для смеху), что они вообще уже не могли остановиться.

Я посмотрел на часы, увидел, что время мое истекло, и напоследок сказал:

— Когда я ходил в детский сад, любому из моих ровесников достаточно было показать палец, чтобы вызвать неудержимый смех. Вы, я вижу, до сих пор из детского возраста не вышли.

И переждав очередную волну, завершил свою речь такими словами:

— Я хотел рассказать вам очень серьезные вещи, но вы все равно не поймете. Поэтому я заканчиваю и благодарю всех за внимание.

Мне приходилось выступать много до и после. Иногда мои выступления встречались публикой одобрительно, но такого веселья и таких оваций себе я в жизни не слышал.

После лекции ко мне выстроилась длинная очередь желавших получить мой автограф.

Подошла женщина в темных очках, видимо, преподаватель:

— Вы выступали очень смешно. Я никогда в жизни так не смеялась. Тем более последний год, после похорон мужа.

Подошел толстый студент:

— Спасибо, вы имеете хорошее чувство юмора.

Его соседка сказала, что собиралась написать диссертацию о советских юмористах, но теперь, пожалуй, сменит тему и напишет только обо мне.

— Мне нравится, что вы очень веселый человек, — сказала она, и я не стал с ней спорить.

Охранник, который единственный в зале держался сурово, попросил автограф и пообещал:

— Я расскажу о вашей лекции моей жене. Она будет очень смеяться.

Последним ко мне приблизился профессор Браун. Промокая глаза бумажной салфеткой, он похлопал меня по плечу и сказал:

— Владимир, когда вам надоест писать книги, вы сможете выступать на сцене, как Джонни Карсон. Даже смешнее, чем Джонни Карсон.

Совету профессора я не последовал и в Джонни Карсона не превратился. Но об особенностях своего взгляда на жизнь задумался и понял, что, чем серьезнее кажется мне та или иная тема, тем смешнее она выглядит в моем изображении. Так что пишу я всегда серьезно. О том, что есть, и о том, что будет. И кое-что угадываю.

Пока книга, которую вы держите в руках, дошла до вас, кое-что из предсказанного в ней тоже уже сбылось, а что-то еще, наверное, сбудется. Во всяком случае, я надеюсь, вы найдете в ней то, над чем можно посмеяться и о чем стоит подумать.

Люди и свиньи

Давным-давно и даже еще давнее, в совсем уже позабытые времена, жили на земле люди и свиньи. Жили вместе, питались поврозь. Свиньи ели все, что ни попадя, люди кушали также все без разбору, но кроме всего без разбору ели еще и свиней. Это был обычный, существовавший веками порядок, но свиньям он почему-то не нравился, и, когда их превращали в свинину, они визжали и плакали. Им было больно, страшно и очень хотелось жить. Люди же были дикие, им лишь бы набить желудки мясом, салом и требухой, а свинские крики и слезы их совершенно не трогали. Но постепенно, по мере распространения среди людей просвещения, разных гуманных идей и передовых теорий, стала просыпаться в них совесть, возникло и развилось чувство сострадания, и устыдились они своей привычки пожирать братьев меньших и устраивать им повальный и форменный геноцид.

Сначала заговорили об этом религиозные проповедники. Господь Бог, сказали они, даровал всем тварям земным жизнь, чтобы они бегали, хрюкали, блеяли, тявкали, мычали и размножались, и вправе ли мы отнимать то, что не нами дано?

Затем в дискуссию вступили ученые и стали указывать, что человек — животное всеядное, как свинья и даже хуже, потому что иной раз вкушает то, от чего даже свинья рыло воротит. Будучи самым всеядным животным, человек имеет в природе помимо мяса еще всякие другие источники питания: травы, коренья, корнеплоды, злаки, фрукты и овощи, и в них, а также в молочных продуктах есть предостаточно жиров, минералов, витаминов и белковых соединений. И вообще вегетарианская пища гораздо лучше мясной действует на пищеварительный тракт, стенки желудка, поджелудочную железу, печенку и на мозги. А также способствует росту снижения сердечно-сосудистых заболеваний. Подняли свой голос писатели, публицисты, властители дум и совесть народа: эх вы, говорят, жадные ненасытные двуногие твари. Неужели вашим душам неведомо чувство боли и сострадания, неужто ваше сердце не рвется на куски при детском отчаянном плаче закалываемого вами поросенка, а если так, то подумайте, не есть ли вы сами большие свиньи, чем свиньи.

Многим людям стало неудобно слышать такие слова, и аппетит пропадал, и кусок свинины поперек горла становился. Мучились люди таким образом, мучились, искали себе оправдания, не нашли и в конце концов порешили, ладно, мол, не такие уж мы кровожадные, пожалеем наших бедных свинок, кабанчиков и поросят, перейдем на растительную и молочную пищу.

Ну и перешли. Стали есть всякие простокваши, салаты, овощные супы, затирухи, компоты и кисели. И все были довольны. Или почти все. Нашлись все-таки некоторые гурманы, которые время от времени стали вздыхать и закатывать глазки, стыдливо признаваясь, что ощущают некоторую ностальгию по чему-то такому мясоподобному. Растительно-молочная пища — это, конечно, хорошо, это здорово и в отношении холестерина полезно, но какой-нибудь бифштекс или эскалоп время от времени слопать тоже желательно. Или хотя бы сосиску. Дошли такие пожелания до ученых, которые подумали и склонились к мысли, что надо гурманам помочь. Тем более что среди ученых тоже были тосковавшие по скоромному. Ученые подумали, напряглись и путем синтеза проса, сои, сырой нефти и хлопка-сырца стали изготавливать искусственную свинину, не уступающую ни в чем настоящей. Экспертов Совета гурманов с завязанными глазами кормили, они только губами чмокали и пальчики облизывали. Их спрашивали, что это? Они в один голос: это франкфуртская сосиска, это краковская колбаса, а это молочный поросенок в сметане...

А ученые только переглядывались лукаво и лукаво смеялись.

Короче говоря, всем новые продукты понравились и даже больше, чем из настоящего мяса, и люди уже готовы были провести референдум и принять закон о полном недопущении убийства свиней и других животных, а употребление их в пищу приравнять к людоедству. Для начала провели всенародное обсуждение в печати и по телевидению. Стали выступать разные ораторы, одобрять идею всеобщего перехода к вегетарианству, хвалили ученых и их продукцию и высказывали пожелания по улучшению. Совет гурманов настаивал на том, чтобы мясные продукты искусственного происхождения ни по каким параметрам не уступали естественным, в этом смысле, сказали гурманы, надо позаботиться не только о самом питании, но и об его эстетике.

Искусственное мясо, говорят, мясо хорошее, но эстетически оно как-то не то. А именно, говорят, не хватает того, чтобы это мясо было не только по вкусу, но и выглядело соответственно. Чтобы в магазинах хотя и искусственные, но при этом совсем как бы как настоящие висели окорока, ляжки, хвосты, копыта, а также свиные головы с прижмуренными глазами для холодца. Ну хорошо, говорят ученые, если у вас так развито воображение и вам это очень нужно, поднатужимся, сделаем.

Хвосты, копыта и даже окорока сварганили сразу, а над головой свиной пришлось потрудиться. Чтобы сделать ей и розовый пятачок, и нежные ушки, и заплывшие жиром глазки, и даже зубы вставить. Это природа легко все ляпает, как бы походя, а людям, даже самым головастым, что-нибудь подобное сотворить бывает ой как непросто.

Сколько в это надо мыслей вложить, души, бессонных ночей. Сколько необходимо вывести формул, провести научных экспериментов. Но все-таки наука всесильна, и в конце концов усилиями нескольких научно-исследовательских институтов и всей Академии наук пожелание Совета гурманов было исполнено. Новые продукты стали украшением выставки «Здоровое питание». Разумеется, среди всех экспонатов наибольшим успехом пользовалась свинская голова. Чтобы посмотреть на нее, некоторые ученые из самых дальних мест прилетали, ходили вокруг да около, вертели головой, цокали языками, а иногда даже пытались лизнуть. Совет гурманов в целом работу ученых одобрил, но если, сказали члены Совета, вы способны такую голову сделать, так нельзя ли ее еще и на туловище насадить, и чтобы мясник отрезал ее в присутствии потребителя. И эту просьбу ученые исполнили и на заседание Совета гурманов притащили целую свинью, почти как живую или, точнее сказать, как только-только зарезанную, покрытую даже щетиной, которую члены Совета тут же стали палить паяльной лампой, с наслаждением вдыхая запах паленого. Ученые, гордые своей работой, скромно стояли в сторонке.

— Ну что ж, — сказали члены Совета, — это вы хорошо поработали. Присуждаем вам Золотую медаль Совета гурманов и денежную премию в размере четырех максимальных окладов.

У кого-то из членов Совета возникла даже идея выдвинуть ученых на Нобелевскую премию, но другие сказали нет, на Нобелевскую премию это не тянет, для Нобелевской надо сделать что-то особое. Вот если бы эти ваши свиньи могли бегать, как живые, и пастись, и хрюкать, и размножаться соответственным образом, но на кибернетическом уровне, и чтобы даже визжали, когда их режут, но при этом не испытывали бы ни боли, ни страха и вообще никаких таких ощущений, поскольку они все же искусственные.

Ученые добились и этого. Искусственные свиньи появились на всех свинофермах мира. Они бегали, хрюкали, паслись, купались в лужах, очень успешно размножались и визжали в процессе убоя. Но визжали не по-настоящему, а так, чтобы усладить слух гурманов и эстетов, чуткий ко всему прекрасному. Новых свиней пустили в производство, стали кормить ими народ. Народ был доволен и готовился к референдуму. Но тут возникли сомнения и скептические голоса и в самом Совете гурманов, и в более широких слоях населения. Да, стали говорить скептики, ученые наши достигли очень высоких высот, совершенно даже невообразимых. Свиньи, как будто живые и исключительно вкусные, и бегают хорошо, и замечательно хрюкают и, когда их режут, визжат очень пронзительно, но вот в визге этом пронзительном чего-то нам все-таки не хватает, а именно не хватает боли, не хватает такой, понимаете ли, смертной тоски, страха, ужаса не хватает. Да-да-да, подхватили другие и, кстати сказать, некоторые ученые тоже. А дело в том, что этот ужас, этот смертельный страх, вырабатывают в организме свиньи такие вещества, такие незаменимые ферменты и аминокислоты, без которых искусственной свинине чего-то такого маленького все-таки не хватает. Короче говоря, перед учеными была поставлена новая грандиозная задача. И они произвели в науке настоящий переворот. За что получили все главные премии мира, может быть, даже и Нобелевскую (чего я утверждать все-таки не берусь).

Они создали искусственную свинью, которая ну ничем совершенно не отличается от настоящей. Она выглядит как свинья, хрюкает как свинья и, когда ее превращают в свинину, дрожит от страха, страдает, визжит и плачет по-настоящему. Поэтому люди решили, что теперь уже могут совершенно обходиться без настоящих свиней и питаться только искусственными. А настоящих, чтобы они бесконтрольно не плодились и не потравляли посевы, было постановлено всех уничтожить. Ну и съесть — не пропадать же мясу зазря. Но пока принимали такое решение, искусственные свиньи смешались с настоящими, стали бесконтрольно спариваться и размножаться, и вообще возникла такая путаница, что люди сперва попытались в ней разобраться, а потом махнули рукой или всеми своими руками махнули. И стали жить как жили, вкушая всякие мясные деликатесы и не слыша криков тех, из кого эти деликатесы готовятся.

А впрочем, некоторые слышат и испытывают большое эстетическое наслаждение. А некоторых и это не устраивает, и наибольшую радость они получают, когда видят, как в предсмертном ужасе корчится и визжит существо, горделиво именующее себя человеком.

Демонтаж

Конец 1979 года мы проводили на даче, в ста километрах от Москвы. 31 декабря моя шестилетняя дочка Оля, едва проснувшись, спросила, когда придет Дед Мороз. Я сказал: очень скоро. Она спросила: а когда скоро? Я сказал: очень скоро. Она спросила: а когда очень скоро? Я сказал: вечером. Она спросила: а когда будет вечер? Я сказал: когда пройдет день. Она спросила, а когда пройдет день? Я сказал: к вечеру как раз и пройдет. Она спросила: а как пройдет день? Разве у него есть ноги?

Наш разговор был прерван наружным шумом, и, подойдя к окну, я увидел красные «Жигули» с ржавым багажником на крыше. На багажнике возлежало нечто завернутое в мешковину и обмотанное веревками. Все четыре дверцы распахнулись одновременно, и из них на снег вывалилось семейство Зайцевых в полном составе: муж Саша, жена Варвара, их дочь Наташа, Олина ровесница, и их сын Даня, толстый мальчик шести лет по прозвищу «наш жених».

Гости вылезали с шумом и с криком. Варвара, по своему обыкновению, рассказывала обо всем сразу в таком примерно смешении: в Москве исчез напрочь стиральный порошок, у свекрови на локте обнаружилась странная опухоль, директора института вчера вызвали в ЦК, а оттуда с инфарктом увезли в Кремлевку, пирог, кажется, слегка подгорел, по Би-би-си сказали, что русские в Афганистане завязнут надолго, в такой гололед по нашим дорогам могут ездить только самоубийцы, а Сашка вчера до двенадцати ночи стоял в очереди за елками и притащил сами увидите что, только не падайте в обморок. Когда Саша снял с багажника и развернул то, что должно было называться елкой, в обморок никто не упал, но Оля заплакала, и, когда мы ее спросили, почему она плачет, она сказала: елочку жалко, зачем же ее побрили? В самом деле, это была не елка, а какие-то сросшиеся вместе кривые палки, облепленные иголками, редкими и короткими, не больше, чем щетина недельной небритости.

Признаюсь, меня всегда удивляло, и этот раз не стал исключением, как это советские торговые организации, имея в своем распоряжении самые обширные в мире лесные массивы, включая тайгу, ухитрялись брать или специально выращивать елки такие кривые и голые, что бывало непросто отличить их от саксаула. Дети от привезенного растения впали в уныние, взрослые тоже, короче, было решено идти в лес и добыть елку настоящую, чтобы ей самой не стыдно было так называться. Тем более что мы жили в таком государстве, где лес, как и другие природные ресурсы, принадлежал народу, и мы, как часть народа, имели право взять часть принадлежавшего нам богатства в виде одной маленькой елочки.

Но тут незнающему читателю стоит сказать, а знающему напомнить, что в стокилометровой зоне вокруг Москвы тогда располагалось (а про сейчас говорить не будем) одно из трех самых важных колец обороны Москвы, то есть там, в лесах, скрывались ракетные установки и всякие вспомогательные сооружения и службы и, разумеется, обслуживающий персонал. И в нашем лесу тоже что-то такое присутствовало. Тут я, очевидно, прикоснулся к теме, составлявшей в свое время тщательно охраняемую военную тайну, которая была известна только Генеральному штабу Советской армии, американскому Пентагону и жителям окрестных деревень.

Как только стемнело, мы с Сашей нарядились в дубленки и валенки. Саша при этом перевязался веревкой, а за веревку заткнул топор, и мы двинулись в путь, крадучись, словно ночные разбойники.

А у меня, между прочим, были тогда еще для российской жизни диковинные приемопередатчики типа «Walky-Talky», которые мы называли «волки-толки». Мне их привез однажды мой американский издатель, не понимая, что подвергает меня риску больших неприятностей. Частному лицу нельзя было иметь собственные средства радиосвязи, а владение ими в нашей стране, где бдительность в списке человеческих добродетелей стояла на первом месте, неизбежно влекло за собой подозрение в шпионаже. Меня даже и без всяких «волков-толков» самого несколько раз задерживали как возможного вражеского лазутчика только потому, что я ходил в темных очках, фотографировал какой-то мост или смотрел в бинокль из окна вагона. А когда я обзавелся маленьким диктофоном и стал пользоваться им во время прогулок, набормотывая приходившие в голову мыслишки, бдительные граждане несколько раз доставляли меня в милицию. Из милиции с диктофоном меня в конце концов отпускали, но пойманному с приемопередающей аппаратурой рассчитывать на снисхождение было бы трудно. Но в глуши, где находилась наша деревня, я милиции не опасался и один аппарат «волков-толков» взял с собой, а другой оставил нашим женам и детям с обещанием подробного репортажа по ходу дела.

Было ясно, звездно, морозно, снег, как ему в таких условиях полагается, скрипел под ногами.

Мы вышли за околицу, и я сделал первую передачу: «Покинули базу, движемся точно по курсу, видимость приемлемая». Затем я вышел в эфир на подходе к лесу: «Приблизились к месту проведения операции». Следующая радиограмма была: «Проникли на территорию беспрепятственно, продвигаемся вглубь». Через некоторое время мы добрались до знакомого ельника, выбрали на ощупь более или менее красивую елку, и я доложил «базе»: «Обнаружили подходящий объект». Саша ударил под корень топором. В эфир полетело: «Приступаем к демонтажу объекта». Потом: «Объект демонтирован. Приступаем к транспортировке».

Когда мы рассмотрели елочку дома, она оказалась даже лучше, чем мы думали. Густая, стройная, пропорционально сложенная. Мы установили ее в сделанную крестовину, навешали на нее игрушек, обмотали ее разноцветными лампочками, елка засветилась и засверкала, дети были счастливы и мы тоже. Мы уже садились за стол провожать старый год, когда Саша решил принести дров для камина. Вдруг он вернулся с улицы, чем-то озабоченный, и поманил меня пальцем. Я вышел следом за ним наружу и увидел, что по единственной улице нашей деревни медленно движется военный микроавтобус, а на крыше у него крутится что-то наподобие хулахупа.

— Ты понимаешь, — спросил Саша, — что это значит?

— И дураку ясно, — сказал я. — Пеленгатор.

— А понимаешь, зачем он ездит?

— Понимаю. Ищет наши «волки-толки».

— А почему ты говоришь шепотом? — спросил он.

— А ты почему? — спросил я.

И мы оба засмеялись, сообразив, что перешли на шепот инстинктивно, боясь быть запеленгованными, хотя даже наших скромных познаний в технике было достаточно для понимания, что пеленгуется не просто человеческий голос, а радиосигналы, которые в данный момент от нас никак не исходят, наши «волки-толки» лежат на подоконнике мирно, как два котенка, и не мяукают.

— Что случилось? — спросила моя жена, когда мы вернулись в дом. — Чем вы озабочены?

— Тем, что время идет, хочется выпить и закусить и можно уже провожать старый год.

С этими словами я взял «волки-толки», снес их в подвал и сунул в старые резиновые сапоги, которыми пользовался, когда подвал заливало водой. Потом я сбегал на соседнюю дачу, где жил переводчик и германист Сеня Смирнов с женой Аллой. Сеня обещал нам быть Дедом Морозом, и как раз сейчас Алла пришивала пуговицу к его атласному одеянию. Я сказал Сене, что он через полчаса может уже приходить, но есть просьба бороду не наклеивать, а прийти в своей, которая у него была достаточно пышная и седая.

— Хорошо, — сказал Сеня и спросил: — К вам военные не заходили?

— Какие военные?

— К нам какие-то приходили, — сказал Сеня. — Спрашивали про какой-то объект.

На обратном пути я увидел, что машина-пеленгатор возвращается с другого конца деревни. С вращающейся на крыше антенной она быстро проехала мимо меня и скрылась за околицей. Я облегченно вздохнул и вошел в дом. Все сидели уже за столом, и рюмки были наполнены. Ну, выпили, закусили, налили по второй, и в это время раздался стук в дверь.

— Дед Мороз! Дед Мороз! — закричали дети в волнении.

Я, ругая мысленно Сеню за то, что слишком рано пришел, распахнул дверь и отпрянул: передо мной стояли два рослых военных в белых полушубках, подпоясанных ремнями, старший с майорской звездочкой на погонах, младший с тремя лычками сержанта. Они поздоровались, и майор спросил, можно ли войти, но, получив разрешение, дальше порога не двинулся и вместе с сержантом топтался на месте.

— С наступающим вас! — сказал наконец майор неуверенно, обводя взглядом и собравшихся за столом, и всю комнату.

— Вас также, — отозвался я.

— Значит, уже приготовились к встрече? — спросил он, не зная, видимо, с чего начать.

— Пока провожаем, — уточнил Саша и предложил: — Может, выпьете с нами?

— Нет, нет, — сказал майор поспешно и явно борясь с искушением. — Мы на службе. Между прочим, елка у вас красивая.

— Мы ее привезли из Москвы, — на всякий случай сказала Варвара.

— А мне разницы нет, — пробормотал он, — я не лесник, и мне все равно, привезли вы ее из Москвы, из Парижа или в лесу срубили. Меня интересует не елка, а кое-что посерьезнее. Это вся ваша компания? Больше никого нет?

— Больше никого, — сказал я. — А кого вы ищете?

— Ну хорошо, ладно.

Не ответив на мой вопрос, толкнул сержанта, оба повернулись к дверям, и майор уже взялся за ручку, но задержался и спросил:

— А скажите, вы тут не видели в деревне подозрительных людей, которые ходили или ездили с какими-нибудь приспособлениями или большими предметами?

— Или с объектом, — сказал сержант.

— С какой-нибудь такой крупной вещью, — сказал майор, — которую можно назвать объектом.

— А как выглядит объект? — проявил интерес и Саша. — Какой он?

— Ну какой-то такой, — сказал майор и изобразил руками нечто абстрактное округлой конфигурации.

— А на что похож? — допытывался Саша. — На бомбу? На пушку? На корову? А может быть, — он вдруг рискованно пошутил, — на эту вот елку?

— Что за глупости? — вспылил майор. — Неужели вы думаете, что в новогоднюю ночь мне больше нечего делать, как заниматься поисками коров или елок?

Кажется, он сильно рассердился. И когда Саша еще раз предложил выпить, отказался решительно. Но все-таки, уходя, сообщил нам, что служба радиоперехвата засекла переговоры каких-то шпионов или, может быть, даже диверсантов, которые где-то в пределах данной местности вели по радио кодированные переговоры и демонтировали какой-то объект. Так что если вдруг мы заметим в деревне каких-то подозрительных людей, или какой-нибудь автомобиль, или трактор, или что-то такое... — тут опять была изображена руками абстракция... — то большая просьба... — И майор написал на клочке бумаги телефон дежурного по части. После чего военные удалились, а нам с Сашей обоим, но мне особенно, крепко досталось. За шутки, которые могли бы дорого обойтись.

Вскоре явился с подарками и ожидаемый Дед Мороз, которого недоверчивый Даня дернул за бороду так, что

Дед Мороз взвизгнул. И закричал на Даню: «Ты что, сумасшедший?» А девочки запрыгали и захлопали в ладоши, радуясь, что Дед Мороз оказался с настоящей бородой, а не приклеенной.

Раздав подарки, Дед Мороз ушел, а через некоторое время явились соседи Сеня и Алла и тоже сели за стол. Сеня время от времени поглаживал бороду, а Даня поглядывал на него пытливо, но за бороду не дергал, боясь снова опростоволоситься.

Тем временем стрелки часов приблизились к своей высшей точке, и новогодняя телевизионная передача началась с поздравления Председателя Президиума Верховного Совета СССР товарища Леонида Ильича Брежнева советскому народу, который, как было сказано, уверенно смотрит в будущее. Затем по телевизору был новогодний «Огонек», а у нас хоровод вокруг елки и розыгрыш домашней беспроигрышной лотереи. После отправки детей в постель Сашке пришло в голову позвонить ракетчикам и поздравить их с Новым годом. Но телефона у нас не было, а использовать для этой цели «волки-толки» мы побоялись и решили без всякого радио выйти на прямую связь с потусторонними силами. Мы провели сеанс спиритизма, во время которого вызванный из мест своего пребывания дух Марины Цветаевой нагадал мне дальнюю дорогу, а на вопрос, куда именно, ответил по-немецки словами Генриха Гейне: «Der dumme Fuss will mich gern nach Deutschland tragen». Что значило приблизительно: «Глупая нога хочет привести меня в Германию».

Что вызвало в нашей компании большое веселое оживление, и напрасно. Ибо несуразное прорицание странным образом сбылось, и следующий, 1981 год мы встречали в отеле «Сплендид» на улице Максимилианштрассе города Мюнхена.

1992

РАССКАЗЫ
О КОММУНИСТАХ

Простая труженица

Как-то мы с женой приехали в один южный приморский город. Возле так называемого квартирного бюро на пыльной площади толпился народ. С одной стороны частники, с другой — дикари. Не те дикари, которые ходят в одеждах из перьев, а обыкновенные советские дикари, у которых нет путевок в санатории и которых с их молоткастыми и серпастыми паспортами в гостиницах не пускают и на порог. Мы тоже в этой толпе оказались, и тут же нас атаковали жадные до наживы домо- и квартировладельцы. «Вам нужна комната? На сколько?» Оказалось, что мы не очень выгодные клиенты, потому что приехали только на неделю, а частники предпочитали таких, которые на сезон или хотя бы на месяц. Когда уже все от нас отказались, появился еще один, дохлый пожилой мужичонка с впалой грудью и стальными зубами. Он робко приблизился к нам: «Нужна комната? На сколько? На неделю? Нет, на неделю нельзя». И отошел. Но отошел неуверенно, и я понял, что на него можно давить. Я пошел за ним и спросил: «А может быть, можно и на неделю?» Он посмотрел на меня и обреченно кивнул головой: «Ну, пожалуйста». Потом увидел, что мы на машине, и сказал опять: «Вы на машине? Нет, на машине нельзя». — «А может быть, можно?» И он опять кивнул: «Ну, пожалуйста». Я потом заметил, что он всегда сначала отказывает, а потом говорит: «Ну, пожалуйста». Мы его так Нупожалуйста и прозвали.

Мы спросили, далеко ли ехать. Он сказал, нет, километра два-три.

— Я вам покажу. Я буду впереди бежать, а вы езжайте за мной.

— Ну почему же вы будете бежать впереди, — сказал я. — Садитесь, поедем вместе.

— Да нет, ну зачем я буду садиться, как-то неудобно.

После того как я ему объяснил, что нам еще более неудобно будет, если он побежит впереди, он сел на переднее сиденье (жена перебралась назад) и съежился, стараясь занять как можно меньше места.

Оказалось, что Нупожалуйста живет на окраине, на пыльной ухабистой улице, по которой после дождя можно проехать разве что на тракторе. Дом, однако, был большой и добротный. На крыльце стояла женщина лет сорока могучего телосложения, в коротком и рваном сарафане. И со вкусом, звучно шлепала комаров на загорелых плечах и на ляжках.

— Ты кого это привез? — закричала она, глядя то на мужа, то на нас, будто мы были совсем никчемушным товаром.

— Дачников, Егоровна, привез на неделю.

— Дачников? — повторила она. — На неделю? Та шо это за дачники на неделю? Та шо ж там других не было?

— Не было, Егоровна, — испуганно отвечал Нупожалуйста. — Только эти и были.

— Ну ладно. — Она посмотрела на нас более доброжелательно. — Так шо вы люди богатые, на машине, у меня есть для вас зала за десять рублей.

— В неделю? — спросила моя жена.

— Та не, у день.

— Десять рублей — это дорого, — сказал я.

— Та не дорого, — убивая комара на ноге, сказала она.

— И к тому же у вас комары.

— Та яки комары? — сказала она и щелкнула себя по щеке. — Хиба ж это комары?

— А что же это?

— Та так. Насекомые.

Как-то мы все же поладили и вечером на террасе угощали наших хозяев купленным у них же вином. Нупожалуйста в основном молчал, говорила Егоровна.

— Я, Володя, работаю ото ж бригадиром на винограднику. Ото ж така важка, така тяжела работа, Володя. З пяти утра и до самого вечора. Така важка, така трудна работа. Но я люблю важко работать. Когда важко поработаешь, тогда ты собой тоже довольный бываешь.

Дом их, довольно большой, был забит отдыхающими. Мы снимали отдельную комнату. В других комнатах, как в общежитии, койки стояли рядами, каждая стоила два рубля в сутки.

Утром мы проснулись не рано, солнце стояло уже высоко. Я вышел в сад к умывальнику и увидел в глубине сада сарай. Дверь сарая открыта, а внутри сарая на раскладушке ничком, в том же самом рваном, высоко задравшемся сарафане лежит наша хозяйка. Надо же, на работу не пошла. Видимо, заболела.

После завтрака я опять вышел в сад и увидел: из сарая вышла хозяйка, потягиваясь, как штангист перед взятием веса.

— Вы сегодня не на работе, — спросил я. — Заболели?

— Та ни. У мене ж ото сэссия.

— Сессия? — удивился я. — Сельсовета?

— Та ни. Ото ж горсовета. Я там у культурной комиссии состою.

Мы с женой уехали на пляж, потом были в кино, потом в ресторане, вернулись — хозяева уже спали. Утром выхожу в сад, вижу — хозяйка опять спит в сарайчике.

— Опять сессия? — спросил я, когда она вышла.

— Та ни. Ото ж партсобрание.

На третий день у нее было совещание передовиков производства. На четвертый что-то еще. В этом доме по-настоящему трудился только ее беспартийный муж. Утром, пока она спала, он по ее приказу уже бежал, как он говорил, «на шоссу» ловить новых квартирантов. А потом в саду что-то строгал, пилил, окапывал деревья.

Поскольку мы уходили из дома раньше ее, а возвращались позже, я никогда не видел нашу хозяйку в достойном ее положения костюме. Всегда в одном и том же сарафане.

Она была словоохотлива и много раз повторяла, что любит тяжелую работу. Что работала во время войны на Алтае шофером и оттуда привезла своего теперешнего мужа. В партию вступила недавно.

— Мэнэ ж ото парторг наш, Иван Семенович, вызвал. «Ты что ж это, говорит, Егоровна, така хороша работница, а не в партии. Невдобно все же». Ну я ж ото подумала, Володя, шо як шо мы, передовые труженики, не будем поступать у партию, то тогда хто ж? Тем более шо партия наша, она же руководит народом, она ж мудрая, миролюбивая, так же ж, Володя?

Я ей сказал, что я литератор, и она, выражаясь в партийном духе, видимо, рассчитывала, что я о ней что-нибудь напишу. Впрочем, о ней уже и без меня писали. И в местной газете, и в столичном «Огоньке».

А ее муж Нупожалуйста, беспартийный пенсионер, уязвленный своим ничтожным на фоне жены положением, был у них в семье вроде домашнего диссидента. Молчал, молчал, а потом взрывался.

— Правильная политика, говоришь? Правильная? Никто не спорит, что правильная. А почему ж с китайцами-то поссорились? Член партии, а не знаешь. А потому поссорились, что они нам польты по сорок рублей продавали, а потом в наш магазин заходят и видят: те же самые польты висят по сто двадцать.

— Та ты ничого не понимаешь, — махала она руками и просила меня: — Ты, Володя, этого не записывай, потому шо он же глупый и отсталый.

Она мне свои тайны раскрывала постепенно. Накануне нашего отъезда мы опять пили вино на террасе.

— Ото ж стыдно сказать, Володя, но мэнэ ж ото орденом наградылы.

— Каким орденом? — Я уже не удивлялся, но все-таки подумал, что орденом каким-нибудь маленьким.

— Та ото ж Лэнина. Мэнэ в Краснодаре Полянский принимал, пальто подавал. Если б, говорит, до того, Егоровна, у тебя б не медаль, а хотя б «Знак Почета», мы б тебе сейчас Героя далы.

Мы прожили в этом доме не неделю, а полторы. В последнее утро мы проснулись от шума. На крыльце галдели человек десять студентов, которых хозяин успел уже притащить с «шоссы» на наше место. Прощаясь с хозяином, я спросил: «А где Егоровна?» «Ушла на виноградник», — сказал он.

Это был ее первый выход на работу за все полторы недели.

Все эти дни мы провели или дома, или на берегу. А тут первый раз ехали через центр города. И в скверике перед зданием горкома увидели шеренгу портретов, над которыми было написано: ЛУЧШИЕ ЛЮДИ ГОРОДА.

И на четвертом слева портрете красовалась наша хозяйка. В темном костюме, белой блузке, с орденом Ленина на высокой груди.

Ченчеватель из Херсона

Или вот такая история. Сидим мы как-то вечером на кухне у нас, в Москве, моя жена, я и еще одна наша приятельница. Известная, между прочим, актриса. Сидим, пьем чай, разговариваем. Актриса нам о телекинезе что-то рассказывает. О людях, которые взглядом могут даже самые тяжелые вещи передвигать. В последнее время в Москве такие увлечения очень в моду вошли: телекинез, спиритические сеансы, телепатическое лечение на расстоянии.

Когда общественной жизни нет, критиковать власти или хотя бы рассказывать анекдоты страшновато, развлечения (театр, кино, телевидение) сплошь пронизаны пропагандой, а в книжных магазинах нет ничего, кроме томов скучных, изложенных нечеловеческим языком речей Генерального секретаря и других членов Политбюро, тогда самое время удариться в мистику. Дело вроде бы не совсем советское, но в отличие от, допустим, распространения или хотя бы чтения самиздата безопаснее.

Ну, так сидим, разговариваем, вдруг звонок в дверь. Иду открывать, мысленно по дороге чертыхаясь: кого еще там нелегкая на ночь глядя принесла? Открываю, на пороге стоит незнакомый мне человек в форме торгового моряка. «Здрасьте, а я к вам!» Оказывается, моряк этот по дороге из Мурманска в Херсон решил в Москве остановиться. А брат его из Херсона раньше со мной в одном классе учился. Несколько лет назад брат этот у меня уже как-то ночевал, очень ему у нас понравилось, а теперь вот и другой брат подъехал. Надо сказать, что в Москве появление ночного гостя из провинции — явление не такое уж редкое. И объясняется это не столько нахальством или жадностью этих самых провинциалов, сколько совершеннейшей невозможностью попасть простому человеку в московскую гостиницу. Посмотрел я на этого моряка, посмотрел, не очень мне пускать его на ночь хотелось, но и отказать не сумел, ночь, погода плохая; и все-таки с его братом в одном классе учился.

Короче говоря, ладно, говорю, что же делать, раз уж так получилось — входите, только уж другим своим братьям и товарищам из Херсонского пароходства моего адреса больше не давайте.

Ну, сел он с нами за стол, вынул из портфеля бутылку «Посольской» водки, в Мурманске, говорит, достал, банку сайры и на актрису, нашу гостью, с восхищением смотрит. Вчера он ее только по телевизору видел, а тут, понимаешь, такое везение. Будет о чем рассказать товарищам и в Мурманске, и в Херсоне. И чтобы не ударить лицом в грязь, моряк тут же принялся рассказывать о всяких своих странствиях по белу свету в качестве механика какого-то сухогруза. И как их застиг туман в проливе Лаперуза, и как качало их у берегов Новой Зеландии, и как они на мель сели где-то у берегов не то Марселя, не то Катани.

И как пошел названиями портов всяких сыпать, так не только мы с женой, а и наша актриса рот раскрыла, ошеломленная. Она хоть и выездная была, но и ее опыт заграничных поездок (один раз Париж, один раз Будапешт, два раза Восточный Берлин и четыре раза София) сейчас ей самой чепухой показался.

А моряк, завладев нашим вниманием, и совсем разошелся. Босфор, говорит, Дарданеллы, Джорджес Банка, такие, знаете ли, названия, ну прямо Жюль Верн.

А форма на нем красивая, нашивки блестят, пуговицы золотые и на руке часы с тройным циферблатом. И он на эти часы довольно часто поглядывает, но не потому, что хочет «Посольскую» водку скорее допить и спать идти, а потому, что догадывается, что мы раньше таких часов и не видели. И когда он в очередной раз на часы посмотрел, я у него все-таки спросил, где же он такие замечательные часы купил. «Это, говорит, я в Лас-Палмасе сченчевал». И тут же зажигалку вынул, а на ней девушка нарисована. Прямо держишь зажигалку — девушка в купальнике, перевернешь — она без. «А это, — говорит он уже без моего вопроса, — я сченчевал в Амстердаме». Очень это было нам все интересно, но только слова этого «ченчевать» я прежде никогда не слыхивал. И спросил, что оно означает.

— Чейндж! — сказал моряк твердо и поставил рюмку на стол. — Английский в школе учил? Чейндж. Обмен, значит. Мы когда в загранку уходим, закупаем в магазинах все, что есть. Часы, духи, матрешек, мыло, булавки, пуговицы, короче говоря, все, что под руку попадется.

— И неужели на эти наши товары можно что-нибудь выменять?

— Еще как можно! Конечно, где-нибудь в Гамбурге или Ванкувере такой товар не идет. Но мы ж не только туда ездим. Мы и странам третьего мира помогаем. А уж в этих-то странах...

Воспоминание об этих странах почему-то вызвало в нем такой приступ смеха, что он чуть под стол не свалился, но я его вовремя подхватил. Придя в себя, стал он рассказывать, где чего ченчевал. Самые приятные воспоминания были у него связаны с Суэцким каналом.

— Идешь, значит, Суэцким каналом, а на берегу бедуины стоят. Мы всех арабов бедуинами называем. Кричишь ему: «Чейндж!» Он отвечает: «Чейндж!» Ты ему на веревке свой товар опускаешь, он тебе на палке свой поднимает. Тут, знаете, надо быть очень бдительным. Если ты ему раньше свой товар опустил, он его схватил и бежать. Все. Чейндж закончился. Если он раньше поднял, ты схватил, тоже чейнджу конец. Тут надо все с умом делать. А то я помню, везли мы как-то...

И он рассказал историю, как везли они партию «газиков»-вездеходов, опять же для помощи странам третьего мира. Сначала колеса поснимали, сченчевали. Потом спидометры повытаскивали, сченчевали. Фары пооткручивали, сченчевали.

— А как же, — спрашиваю, — те, кому вы везли «газики», они вам претензии не предъявляли?

— Да вы что? Да какие претензии? Это же помощь. Это же бескорыстно, чего дают, то бери. Да «газики» — это что! Мы и с судна всякие вещи ченчуем. Снимешь спасательный круг — чейндж! Прибор какой-нибудь отвернешь — чейндж! А однажды ничего под рукой не оказалось, так и якорь латунный пришлось сченчевать. Думаете, просто было? Его целиком не выкинешь, бедуинам поднять его нечем, он же тяжелый. Так мы его сначала в каюту втащили и там на куски пилили — ножовку смазывали, чтоб не пищала. А потом куски в иллюминатор кидали. А бедуины в аквалангах за ними ныряли.

И рассказывал так до поздней ночи, где был и что на что ченчевал, и нас уморил, да и сам притомился. Стал зевать и на часы поглядывать, но уже не с тем, чтобы видом их поразить, а намекая, что пора и в постель. Но когда я спросил его, не член ли он партии, он опять встрепенулся, плечи расправил, щеки надул и сказал с достоинством:

— Да-а, коммунист.

Партийная честь

Одного кинорежиссера как-то давным-давно, еще при старых деньгах, записали в очередь на квартиру. А жилищного строительства тогда в Москве не было почти никакого. И очередь двигалась ужасно медленно. Но все же двигалась, и режиссер наконец оказался в ней первым. И стал уже с женой воображать, как они получат ордер, как мебель расставят, куда кровать, куда телевизор. Месяц воображают, два воображают, полгода, год, он в очереди первый, а она то ли вовсе не движется, то ли движется как-то боком. Режиссер удивляется, но, в чем дело, догадаться не может. Наконец кто-то, кто поумнее, ему говорит: «Ты, — говорит, — будешь в этой очереди стоять до второго пришествия или до тех пор, пока какому-нибудь нужному человеку на лапу не дашь». А режиссер был человек принципиальный, хотя в партии и не состоял. «Нет, — говорит, — ни за что! Взяток никогда не давал и давать не буду. Взятки, — говорит, — унижают и того, кто берет, и того, кто дает». — «Ну хорошо, — говорят ему, — тогда стой в очереди неуниженный». Ну он и стоит. Год стоит, два стоит, жена, само собой, пилит. Капризная, не хочет дальше существовать в коммуналке, не хочет по утрам стоять в очередь в уборную или к плите, чтобы чайник поставить. И надоело ей, видите ли, следить на кухне, чтобы соседи добрые в суп не наплевали или чего другого не сделали. Пилит она, пилит мужа, принципы его постепенно испаряются. Наконец он решился на преступление. «Ладно, — думает, — раз такое дело, один раз дам все-таки взятку, а больше уж никогда не буду». Был он в этом деле неопытный, но люди добрые помогли, свели его с одним значительным лицом из Моссовета. Сошлись они в ресторане «Арагви». Режиссер заказал того-сего: грузинский коньяк, лобио, сациви, шашлык по-карски. Выпили, закусили, и наконец режиссер этому лицу, которое перед ним после коньяка расплывалось, прямо так говорит: «Знаете, — говорит, — я живу весь в искусстве, от обыденной жизни оторван, взяток еще никому никогда не давал и как это делать, не знаю. А вы, человек опытный, не могли бы мне подсказать, кому чего я должен дать, сколько, когда и где?» Лицо еще коньяку отхлебнуло, шашлыком закушало, салфеткой культурно губы оттерло и к режиссеру через стол перегнулось. «Мне, — говорит, — пять тысяч, здесь, сейчас».

Хоть и шепотом, но четко, без недомолвок.

«Хорошо», — говорит режиссер и достает из кармана бумажник. Но впрочем, тут же несколько засомневался. «А что, — говорит, — если я вам эти пять тысяч вручу, а вы мне квартиру опять не дадите?»

Тут лицо от такого чудовищного предположения опешило совершенно и чуть шашлыком даже не подавилось. Даже слезы на глазах появились. Даже голос задрожал. «Да что ты! — говорит. — Да как ты мог на меня так подумать? Да ведь я ж коммунист!»

И ведь на самом деле честный человек оказался. И месяца не прошло, как режиссеру ордер выписали. И зажили они с женой в новой квартире припеваючи.

Пока не разошлись. Правда, к тому времени с квартирным вопросом полегче стало. Так что режиссер эту квартиру оставил старой жене, а с новой женой в кооператив записался. Там, ясное дело, тоже надо было на лапу дать, но режиссер был человек уже опытный и сам к тому времени вступил в партию. Так что он знал уже точно, кому, чего, когда и где.

1984

Как искривить линию партии?

Ленин когда-то сказал, что настоящим коммунистом может быть только очень образованный человек, овладевший самыми передовыми знаниями своего века. Среди современных советских коммунистов есть и такие, которые более или менее соответствуют ленинскому идеалу. Но коммунист коммунисту рознь. Рядовой коммунист может быть рабочим, колхозником, академиком. Он платит членские взносы, сидит на собраниях, выполняет важные или неважные партийные поручения, но в основном занимается своей профессиональной деятельностью. Он может быть очень уважаемым в своей области специалистом, получать большую зарплату и много привилегий, но все-таки к высшей касте он не принадлежит. Высшая каста — это номенклатура. Это профессиональные партийные работники от районного уровня до членов Политбюро. Партийный работник может руководить любой отраслью промышленности, сельского хозяйства, науки или искусства, независимо от направления и уровня своей подготовки.

Когда я учился в 10-м классе вечерней школы в Крыму, мне было 23 года, то есть для школьника уже многовато. Но среди моих одноклассников некоторые были и постарше. Самому старшему было сорок шесть лет, мне он, естественно, казался стариком. Звали его, допустим, Еременко. В школу он всегда приходил в строгом сером костюме — длинный пиджак, широкие брюки и туго затянутый галстук. Сидел на задней парте. Когда вызывали к доске, выходил и не отвечал ни на какие вопросы. Молчал, по выражению одной нашей учительницы, как партизан на допросе. (Понятно, что образ советского партизана-коммуниста был известен учительнице не по жизни, а по литературе.)

У доски на Еременко было жалко смотреть. Ему задают прямой вопрос — молчит. Задают вопрос наводящий — молчит. Краснеет, потеет — и ни слова. Учительница спрашивает: «Может быть, вы не выучили?» Молчит. А если уж раскрывал рот, то что-нибудь такое ляпал, что хоть стой, хоть падай. Однажды он не мог показать на карте, где проходит граница между Европой и Азией, а на вопрос учительницы, где же находимся мы, напрягся и ответил: «В Азии».

Преподаватели просто не знали, что с ним делать. Учительница химии была агрессивнее других и говорила, что ни за что его не выпустит. Другие были более либеральны. Не знаю, боялись ли они его, но смущались всегда, все-таки человек-то он был солидный. Они тихо говорили: «Садитесь, Еременко». И, смущаясь, ставили двойку. Или вообще ничего не ставили: «Ну хорошо, я вам сегодня оценку ставить не буду, но уж к следующему разу, пожалуйста, подготовьтесь».

Ученики, конечно, везде бывают разные. Бывают блестящие, хорошие, средние и плохие. Но ученики такой степени тупости до десятого класса, как правило, не доходят. Дотягивают кое-как до четвертого, ну до седьмого, а потом или его как-то выпихивают из школы, или сам он выпихивается, предпочитая любой физический труд непосильному для него напряжению интеллекта. И Еременко, будь он простой ученик, до десятого класса никак бы не добрался, но в том-то и дело, что он был не простой ученик, а номенклатурный: заведовал отделом в райкоме КПСС, и для продвижения по службе ему нужно было по крайней мере среднее образование. Правда, он учился не в том районе, которым правил, а в соседнем, сельском. В своем районе ему, как он сам говорил, партийная этика учиться не позволяла.

Обычно представители номенклатуры держатся подальше от простых смертных, но мы с Еременко сошлись, потому что я ему помогал по химии и математике. Потратив сколько-то бесполезных часов, мы иногда даже выпивали вместе, и тогда он был со мной вполне откровенен. Он с возмущением отзывался о нашей химичке: «А что это она позволяет себе так со мной говорить? Она, наверное, не представляет себе, кто я такой. Да я в нашем районе могу любого директора школы вызвать к себе в кабинет, поставить по стойке «смирно», и он будет стоять хоть два часа».

Как-то я спросил его, не трудно ли ему работать на столь важной должности. Ответ его я запомнил на всю жизнь: «Да нет, не трудно. В нашей работе главное — не искривить линию партии. А как ее искривишь?»

Он учился одинаково плохо по всем предметам, включая историю. Но наша учительница истории (она была моложе меня) ушла в декрет, а ее стала подменять другая, которая работала заведующей отделом народного образования в том же районе, где начальствовал Еременко.

Это была очень полная и очень глупая дама. Она свой собственный предмет знала не шибко и вместо всяких исторических фактов толкала нам политинформацию по вопросам текущей политики КПСС. Говорила, что международные империалисты задумали то-то и то-то, но это чревато для них самих. Империалисты угрожают нам атомным оружием, но это чревато для них самих. Империалисты хотят разрушить лагерь социализма, но это чревато для них самих.

Новая учительница на своей основной работе полностью от Еременко зависела и поэтому на уроках была к нему благосклонна. Она вызывала его к доске и спрашивала по такой схеме:

— Скажите, товарищ Еременко, когда произошел пятнадцатый съезд партии?

Молчание.

— В одна тысяча девятьсот двадцать седьмом году. Правильно?

— Правильно, — отвечал Еременко. — В одна тысяча девятьсот двадцать седьмом году.

— Ну что ж, — заключала учительница, — вы подготовились отлично, я ставлю вам пять.

С ее приходом в нашу школу он воспрянул духом и даже слегка зазнался.

— Уж что-что, а историю я знаю, — говорил он мне.

Между учительницей и учеником установились довольно своеобразные отношения. Вечером она вызывала его к доске, а днем он вызывал ее к себе в кабинет и очень интересовался состоянием системы образования в подвластном ему районе. Обзор системы образования заканчивался маленькими просьбами со стороны учительницы, которые ученик охотно рассматривал. Он сам мне рассказывал, как она однажды, очень смущаясь, попросила выписать ей колхозного поросеночка. Он позвонил в какой-то колхоз, и в тот же день учительнице были доставлены на дом две огромные свиньи по рублю пятьдесят штука на старые деньги. То есть по пятнадцать копеек на нынешние.

В конце концов Еременко школу окончил и получил аттестат, в котором у него была пятерка по истории и выведенные с большой натяжкой тройки по всем остальным предметам, включая химию. Теперь перед ним открылся путь для дальнейшего, уже специального партийного, образования и продвижения по служебной лестнице. Вооруженный новыми знаниями, он мог смело руководить свиноводством, овцеводством или искусством. Несколько лет спустя я узнал, что Еременко повышен в должности и переведен в обком КПСС, где руководит промышленностью. Всякой промышленностью, в том числе, разумеется, и химической.

1984

Колонки
«НОВЫХ ИЗВЕСТИЙ»

Здесь собраны публицистические тексты, состоящие в основном из еженедельных колонок, которые в 2003 году я вел в газете «Новые известия». Из них я отобрал только те, которые, как мне кажется, как-то перекликаются с тем, что происходит сегодня.

Моё ноу-хау

В последние дни много чего случилось, но более прочего наша публика взбудоражена операцией «Чистые руки». В расставленные сети попались высокие чины МВД, пограничной службы и генерал, начальник собственной безопасности МЧС. Опрошенный на улицах электорат данное событие в целом одобрил (мы любим, когда сажают начальство, в этом смысле наиболее радостным был год 1937-й), но массово склонился к мнению, что акция носит ограниченный характер и представляет собой лишь предвыборный пиар. Если это так, то выборы следует проводить не пореже, как считают некоторые, а наоборот, почаще. Чтобы желающие стать слугами народа услужали ему не рывками раз в четыре года, а постоянно. Вынужденные в таких случаях расходы можно компенсировать за счет вытекающих отсюда же конфискаций имущества. Через которые казна наша имеет шанс сильно обогатиться.

Если вы сядете в вертолет и облетите ближайшее Подмосковье, то вашему взору откроется бесчисленное количество краснокирпичных и каменных образцов причудливой архитектурной фантазии с прилегающими бассейнами, теннисными кортами, конюшнями, гаражами и прочими строениями, и цена каждого комплекса исчисляется семизначными числами в ненашей валюте. Эти сооружения принадлежат не только капитанам новорусского бизнеса, ворочающим миллионами на законных (может быть) основаниях, но и государственным служащим, существующим якобы исключительно на зарплату. Живут они здесь, ни от кого не скрываясь, и все вокруг знают, что эта вилла принадлежит заместителю градоначальника, эти хоромы префекту, этот дворец таможеннику, а тот особняк налоговому инспектору. Среди владельцев этой недвижимости заметное место занимают работники силовых ведомств, наблюдающие за исполнением законов в соображении, чего бы с этого поиметь. Они тоже до недавнего времени не боялись ни Бога, ни дьявола, ни прокурора, ни службы собственной безопасности.

Помнится, впервые услышав, что служба такая внутри внешних служб имеется, я себе сказал: это хорошо. Потом, впрочем, задумался. А что же, работники служб собственной безопасности разве не живые люди? Неужто смиренно перебиваются с хлеба на воду, пренебрегают Багамскими островами и не желают жить в особняках природоохранных зон ближнего Подмосковья или дальнего зарубежья? Теперь я понял, что мои сомнения не были беспочвенными. Что даже и среди этих товарищей «кто-то иногда у нас порой честно жить не хочет». С чем, конечно, мириться нельзя. А посему стоит внутри каждой службы собственной безопасности завести другую такую же для контроля над первой, третью для контроля над второй, четвертую — над третьей, и чтобы называлось это приблизительно так: служба собственной безопасности службы собственной безопасности службы собственной безопасности и так далее до полного исчерпания людских резервов. Таким образом контроль над силовыми структурами будет усилен, занятость населения приблизится к ста процентам, а воровать работники служб безопасности, конечно, будут, но понемногу. Потому что помногу на всех не хватит.

04.07.03

Не там родилась

Кажется, ни один телеканал или печатный орган, включая «НИ», не прошли мимо смерти Лени Рифеншталь, легендарной немки, скончавшейся на сто втором году жизни в деревне Пёкинг под Мюнхеном. Жизнь ее была долгой, а судьба удивительной, полной приключений и драматизма. Напомню. Балерина, актриса, режиссер документального кино. В начале тридцатых годов, будучи молодой женщиной, увидела Гитлера, пришла в восторг, предложила свои услуги (профессиональные, разумеется). Фюрер, которому она очень нравилась, разрешил ей снимать где бы то ни было его самого, его окружение и все, что она пожелает. В 1934 году ей были предоставлены исключительные условия для съемок фильма о съезде нацистской партии в Нюрнберге. Съезд проходил с небывалым размахом, съемки — тоже. Около сорока операторов по ее заданию снимали грандиозное шоу со всех возможных и невозможных точек, включая крыши, деревья, фонарные столбы и дирижабли. Фильм «Триумф воли» с Гитлером, выступающим перед огромными толпами восторженных сограждан, стал и ее триумфом. Картина произвела столь сильное впечатление, что тысячи немцев пожелали вступить в нацистскую партию, а такие диктаторы, как Франко, Муссолини и даже сам Сталин, по слухам, добивались, но не удостоились чести быть снятыми ею. Следующим ее шедевром был фильм об Олимпиаде 1936 года в Германии «Олимпия», отнесенный к десятке лучших фильмов всех времен и народов. А ее саму журнал «Тайм» впоследствии вставит в список 100 деятелей искусства XX века, чьи произведения повлияли на ход истории.

Пока существовал нацистский режим, все у нее шло замечательно. Она была любимицей (но не любовницей) Гитлера, была вхожа к нему как друг дома. Ей доверяли снимать самые важные события в жизни страны. «Триумф воли» стал классикой Третьего рейха, а «Олимпия» считалась гимном национал-социализму. Но в 1945 году режим рухнул, и в Германии по решению Берлинской конференции глав союзных держав начался процесс денацификации, согласно коему, как было объявлено, «все члены нацистской партии, которые были больше, чем номинальными участниками ее деятельности, и все другие лица, враждебные союзным целям, должны быть удалены с общественных или полуобщественных должностей и с ответственных постов в частных предприятиях». Вот и она, обвиненная в активном сотрудничестве с нацистами, была удалена от возможности заниматься любимым делом. Ее фильмы были запрещены, а сама она подвергалась преследованиям, сидела в тюрьме и лежала в психбольнице. Она оправдывалась, говоря, что к преступлениям режима отношения не имела, сама в партии не состояла, была сторонницей чистого искусства, нацистские торжества привлекали ее только эстетически, и «Олимпия» была гимном не нацизму, а красоте человеческого тела. Объяснения мало ей помогали. Будь она бездарной, о ней могли бы и забыть, но черт (перефразируем Пушкина) догадал ее родиться с талантом не в то время и не в том месте.

Родись она не в Берлине, а в Москве, продолжение карьеры ее могло быть столь же успешным, что и начало, потому что старые гимны у нас не отменяют, а в худшем случае переписывают. У нас она могла бы снимать то же, что в Германии: парады, демонстрации, спартакиады, съезды, процессы тридцатых годов и красоту человеческих лиц, воодушевленно скандировавших: «Сталин-Сталин!» или: «Расстрел-расстрел!». А «Олимпия» 1980 года могла бы стать гимном социализму. Или дружбе народов. Никто не помешал бы ей потом перестроиться и снимать митинги с криками «Ельцин-Ельцин!». А сейчас какая-нибудь из ведущих партий заказала бы ей свой рекламный ролик и могла бы очень рассчитывать на победу. У нас ей не пришлось бы сожалеть о прошлом, оправдываться и говорить о чистом искусстве. На скользкие вопросы она могла бы отвечать гордо, что всегда служила своему государству, каким бы оно ни было. И готова так же верно служить тому, которое есть или которое будет. Зиг хайль!

12.09.03

Устами диктора

— Устами диктора глаголет ложь! — услышал я в восьмидесятом году от вагонного попутчика, прослушав с ним вместе радиопередачу о том, как советские воины-интернационалисты помогают афганским дехканам собирать урожай. Я вспомнил эту фразу на днях, когда смотрел телефильм о Юрии Левитане и его судьбе. Молодым человеком он приехал из Владимира в Москву, хотел учиться на артиста, не получилось, устроился диктором. К делу относился серьезно, работал над собой, избавлялся от оканья, вообще совершенствовал дикцию и т. д. Человеком был дисциплинированным, скромным и добрым, всегда готовым кому-то в чем-то помочь. Разумеется, в фильме было сказано много хорошего о его неповторимом голосе и воздействии читавшихся им текстов на умы и сердца миллионов людей. Но государство, как водится, оказалось к нему неблагодарно. Звание народного артиста СССР он получил только в 66 лет, а потом его и вовсе обидели, когда не дали прочесть сообщение о смерти товарища Брежнева. Эта обида так подкосила его здоровье, что он несколько месяцев спустя и сам умер. Умер во время встречи с ветеранами, отмечавшими сорокалетие Курской битвы, и факт этот подается с таким пафосом, как если бы он сам в этой битве участвовал и на ней же погиб. Наше государство в прежнем его образе и в теперешнем виде имеет свойство обижать всех. Обиды несоразмерные, но переживаются болезненно каждым. У кого дедушку расстреляли, кто сам полжизни сидел, кому квартиру не дали, кого орденом обошли, в чине понизили, за границу не выпускали или не впускали обратно. Особенно на государство обижаются те, кто ему как будто наиболее верно служил. Среди последних выделяются дикторы советского радио и телевидения. Они по ТВ нам часто рассказывают о своем прошлом, в котором было много хорошего. Тогда эфир вели настоящие профессионалы. Они обладали хорошей дикцией, не заикались, не шепелявили, не путались в склонениях и спряжениях, и ударения ставили правильно. За что им, конечно, честь и хвала. У меня нет желания подвергнуть сомнению человеческие достоинства любого из них, но вряд ли стоит представлять их публике героями, как когда-то покорителей космоса или полярников. Они, может быть, честно работали, но сама их работа честной не была. Они порой говорят, что не могли отклоняться от текста, но выражали свое отношение к нему интонационно. В некоторых случаях это, может быть, правда. Наверное, когда Левитан читал сводки Информбюро или приказы Верховного главнокомандующего об освобождении Киева или взятии Берлина, его торжествующий тон совпадал с его внутренним состоянием. Однако он же озвучивал не только победные реляции военного времени, но еще всякие вести с полей, строек коммунизма и съездов КПСС. А поскольку он работал на радио пятьдесят лет, от Сталина до Андропова, то вряд ли не участвовал в передачах о судах над врагами народа, о братской помощи Советской армии разным народам, о литературных успехах писателя Брежнева. И что же он в этих случаях выражал интонацией? Конечно, быть диктором в советское время было очень небезопасно. Можно было остаться без работы, а при Сталине и без головы за малейшую оговорку по радио или опечатку в газете. Мне рассказывали о редакторе газеты, покончившем с собой в конце войны в Запорожье. Однажды утром, начав просмотр свежего номера с очередного приказа Верховного главнокомандующего, он увидел, что в слове «главнокомандующий» пропущена буква «л», и немедленно застрелился. То же могло случиться и с диктором. Короче говоря, я ничего не имею против Левитана и любого другого советского диктора, но думаю, что их работу романтизировать не стоит. Как и само то прошлое, которое романтизируют они сами и их биографы. Некоторые из них, возможно, были люди в быту правдивые, но государство платило им зарплату и присваивало почетные звания за произносимую без ошибок и хорошо поставленным голосом ложь.

19.09.03

Пока не штрафуют

Вот говорят, сатирикам уже делать нечего. Как имеющий отношение к данной профессии, могу подтвердить: определенные трудности в этой области есть, но не дефицит материала тому виной, а конкуренция, которую профессионалам жанра составляют представители класса VIP. Наши губернаторы, градоначальники и думские заседатели иной раз такое сморозят, что Гоголь с Щедриным, будь они живы, лопнули бы от зависти. А теперь и предизбиркома отличился, поддержав идею штрафов для лиц, уклоняющихся от участия в выборах. Это уже ближе к идеям Козьмы Пруткова. Кто-то как-то заметил, что худшие правительства создаются лучшими гражданами, которые не ходят на выборы. Эту же мысль Александр Вешняков выразил соображением, что людьми, которые дисциплинированно ходят на все голосования, власть формируется однобоко. Такого допускать нельзя, и поэтому недисциплинированных стоит привлекать к избирательным урнам через штрафы. Идея, как говорится, богатая, но заслуживает дальнейшей разработки. Возникает вопрос, если уж штрафовать, то кого, как и насколько? Штраф, я думаю, нужно назначить внушительный и увеличиваемый в случае рецидива. Не явился, скажем, первый раз — штраф. Не пришел второй раз — двойная сумма. Третий раз сумму утроить, а самого оштрафованного подвергнуть принудительному приводу к месту свободного волеизъявления. А для самых упертых создать штрафные роты. При этом дисциплинированных граждан в пример недисциплинированным следует награждать подарками, грамотами или даже медалью «Дисциплинированный избиратель». Но есть опасение, что и при таких мерах власть может формироваться все еще как-нибудь однобоковато. Ведь наш послесоветский электорат еще молод и разумно распоряжаться избирательным правом покуда не научился. Кроме части, осознанно поддерживающей с одного бока две правые партии и с другого одну левую, большинство голосующих потеряло ориентиры и не знает, чем «Единая Россия» отличается от «Партии жизни», от Народной партии и всех прочих, объявивших поддержку президента, как отдельную высшую цель. Да и сами партийцы тоже того не знают, тем более что во младенчестве все сосали одну мамку — КПСС, и с молоком ее всосали одну и ту же идеологию, которая, потеряв прилагательное «коммунистическая», по сути не изменилась и предполагает, что государство превыше всего, а превыше государства превысший начальник. О благосостоянии народа они на словах пекутся, но права личности считают пустяком, с которым приходится иногда считаться в угоду европейским причудам. О том, что они все те же, свидетельствует и старая песня, новых слов которой они до сих пор не вызубрили, но с видимым усердием разевают рты «под фанеру». Не видя различий между программами, партиями и отдельными кандидатами, избиратель замечает однако, что, как ни голосуй, а в думах, мэриях и губернаторствах заседают все те же лица, иногда лишь меняя кресла одно на другое. Поэтому избиратель уходит в пассив и машет рукой: провалитесь вы, мол, со своими выборами, лучше я воскресный день проведу на грядке или на лыжах. А еще пассивней он становится, когда ему заранее все распишут, и наиболее угодного власти кандидата настоятельно порекомендуют, а менее угодного на всякий случай снимут с предвыборной гонки, предложив в утешение иное хлебное (или рыбное) место. В таких условиях послушное большинство придет и проголосует как надо. А меньшинство задумается. Если ему вообще не оставлены шансы влиять на формирование власти, которую он готов уважать, стоит ли вообще участвовать в этой игре? Чтобы обеспечить кворум и тем самым легитимизировать чужой выбор? Чтобы в страхе перед одной однобокостью укреплять другую (не видя между боками большой разницы). Да ну вас! — опять-таки скажет он. И я лично с ним, может быть, соглашусь, пока за это еще не штрафуют.

26.09.03

Легенда о великом инквизиторе

Помнится, по Москве начиная года примерно с восьмидесятого усиленно распространялась приятная слуху легенда о личности тогдашнего председателя КГБ и члена Политбюро ЦК КПСС Юрия Андропова. Придешь, бывало, в какой-нибудь гостеприимный дом, а там среди прочих находится кто-нибудь, у кого знакомый знакомого работал с Андроповым, близко знает его и может рассказать о нем много хорошего. Что он не такое мурло и маразматик, как остальные члены партийной верхушки, а человек умный, интеллигентный, образованный (подчиненные называют его профессором), скромный, ранимый, непьющий и плюс ко всему либерал. Да, как посол СССР в Будапеште, он сыграл определенную роль в подавлении венгерского восстания 1956 года, но сам тяжело переживал случившееся, а жена его и вовсе тронулась умом, после чего постоянно наблюдается у психиатра. С диссидентами ему бороться приходится, но он предпочитает проявлять к каждому индивидуальный подход. (Кого посадить, а кого только выслать, только полечить в психбольнице, только под поезд толкнуть, только голову проломить в подъезде.) Со мной лично коллеги Юрия Владимировича обошлись и вовсе гуманно. Несмотря на мои ужасные преступления (книжки и некоторые письма в защиту кого-то), меня всего лишь исключили из Союза писателей. Ну не печатали, ну отравили (только один раз), ну отключили мой телефон. Но не посадили и не убили. И даже когда терпение лопнуло, предложили всего лишь покинуть СССР. Оказавшись благодаря столь деликатному со мной обхождению на Западе, я и там много хорошего услыхал об Андропове. Особенно от американских советологов. Они, предвидя скорую смерть Брежнева, возлагали на предполагаемого преемника большие надежды. Главного чекиста представляли себе крупным интеллектуалом (и потому, естественно, демократом), который любит детей, музыку, знает иностранные языки и американскую писательницу Жаклин Сьюзен перед сном читает в подлиннике. Да и сам пишет стихи, а в прихожей его квартиры стоит статуэтка не Малюты Скуратова, не Дзержинского, не Торквемады, а Дон Кихота.

В каждом человеке можно найти (если долго искать) что-то хорошее. Даже Гиммлер, как известно, почитал своих родителей и к младшему братишке относился с трогательной заботой. Допускаю, что и Юрию Владимировичу не чуждо было что-нибудь человеческое. Стишки он точно пописывал (правда, довольно убогие). Дон Кихот у него в прихожей стоял, но сам он если и был похож на рыцаря печального образа, то только тем, что тщетно пытался победить то, чего победить нельзя. Его ветряными мельницами была свободная мысль. Чекисты совали свой нос (сегодняшнее выражение Путина) в литературу, живопись, экономику, науку и шахматы — во все, в чем ни уха ни рыла не смыслили, и очень постарались, чтобы советский режим полностью прогнил и развалился. И если уж ставить памятник Андропову и его сотоварищам по политбюро и КГБ то разве за то, что именно они (больше, чем все диссиденты, империалисты и сионисты, вместе взятые) этот развал обеспечили.

Во главе СССР Андропов стоял недолго, но и здесь явил нам ум не государственный, а полицейский. Его попытки решить экономические проблемы страны путем вылавливания в банях и кинотеатрах прогульщиков были полезны только тем, что родили очередную серию анекдотов. Вряд ли большим достижением его политики следует считать расстрел директора Елисеевского магазина, самоубийство министра внутренних дел и уничтожение пассажирского корейского «Боинга».

Памятники можно ставить кому угодно. Реальным людям, литературным героям, пограничным собакам и Чижику-Пыжику. Но все-таки в этом должен быть какой-то смысл и какая-то логика. Если мы строим демократическое общество с рыночной экономикой, то при чем тут Андропов, погубивший тысячи душ (включая свою) ради того, чтобы этого никогда не случилось? Но если целью строительства является полицейское государство, тогда, конечно, дело другое.

10.10.03

Похвальное слово контрабандистам

На границе поймали контрабандиста. Об этом я узнал из передачи НТВ и прочел текст на сайте того же канала. Гражданин ФРГ, представившийся «писателем», нелегально пытался вывезти из России не алмазы, не наркотики, не оружие, не шедевры живописи и не иконы, а «особенные раритеты», представляющие собой историческую и научную ценность. Раритеты, как сказано, из бывших засекреченных архивов Соловецких лагерей особого назначения. В их числе уголовные дела 20—30-х годов, протоколы допросов, фотографии заключенных, свидетельства о смерти и (о, ужас!) карты-схемы Соловецких лагерей.

Мне в этом сообщении почудился знакомый стиль сочинителей с Лубянки, которые в прежние времена, злоупотребляя кавычками, часто придавали тексту смысл, противоположный желаемому. То же и здесь. Я не знаю, кем является задержанный контрабандист, но если уж выдавал себя за писателя в кавычках, то подозреваю, что за этим стоит закавыченный журналист. Есть вопрос: эти бывшие засекреченные архивы теперь рассекречены? Если да, то где они и доступны ли? Почему специалисты, ознакомившиеся с контрабандой, были потрясены, увидев то, чего раньше не видели? Почему не видели? И почему контрабандист документы крал, а не сделал себе законные ксерокопии? Ой, что-то тут не то! Слишком похоже на советские рапорты о шпионах, из которых один, помнится, фотографировал здание центрального телеграфа, а другой из вагона вел визуальное наблюдение, то есть, говоря по-русски, смотрел в окно.

Контрабанда — дело плохое. Но не всегда и не всякая. В советские времена некоторые иностранцы помогали диссидентам и запрещенным писателям (мне, в частности) вывозить из СССР рукописи или документы, которые в нормальном обществе не должны быть секретными. Подобной контрабанде лично я, бывало, способствовал, чего ничуть не стыжусь. И сейчас осудить такие действия не поспешу. По сообщению НТВ, против горе-контрабандиста возбуждено уголовное дело. Не знаю, насколько справедливо. Но хорошо бы ввести уголовную ответственность за незаконное хранение тайн о преступлениях советского режима против человечности на Соловках и где бы то ни было. В демократических странах для госсекретов есть разумные сроки. И — никаких сроков для дел, заводимых спецслужбами против отдельных людей. Гражданин США может затребовать и получить свое досье из ФБР. Любой житель бывшей ГДР может узнать, что против него имела (если имела) Штази (госбезопасность) и кто на него стучал. А наши чекисты по-прежнему крепко прячут от нас дела давно и недавно минувших дней. Мы не знаем полной правды не только о том, что произошло год назад на Дубровке, но многое из случившегося десятки лет назад от нас тоже скрывается. На этой неделе Александр Солженицын в двух больших газетах клеймил своих недоброжелателей, распространяющих некий донос, написанный якобы им в 1952 году в Экибастузском лагере. Он утверждает: донос — фальшивка. Враги не верят. Но почему бы ему, пользующемуся особым расположением нынешней власти, не попросить ее, не потребовать, не стукнуть кулаком по столу, чтоб допустили к соответствующим материалам его самого и независимых специалистов, экспертов, графологов, чтоб защитили его наконец-то (не советские ж времена!) от клеветы? И общество наше должно бы его в этом требовании решительно поддержать. Он же не кто-нибудь, а человек, считающийся совестью нации. Но зловещие тайны по-прежнему скрыты в папках с грифом «хранить вечно», и это есть преступление перед страной, народом, историей. Пока это так, фальшивки будут приниматься за подлинные документы, а подлинные документы за фальшивки. А у людей не будет доверия не только к органам безопасности, но и к самому государству, которому эти тайны чем-то по-прежнему дороги. В таком случае контрабандистам в кавычках, которые такие тайны выкрадут, вывезут и предадут гласности, я лично желаю удачи.

25.10.03

Что было бы, если бы...

Если бы я до сих пор не слышал постоянно и без кавычек вздор про расстрел парламента и даже расстрел российской демократии, я не стал бы писать эту статью. Но пишу и повторяю вопрос, задававшийся многими помимо меня: что же это за расстрел парламента, если ни один парламентарий не получил и царапины? И что за демократию представляли собой Хасбулатов, Руцкой, Макашов, Баркашов, Анпилов? Тем не менее вот уже десять лет слово «расстрел» повторяют не только те, кто физически или мысленно стояли за перечисленных мной персонажей, но и люди противоположного лагеря, которые могли бы себе представить, что было бы, если бы...

Во-первых, что было бы, если бы свет, водопровод и канализация в Белом доме, отключенные по приказу из Кремля, не работали еще несколько дней? Некоторые не к месту пылкие защитники прав, наши и иностранные, тогда возмущались, что, мол, за метод? И — фи! — как нецивилизованно. Метод, конечно, был цивилизованный не шибко, но все-таки гуманнее, чем стрельба. Была возможность одолеть мятежников простой осадой, покуда не потонут кое в чем или не запросятся во двор с поднятыми руками. Вони было бы, конечно, еще больше, но отмыть здание было бы все же легче, чем после орудийных ударов.

Во-вторых, что было бы, если бы Егор Гайдар (по совету Сергея Юшенкова) в час мужества (по Ахматовой) не призвал москвичей к сопротивлению и оно не было бы оказано?

В-третьих, что было бы, если бы летчики, к которым в припадке безумия обращался по радио самозванец Руцкой, послушались бы его и сбросили бомбы на Кремль? Интересно, как это потом было бы названо?

В-четвертых, что было бы, если бы в России в результате путча установился режим, возглавляемый бунтовщиками и особенно Альбертом Макашовым? Этот в жажде власти при первой возможности товарищей по путчу бы слопал, а сторонников цивилизованных методов вполне мог бы повесить на фонарях. А что было бы со всей Россией, если бы осуществились бредовые надежды генерала, который и через пять лет после путча говорил (цитирую): «Цель нашего будущего сражения — восстановление великого государства Российского от Бреста до Курил, от острова Медвежий до Кушки во главе с русским народом...» Сколько на пути к этой цели, после 1991 года совершенно недостижимой, было бы пролито крови?

Слава Богу, главари бунтовщиков были, как сказал бы Паниковский, жалкие ничтожные люди. Своих рядовых сторонников они, как только запахло жареным, предали, и потом я не слышал, чтоб вспоминали. Генерал Макашов, возглавив штурм «Останкино», в решительную минуту с поля боя трусливо бежал. Герой Советского Союза Руцкой, не увидев пикирующих на Кремль бомбардировщиков, впал в истерику и просил по радио друга Валеру (Зорькина) привлечь к его спасению иностранных послов. Хасбулатов в тюрьме хватал за пиджак генпрокурора Казанника, умоляя «как профессор профессора», выпустить его, несчастного, на волю.

Если бы победители были такими же, как побежденные, то слово «расстрел» обрело бы реальный смысл. Но слово прозвучало иное: «амнистия». В стране, где еще совсем недавно людей сажали за прочитанную книжку или рассказанный анекдот, поднявших вооруженное восстание не только освободили, но даже генеральских званий никого не лишили (а стоило бы). Амнистированным позволили вернуться к теплым местам, и все они живут лучше, чем хорошо.

Но до сих пор ходят слухи, намеренно раздуваемые, о тысячах расстрелянных во время путча и тайно где-то закопанных. На самом деле известна цифра погибших (может быть, не совсем точная) — 123. Раненых было побольше. Часть погибших была одурачена и погублена своими предводителями, другая часть сложилась из любопытных, которые влезли в заваруху, думая, что это кино.

В общем, десять лет назад беда, нависшая над Россией, как-то ее миновала. Но если бы тогда победили путчисты, мы сейчас жили бы в другой стране. Или страны бы не было. Или бы мы не жили.

30.10.03

Жертва ферзя

Жизнь миллионера, говорил Зощенко, проходит для автора, как в тумане. Для автора данных строк тоже. О жизни миллиардера нечего и говорить. С одной стороны, он живет хорошо: нам бы так. С другой стороны, завидовать нечему. Особенно в наших условиях, где надо постоянно остерегаться покушений на жизнь, имущество и свободу. Огораживаться высоким забором, окружать себя, жену и детей телохранителями, без которых шагу ступить нельзя — пристрелят или возьмут в заложники. Приходится неустанно отбиваться от таможни, счетной палаты, налоговой инспекции, конкурентов, завистников, искателей грантов, попрошаек, бедных родственников и приживал, которых у каждого богача, чем он олигархей, тем больше. А к прочим неприятностям и образ прокурора вдруг замаячит с вопросом: чем ты занимался до семнадцатого года и откуда чего нагреб? И надо думать и вспоминать, понимая, что не ответ чистосердечный прокурора интересует, а нечто другое.

Сейчас народ гадает, за что арестовали Ходорковского, и мало кому приходит в голову бредовая мысль, что арестовали за то именно, в чем обвиняют. Рассматриваются более правдоподобные варианты. Или начался тотальный пересмотр итогов приватизации, или олигарх лично кому-то чем-то не потрафил. Не дал взятку. Дал слишком мало. Лезет в политику. Поддерживает оппозицию. Имеет собственные амбиции. Или вслед за оборотнями в погонах стал козырем в предвыборной игре пиаровских шулеров. Или оказался жертвенной фигурой (ферзем, а не пешкой) в турнире семейных, питерских и лубянских.

Говорят, Ходорковский задолжал казне миллиард долларов, которые с него можно было спросить. Но на его аресте государство потеряло пятнадцать (а я слышал — 40) миллиардов, которые не возьмешь ни с кого. Признаюсь, меня убытки государства сейчас мало волнуют. Пусть весь мир рухнет, но справедливость восторжествует, это знаменитые слова Фердинанда Первого, полтыщи лет тому назад занимавшего должность императора Священной Римской империи германской нации. Справедливость обращена равно ко всем. Одно исключение, будь оно сделано первому богачу или последнему бедняку, и справедливость превращается в свою противоположность. Если Ходорковского посадили за то, в чем обвиняют, то как же насчет других, которые ворочают никелем, алюминием, лесом, газом и промом? Или как быть с чиновным людом, загромоздившим все Подмосковье баснословно дорогими буржуйскими виллами? Это все на зарплаты построено или прокуроров на всех не хватает? Закон на них позже распространится или, пока не лезут в политику, пусть воруют? Интересно, что о Ходорковском шумят в основном не олигархи. Солидарность — достоинство бедных. Богатым же богатеть, как и гибнуть, свойственно в одиночку. Каждому из этой публики ясно, что заступишься за соолигарха, и на тебя самого нацелится прокурорское око. Поэтому один богатей на вопрос журналиста, что он думает о Ходорковском, ответил, что не думает ничего. Другой повторил за президентом, что не надо никакой паники, все идет правильно. Третий согласился с первым и вторым, но шепотом сказал четвертому, что из России пора «валить». И не только богачей посещает такая мысль. Я заглянул в Интернет, пошарил по разным «чатам», а там — разворошенный муравейник. Участники миллиардами не рискуют, существуют в разных измерениях, выступают под псевдонимами, прокуроров не боятся, политкорректности не признают и украшают свою речь таким матом, какого даже у нынешних наимоднейших беллетристов не сыщешь. И все ненавидят всех. Олигархов, евреев, русских, арабов, чеченцев, чекистов, коммунистов, демократов, депутатов, Путина, Рашку (Россию), Запад и друг друга. Но из мыслей, выражаемых человеческим языком, яснее других проступает одна. Если ты родился с умом и талантом, надеешься достичь чего-то в науке, искусстве, бизнесе, политике, хочешь быть честным, свободным и не зависеть от произвола властей, то не лучше ли поискать себе место на какой-нибудь другой территории?

31.10.03

Черный день календаря

Не глупо ли повторять бесконечно, что практика была плохая, но теория очень хорошая? На самом деле это была не теория, а утопия, которая хорошей может быть разве что в снах Веры Павловны, но практикой подтвердить хорошесть свою не способна. Эксперимент проводился в Европе, в Азии, в Африке и в Латинской Америке, и везде результат был один: горы трупов, тьмы заключенных, массы голодных и в конце концов — полный пшик. Цели «хорошей» утопии (коммунизма) и плохой утопии (фашизма) на словах были различны, но попытки осуществления той и другой неизбежно привели к неслыханным в истории злодеяниям. Но представьте себе, что коммунистическая маниловщина состоялась реально и ненасильственно. Что хорошего увидели бы грядущие поколения? Конечная цель коммунизма: от каждого по способности, каждому по потребности — это рай для бездельников и халявщиков! Работай не работай, все равно получишь «от пуза». Но что из этого рая бы вышло? Предписано же человеку Свыше в поте лица добывать хлеб свой насущный. Не будучи религиозным, я с такой установкой согласен и не верю, что у получающего всё по потребности сохранится потребность трудиться. В молодости я иной раз высказывал свои сомнения на политзанятиях, но мне или советовали попридержать язык, или объясняли, что формулу «от каждого по способности, каждому по потребности» не следует понимать прямо и примитивно. Так же, как и утверждение Маркса, что бытие определяет сознание. Маяковский высмеивал полагавших, что бытие — это еда и питье. И напрасно высмеивал. По Марксу, уровень сознания определяется степенью материального благополучия, то есть в первую очередь именно достатком еды и питья. Над крестьянами, опасавшимися, что при коммунистах будут общие лошади и жены, просвещенные люди тоже не по делу смеялись, говоря про них: «эх, темнота». Но Фридрих Энгельс как раз такое обобщение и планировал. Он осуждал лицемерную мораль буржуазного общества, где на словах проповедуются единобрачие и супружеская верность, а на деле все спят со всеми. При коммунизме, по его мнению, люди будут делиться женами и мужьями, не лицемеря. Перейдем к Ленину. До сих пор многие люди уверены, что он был гениальный мыслитель. А в чем, подумайте сами, была его гениальность, если ни одно из его предначертаний никогда не сбылось? Помнится, умные ленинцы объясняли: Ильич не учел степень отсталости масс и не предвидел, что партия большевиков обуржуазится и переродится. Но гений тот, кто предвидит. Ленин не предвидел, потому что не смыслил ничего, совсем ничего в человеческой натуре. И уж, конечно, был он не добрым дедушкой, как принято его представлять, а одним из самых бесчувственных на свете тиранов. «Хорошая» идея гораздо хуже очевидно плохой, потому что дольше живет, дольше мутит сознание и даже оставляет соблазн повторения эксперимента. В глазах все еще многих людей коммунизм не состоялся случайно по вине отдельных вредителей, отступников и бюрократов. Те, кто так думает, не могут отрешиться от представления, что в советском прошлом было много хорошего, того, что следует сохранить, возродить и т. д. Вот и совершаются попытки совместить несовместимое: строить капитализм и праздновать комсомольские юбилеи, воскрешать пионерские организации и скорбеть по «идеалам Октября». На самом деле эти «идеалы» не принесли человечеству ничего, кроме неисчислимых страданий, и заслуживают не ностальгических всхлипов, а осуждения и проклятия на все времена. Поэтому сегодняшний день стоило бы помечать в календаре не красным, а самым что ни на есть черным цветом, как день величайшего несчастья, случившегося в нашей истории. Днем согласия и примирения его называть бессмысленно. Совесть нормального человека с тем, что принесла народу Октябрьская революция, примириться не может, а уж те, чьим сердцам преступления советского режима дороги до сих пор, и вовсе ни на какой мир, ни на какое согласие не способны.

07.11.03

Праздник на их улице

К сожалению, мне опять придется прослыть пророком. Тридцать с лишним лет тому назад я задумал роман «Монументальная пропаганда». О пламенной сталинистке, которая страстно любила Сталина, а после смерти вождя перенесла свою любовь на его изваяние. Статую, сброшенную с пьедестала, она, несмотря на недовольство властей и соседей, втащила в свою квартиру и берегла в безумной и казавшейся несбыточной надежде, что придет время и чугунный идол займет свое привычное место на главной площади города. «Будет еще и на нашей улице праздник», — без конца повторяла она фразу, сказанную когда-то любимым вождем. И дождалась-таки своего. Написав первые главы, я решил, что тема устарела, и принялся за другую работу. Потом время от времени возвращался к своему замыслу и опять приходил к мысли о его неактуальности. В середине девяностых я все-таки плотно принялся за работу и закончил ее в 1998 году. И тогда мои первые читатели, даже отнесшиеся к моей работе благосклонно, сочли фантазию автора отставшей от времени, в крайнем случае подразумевающей некий аллегорический смысл. Да и мне самому думалось, что к моему прогнозу следует относиться отнюдь не как к буквальному. Теперь же благодаря инициативе товарищей из ордена «Знак почета» города Ишима (орден получен городом в 1982 году) мой роман кажется злободневней, чем я сам ожидал. Ишимские сталинисты зарыли бронзовый бюст любимого вождя в землю, сорок лет ждали своего праздника, старея и вымирая, а теперь откопали и вернули на старое место на площади. Я не знаю истории Ишима, но судя по его месту на карте, нетрудно предположить, что в сталинское время в городе и вокруг него было немало лагерных зон, да и вольное население в значительной степени составляли ссыльные. И вот на этом месте иваны, не забывающие своего родства с извергом рода человеческого, не постеснялись сделать то, на что после 1961 года не решались даже вожди КПСС. Казалось бы, подумаешь, какой-то глухой сибирский городишко! Но какой бы он ни был, а находится в стране, пострадавшей от Сталина больше, чем от всех врагов, вместе взятых, начиная с Чингисхана и кончая Гитлером. Лиха беда начало, и я не удивлюсь, если ишимская инициатива распространится по всей стране. Иной раз подумаешь, плакать хочется: почему такая судьба у России, кто делает и кто позволяет делать ее несчастной? Почему у нас люди готовы закопать живьем любого руководителя, проявившего склонность к либерализму? Почему с такой ненавистью произносятся имена политиков и экономистов, попытавшихся так ли, сяк ли, может, с ошибками, но реформировать страну, очеловечить ее, вытащить из болота и наставить на правильный путь? И на чем держится любовь к деспоту, превратившему всю страну в огромный концлагерь и действительно разорившему ее дотла? Я не думаю, что в народе поклонников советского режима, и особенно в его сталинском исполнении, больше, чем других людей. Но именно эти поклонники действуют последовательней и целеустремленней, чем кто бы то ни было. Они умеют затаиться, десятки лет выжидать, и дождаться того момента, когда можно воспользоваться слабостью общества, равнодушием народа и настоять на своем. Похоже, такой момент наступил, и ишимский прецедент — только мелкое тому доказательство. Символы и атрибуты советской власти одни никуда не уходили, а другие возвращаются на свои места. Люди в основном смотрят на это равнодушно, им кажется, что оттого, чье изваяние поставят на площади и чье имя будет носить сама площадь, их положение не станет ни лучше, ни хуже. На фоне этого мы замечаем все больше в нашей жизни не только материальных, но и духовных признаков советского прошлого и признаков растущего желания не свободы (что было бы естественно для человека), а сильной власти, которой неужто мы не наелись? Глядя на это, грустно становится и невольно вспоминаются пушкинские строки: «Паситесь, мирные народы!/Вас не разбудит чести клич./К чему стадам дары свободы?/ Их должно резать или стричь./ Наследство их из рода в роды/ Ярмо с гремушками да бич».

14.11.03

Небо в алмазах

В Бангладеш удав проглотил женщину.

В Ингушетии собаки загрызли ребенка,

В Австралии кенгуру напал на семью фермера.

В Германии (в зоопарке) гепард растерзал десять кенгуру.

На канале НТВ председатель ЛДПР бил своих оппонентов.

На канале РТР он сам получил по уху.

Нравы дикой природы одни: что в джунглях, что в зверинцах, да и в местах скопления человеков они тоже встречаются. Особенно в среде наших потенциальных или настоящих народных избранников. Последних от буквального загрызания друг друга удерживает разве что существование Уголовного кодекса. Впрочем, человеческое общество устроено посложнее, чем звериные стаи, в нем прямое применение кулаков и зубов не всегда приводит к достижению цели. Но есть более сложные технологии морального устранения соперников, которое на некоторых этапах надежнее физического, хотя и физическое тоже, увы, не исключается, применяется и не слишком-то осуждается, но об этом — в конце..

Не знаю, как кто, а я никаких практических надежд на грядущие выборы не возлагаю, и для волнения, охватывавшего, бывало, при первых шагах нашей молодой демократии, в моей душе места не осталось. За предвыборной гонкой слежу больше из любопытства, интересуясь не столько результатом, сколько тем, кто как будет бороться за мой одинокий голос. Так называемая партия власти особо не борется. Она заручилась поддержкой главного избирателя, оснастила себя мощным административным ресурсом и в борьбе с соперниками выглядит, как бронетанковая дивизия, выставленная против разрозненных кавалерийских отрядов. Уверенная в грядущей победе, она предварительных маневров не проводит, ограничившись прокручиванием по ТВ рекламного ролика, в котором колосятся густые хлеба, мычат упитанные коровы и нерестятся жирные рыбы. Свиноматка только что опоросилась, лежит на боку и лениво похрюкивает, поощряя поросят, дружно прильнувших к ее сосцам. Они сосут мамашу интенсивно и громко, на фоне карты страны и под звуки госгимна РФ, а наше ассоциативное воображение понуждает нас представить себе, что эта свиноматка и есть наша родина, которую мы, поросята, будем сосать, повизгивая и урча, как только рекламируемая партия одержит сокрушительную победу. Правда, образ родины-свиноматки у начитанного человека может вызвать, нежелательные аллюзии и напомнить ему о судьбе Александра Блока, который, умирая, назвал Россию чушкой, слопавшей своего поросенка. Что с чушками в жизни и правда случается. Однако отойдем от образа в надежде, что Бог не выдаст — свинья не съест, и посмотрим, а что же другие партии. Другие, не имея надежных ресурсов, вынуждены участвовать в теледебатах, носящих довольно странный характер. Чаще всего друг против друга выходят не хулиганы, подобные Жириновскому, а тихие псевдосоперники, которые плохо помнят свои программы и не знают, в чем уличить стоящих напротив. Похоже, что кампанию свою они вообще начали без видов на выигрыш, а с какой-то побочной целью, вроде петуха из анекдота, бегущего за курицей в надежде если не догнать, так согреться. Что же до имеющих виды, то их программные цели разные, а реальные — все те же, что раньше: на очередные четыре года захватить побольше мест, обеспечить себе до следующих выборов спокойное существование с солидными зарплатами от государства, большими доплатами от лоббистов, со всеми привилегиями, включая депутатскую неприкосновенность. Я не думаю, что, например, коммунисты всерьез надеются реставрировать советскую власть, а партия жизни улучшить качество жизни. К программам, которые привлекают меня больше других, относятся, понятно, те, что сулят людям свободу, демократию и развитие гражданского общества, но в обещание построить в обозримом будущем великую Россию (если не считать признаками величия бомбы и ракеты) и показать нам небо в алмазах я, правду сказать, не верю. Во-первых, политикам, готовым действительно строить такое общество, надо для начала получить не пять-шесть, а все сто процентов голосов и своего президента, что им пока не светит. Во-вторых, прежде чем построить, надо добиться мира в Чечне, покончить с терроризмом, с всесилием чиновников, с коррупцией, чинопочитанием, придворными интригами и сделать много чего еще. На это можно надеяться, только создав независимый парламент, независимый суд, независимую прессу, зависимую от общества, включая Думу, правительство и президента. Достичь этой цели невозможно, не заменив честными всех нечестных бюрократов, милиционеров, прокуроров, судей, генералов, и, главное, самих политиков. Но откуда же их столько набрать? Из народа? Так и народ тогда надо сменить на какой-нибудь другой, многовекового европейского воспитания.

Когда-то, помнится, скептики говорили: с нашим народом разве коммунизм построишь? Вот и не построили. А великую Россию построить легко ли?

На канале ТВЦ в пятую годовщину гибели Галины Старовойтовой телезрителей, принявших участие в интерактивном голосовании, спросили, как они относятся к политическим убийствам. Как и следовало ожидать, большинство, 53 процента опрошенных, убийства подобные осудили. Но 35 процентов одобрили! И еще тринадцать процентов сказали, что им все равно. Увидев на экране эти цифры, я глазам своим не поверил. Я подумал, что если такой расклад мнений характерен для всего российского общества, то тогда дело плохо. Конечно, в каждом обществе есть свои уроды, которые не против убийства людей по тем или иным причинам или вовсе без оных. Но чтобы их было больше трети, а вместе с теми, кому все равно, даже почти половина, это уж слишком. Это значит, что мы живем в обществе больном, диком, с преступными наклонностями. С такими людьми не только что великую, а сколько-нибудь нормальную страну построить нельзя. Разве что, как мечтали чеховские герои, лет через двести-триста. Тогда, может быть, мы и увидим небо в алмазах. А пока как бы не показалось оно нам с овчинку.

27.11.03

Седьмой вариант

Хотел написать что-нибудь повеселее, поэтому начну со старого анекдота. В колхоз завезли фанеру. На общем собрании выступил председатель:

— Товарищи колхозники! Благодаря неустанной заботе нашей любимой коммунистической партии благосостояние тружеников села постоянно растет. Мы и так живем хорошо, а теперь нас государство, спасибо ему, еще и фанерой снабдило. Давайте обсудим, как лучше ее использовать.

Стали обсуждать. Покрыть ли крыши домов, которые протекают, починить ли нужники во дворах, залатать ли дыры в коровниках. Думали-рядили так-сяк: фанеры ни на что не хватает. Поднял руку старик с предложением:

— А давайте сколотим из нее самолет и улетим отсюда к такой-то матери.

Со времени сочинения этого анекдота много воды утекло. Жизнь стала еще лучше, чем раньше, но хлопотней. Тем колхозникам легко было выбирать одну партию из одной, а у нас вон их сколько, и все такие хорошие, что я проголосовал бы сразу за всех, но, говорят, так нельзя, это было бы что-то вроде многоженства, а оно у нас пока что не допускается. Вот и получается: их много, а голос у меня только один. И кому его отдать, сам не знаю.

Самое простое проголосовать за Самую Лучшую Партию (СЛП), которую мне очень рекомендуют. Это соблазнительно потому, что, проголосовав за нее, я неизбежно окажусь в числе победителей. С другой стороны зачем же я буду голосовать за СЛП, когда мне на самом деле больше нравится (или меньше не нравится) Партия Та, Что Похуже (ПТЧП), поскольку сам я для СЛП хорош недостаточно. Однако, чем больше думаю, тем сильнее одолевают сомнения. Умные люди мне объяснили, что если я проголосую за ПТЧП, а она провалится и не наберет свои пять процентов, голос мой опять уйдет к СЛП. Хорошо, думаю, тогда вообще не пойду на выборы и голос свой единственный не отдам никому. Но умные предупреждают: ты его не отдашь, но его все-таки засчитают в пользу опять СЛП, а твоя ПТЧП и в этом случае останется с носом. Ладно, соглашаюсь, все понял. Буду голосовать против всех. Но, оказывается, и тут с моим голосом случится то же самое. Раз так, поступлю, как при советской власти: опущу бюллетень в урну, ничего в нем не отмечая. Совсем сдурел, смеются умные люди. Если так сделаешь, твой голос окажется недействительным и опять же достанется СЛП. (Тут интересный наблюдается парадокс: голос недействительный, а СЛП и он пригодится, как Чичикову мертвая душа.) Ну что ж, говорю, тогда вернусь к первоначальному намерению: во всех клеточках проставлю по галочке и проголосую сразу за всех. Хотя и тут мой испорченный голос достанется СЛП. Итак, у меня есть выбор из шести вариантов: 1) пойти и проголосовать за СЛП, 2) за ПТЧП, 3) за всех, 4) против всех, 5) опустить пустой бюллетень и 6) на выборы не ходить. А пока я так думал, сомневался и колебался, дошло до меня известие еще об одном выборе (вариант № 7) и о показателе, который вывел нашу страну на первое место в мире. Речь не о космических достижениях и не о предполагаемых успехах в области спорта, а о людях, у которых, как у тех колхозников из анекдота, крепнет желание улететь отсюда и к той же матери. Оказывается, только за последние 9 месяцев почти 24 тысячи наших сограждан сделали выбор в пользу эмиграции и обратились к другим странам с просьбой о политическом убежище. Казалось бы, что случилось? Ведь у нас вроде все идет хорошо. Олигархов сажают, нефть дорожает, зарплаты и пенсии повышаются, и рубль стоит крепко, как никогда. Тем не менее количество желающих, как говорится, «свалить за бугор» растет быстрее даже нашего ВВП. В этом году их на 65% процентов больше, чем в прошлом, и очевидна тенденция к дальнейшему росту. Почему? Причин много. Чечня, война, терроризм, бандитизм, коррупция, но среди других есть и та, что свобода наша становится все более регулируемой, демократия управляемой, а речи пустыми. И рядовой россиянин все больше ощущает себя пешкой или винтиком, от которого ничего не зависит и чей голос ничего не значит, как при советской власти. По которой он иногда тоскует, но не настолько, чтобы снова выбрать ее.

05.12.03

Отечество четвертой степени, или Предновогодний поток сознания

Итогом итогов исходящего года стало укрепление нашей демократии в сторону полного единодушия и единомыслия. До уровня, которого не мог вообразить себе и Козьма Прутков. Власть настолько сама себя усилила, что сама себя и испугалась. Даже Юрий Лужков, один из главных строителей и закоперщиков «Единой России», понял, что из Думы получилась птица-калека с жирным тяжелым телом и общипанным левым крылом, но без правого. И не будучи орнитологом, прозорливо заметил, что однокрылая птица летать не сможет. Да, по законам аэродинамики не сможет. А по некоторым другим еще как сумеет. Она летала так семьдесят лет, пока не грянула оземь. И казалось, вроде расшиблась насмерть, ан нет, возрождается из праха, как птица Феникс. За птичьей аллегорией стоит наша причудливая политическая реальность, в которой на выборах победили четыре политические партии, выросшие из одной. Я вряд ли ошибусь, если предположу, что подавляющее большинство членов партий-победительниц, а также одномандатники старше лет тридцати, состояли в КПСС и душевно в ней же остались.

Меня, я об этом уже писал, итоги выборов не удивили. Но немного шокировала наша творческая, так сказать, интеллигенция, большой толпой ввалившись в партию побеждающего бюрократо-социал-капитализма. Музыканты, певцы, художники, скульпторы, актеры и режиссеры ломились в эту партию активно и дружно, напоминая героев пьесы Эжена Ионеско «Носороги». Некоторые комментаторы, кажется, до сих пор пребывают в смятении. Этого, мол, никогда не было, чтобы интеллигенция шла в услужение власти. Как же, не было! А советской власти разве не услужали деятели всех искусств? Из одних только писателей можно составить длинный впечатляющий мартиролог: Горький, Бедный, Маяковский, Шолохов, Фадеев, Федин, кого вам назвать еще? Тех, что уклонялись от услужения сознательно и принципиально, можно было сосчитать по пальцам. Так что чему удивляться. Власть желает употреблять для своих надобностей интеллигенцию, интеллигенция желает употребляться, за что награждаема бывает благосклонностью начальства, а то и орденом «За заслуги перед Отечеством» четвертой степени. Слыша, что награда нашла очередного героя, я думаю, а к чему относится четвертая степень: к заслугам или к Отечеству? Заслуги, я думал раньше, бывают только первой степени, иначе они вообще не заслуги. А что касается Отечества, то это кому как. О степени отношения его к гражданину и гражданина к нему следует судить не по словам и самоидентификации: я, мол, патриот. Если уж относиться к этому определению серьезно, то надо бы все-таки какой-то сертификат выдавать на право пользования этим званием. Я лично сертификат выдавал бы только тому, кто служит Отечеству за зарплату и не берет ничего лишнего. А если защищает политику государства и ведомые им военные действия, сам должен в этих действиях лично участвовать или послать на них своего сына. Всех же других, всуе называющих себя патриотами, я бы считал самозванцами, достойными привлечения к административной ответственности. Но проявил бы снисхождение к товарищу Шандыбину, учитывая его пролетарское происхождение. Правду сказать, мне его жалко. Доктору рабочих наук так понравилось пребывание у власти, и он так верил в свою нужность народу, что ради дальнейшего служения оному даже заложил собственную квартиру. И теперь что же, бомжует? Но свято место пусто не бывает. Ушел из Думы рядовой Василий Иванович, вернулся туда генерал Альберт Михайлович, чем удивил многих и меня в том числе. Я вот все думаю, никак не могу поверить: неужели в одном отдельно взятом округе нашлось восемьдесят тысяч человек, отдавших свои голоса за столь однозначную личность.

А генерал, не успев расположиться в Думе, уже метит в президенты. Хотя куда, зачем и с какой надеждой? Какой бы степени наше Отечество ни было, а все же до того, чтобы усадить в президентское кресло этого вояку, я думаю, оно еще не дошло.

Вообще же президентские выборы ожидаются еще смешнее прошедших, думских. Кто в них включается и с какой целью? Ну, допустим, Иван Рыбкин надеется с помощью Березовского урвать какой-то процент и кому-то что-то (кому? что?) противопоставить. Но вряд ли можно поверить в серьезность амбиций гробовых дел мастера, а еще меньше Сергея Миронова, который от Партии жизни. «Неужто, — пришла мне в голову нелепая мысль, — он готов изобразить из себя настоящего соперника? Способного выйти на дебаты и подвергнуть президента зубодробительной критике, как и полагается в таких случаях со всеми преувеличениями и перехлестами». Но тут я же прочел в Интернете, что, оказывается, сам Миронов (цитирую) «...и все члены его Партии жизни желают победы исключительно Владимиру Путину». Такого рода предвыборного единоборства, по-моему, еще не знала история. Это настолько очевидная насмешка (без юмора) над основными принципами демократии, что подобного претендента на высший пост стоило бы немедленно лишить права участвовать в выборном процессе и вообще заниматься политикой за очевидное покушение на бессмысленную растрату выделяемых Избиркомом народных средств. На фоне такого претендента на престол даже выдвинувшая себя в двуголовые президенты группа «Тату» и выглядит серьезнее.

Между тем очевидная предрешенность победы главного кандидата может стать причиной его поражения. Уверенность в том, что Путин победит всех с сокрушительным перевесом, может расхолодить его сторонников и их стихийный неприход на выборы в расчете на то, что и так обойдется, может превзойти результаты предлагаемого бойкота.

Впрочем, любой неприход к провалу выборов не приведет: пятидесятипроцентная явка или состоится, или ее «нарисуют». Но если не состоится и не нарисуют, тогда ситуация станет просто опасной. У армии, ФСБ и прочих сил, стоящих за Путиным, возникнет сильный и, возможно, неодолимый соблазн оставить его у власти любой ценой. И тогда Конституция может быть просто проигнорирована, чему наше нынешнее общество (это не 1991 год) не действенного сопротивления не окажет. Поэтому (я никого ни к чему не призываю и сам не знаю, как поступлю) пусть уж лучше выборы состоятся и пусть он на них победит. Тогда придется поверить ему на слово (а не хочешь, не верь), что Основной закон страны он не нарушит, не переделает под себя и в 2008 году вопреки всяким альтернативным прогнозам (моему, в частности) с почетом уйдет на заслуженный отдых. И будучи еще нестарым человеком, займется выращиванием роз или лабрадорских щенков, или игрой на саксофоне, как Билл Клинтон, или столярным делом, как Джимми Картер, или писанием мемуаров, как все. А если при этом в последнее четырехлетие своего президентства он активно поспособствует созданию гражданского общества и развитию не управляемой, а обыкновенной демократии с честными выборами, действительным разделением властей, независимым судом, свободной прессой и так далее, тогда («эх, эх, придет ли времечко? Приди, приди желанное...» Н. А. Некрасов) можно будет сказать, что Россия стала или реально становится страной нормальной, цивилизованной, пригодным для жизни Отечеством первой степени. Ну, а пока я хотел бы поздравить читателей с наступающим Новым годом и напомнить им, что помимо политики и связанных с ней переживаний, есть на земле всякие другие радости и печали. Светит солнце, идут дожди, текут реки, растут деревья, скрипит снег, люди рождаются, развиваются, влюбляются, делают открытия, пишут стихи, и почти при любом строе, кроме самого ужасного, могут строить свою судьбу в соответствии со своими представлениями о правде, чести, совести и добре.

25.12.2003

Электронный враг народа

Пару лет назад в городе Чикаго зашел я в гости к своему другу, американскому писателю. Он как раз закончил работу над очередной книгой и вносил в нее последние поправки. Причем делал это не гусиным пером, не карандашом, не авторучкой и даже не на пишущей машинке, а на компьютере — весьма незамысловатом на вид агрегате, похожем, как многие, вероятно, знают, на какой-то гибрид телевизора с пишущей машинкой. Рядом с этой штукой стоял еще какой-то ящичек, размером не больше чемоданчика типа «дипломат». Друг мой нажимал на кнопки, и на экране возникала страница только что законченной рукописи. Друг исправлял опечатки прямо на экране. Где-то убрал восклицательный знак, где-то вставил запятую.

Какую-то часть текста он решил напечатать курсивом, нажал кнопку, и нормальные прямые буквы на экране немедленно превратились в наклонные. Какую-то строчку решил выкинуть, нажал кнопку — и строчка исчезла, а другие строки подтянулись, подравнялись, и как будто ничего не случилось. Захотел вставить новый абзац — вставил. И сразу текст всей его довольно большой рукописи в памяти компьютера передвинулся должным образом.

— Все, — сказал мой приятель, — хватит. Теперь пойдем попьем кофе, а он пускай пока сам поработает.

Мы пошли на веранду, попили кофе, поговорили о том о сем, а когда вернулись, рукопись моего приятеля объемом примерно в триста страниц, аккуратнейшим образом перепечатанная, лежала на столе рядом с закончившим свою работу компьютером.

Я заинтересовался, стал расспрашивать приятеля, как он на этой штуке работает, не раздражает ли его необходимость видеть свои слова не на бумаге, а на экране, и, конечно, спросил, сколько это примерно стоит. Он сказал, что вообще компьютеры бывают разные и стоят по-разному. Его компьютер вместе с печатным устройством обошелся ему в две тысячи долларов.

— А как ты думаешь, сколько может стоить такой компьютер в Москве? — спросил меня он.

— Ну в Москве, — сказал я, — цены, как известно, стабильные на все и на компьютеры тоже. Такой компьютер стоит, я думаю, не меньше трех и не более десяти лет заключения.

Этот разговор я припомнил сейчас, когда узнал, что в Советском Союзе принято постановление о широком внедрении компьютеров и о том, что обучать работе с ними теперь будут уже в школе. А незадолго до того я следил за дискуссией, или, вернее, псевдодискуссией, которая развернулась на страницах «Литературной газеты» на тему, что такое персональный компьютер, нужен он или не нужен советскому человеку. Участники дискуссии как будто в основном сошлись во мнении, что компьютер в общем-то нужен, и перечисляли некоторые его возможности. Все возможности такого компьютера участники дискуссии не перечислили, да и не смогли бы перечислить даже при очень большом желании. Дело в том, что возможности этих маленьких ящиков поистине безграничны. С их помощью можно прокладывать курс кораблей, наводить на цель ракеты, варить сталь или борщ, производить любые математические вычисления, ловить преступников или честных людей, играть в шахматы и так далее. Кажется, нет уже теперь ни одной области человеческой деятельности, где можно было бы без них обойтись.

То есть обойтись, конечно, можно не только без компьютеров, а и без многих других достижений современной цивилизации. Можно и сейчас писать гусиным пером при сальной свече, ездить на перекладных, таскать воду из колодца и ходить до ветру. Может, так оно даже и романтичнее. Но прогресс есть прогресс, от него никуда не денешься. А поскольку советское общество — самое прогрессивное в мире, оно в достижениях современной техники очень нуждается. И в компьютерах нуждается тоже. Потому что сейчас эти электронные негодяи заняли в жизни такое место, что та страна, которая отстанет в их производстве, отстанет вообще во всем. В промышленности, в сельском хозяйстве и, что совсем обидно, в производстве самого совершенного оружия.

И поэтому людям, которые руководят Советским государством, очень хочется, чтобы в Советском Союзе было много самых совершенных компьютеров и достаточно специалистов, которые могли бы на них работать. Но с одной стороны — хочется, а с другой стороны — колется. Потому что у этих самых компьютеров, кроме очевидных достоинств, есть еще и ужасные, я бы сказал, недостатки. Дело в том, что эти компьютеры слишком много знают и своими знаниями охотно делятся. И будучи политически незрелыми, говорят только правду. Не только ту правду, которая нам нужна, а и ту, которая нам не нужна совершенно.

Я помню, еще на заре развития этих чудовищ, когда самое маленькое из них было размером с четырехэтажное здание, в ЦК КПСС обсуждались достоинства и недостатки этих волшебников. И тогда академик Митин сказал вроде бы так: «Я слышал, что если в электронно-вычислительную машину заложить «Капитал» Маркса, то она, эта машина, может точно сказать, правильное это учение или нет. Но мы, — сказал Митин, — конечно, никогда такого эксперимента не допустим». Ну и правильно! Это говорит не только о том, что академик Митин чувствовал себя недостаточно стойким марксистом, но и о том, что машина никакого почтения перед авторитетами не испытывает и любого из них, хоть Митина, хоть самого Маркса, может вывести на чистую воду. Чем вам не диссидент?

Это было давно, машины были большие, их было мало, возле каждой можно было приставить начальника секретной службы со взводом автоматчиков.

Но положение меняется к худшему. Электронные правдолюбцы со временем становятся все совершеннее. Размеры их уменьшаются, способности увеличиваются, а цены на них падают. Они так плодятся, что в мире их стало уже больше, чем в Австралии кроликов. И могут они не только читать или считать. Они умеют кое-что еще. И это кое-что кое-кому очень не нравится.

Вернусь опять к этой дискуссии в «Литгазете». Участники дискуссии обсудили вопрос, нужен или не нужен советскому человеку персональный компьютер. Подошли к опасной черте и задались вопросом: а можно ли пользоваться компьютером в нашем сочинительском деле? Корреспондент газеты, проявляя очень большую эрудицию, цитируя Анатоля Франса, Байрона и какого-то английского ученого, который жил за четыреста лет до появления первого компьютера, выражает свои сомнения так: «А как литератору работать в «мире быстрых мыслей»? Как поспевать за компьютерным веком с прежней мозговой мощностью? Да еще под диктовку: короче! точнее! конкретнее! Что останется от искусства в этой спешке? Не слишком ли мы торопимся?»

А собеседник — специалист по этим самым компьютерам, вместо того чтобы спросить корреспондента, что за чушь вы, извините, плетете, тоже демонстрирует свою эрудицию, цитируя некстати Козьму Пруткова и какого-то канадского журналиста. И хотя он как-то вроде бы мямлит, что персональный компьютер дело все-таки не такое ужасное, но и прямо на вопрос не отвечает.

А впрочем, прямо на этот вопрос ответить нельзя, потому что он задан неправильно, некорректно, в самом вопросе заключена попытка поставить отвечающего на ложный путь. И в самом деле, какую картину рисует эрудированный корреспондент? Он изображает несчастного литератора, который сидит перед мерцающим экраном и пытается изложить свою прозаическую или поэтическую мысль в виде логарифмов, которые он забыл еще в школе. А этот электронный нахал еще понукает: давай, мол, побыстрее да покороче.

На самом же деле все выглядит вовсе не так трагично. Компьютер устроен сложно, в его конструкции может разобраться не каждый. Но ведь, если правду сказать, далеко не каждый из нас знает, как устроены электрический утюг или кофемолка. А еще есть всякие там стиральные машины, холодильники, телевизоры, телефоны, об их устройстве мы тоже порой имеем смутное представление. Но зато почти все мы знаем, что, если нажмешь такую-то кнопку, возникнет такой-то результат. Точно так же дело обстоит и с компьютером. Возможности его безграничны. Если вы математик, вы можете оперировать большими числами. А если вы в этом деле не самый большой специалист и хотите пользоваться им как пишущей машинкой, он и в этом вам охотно поможет. Между прочим, самого процесса творчества он не облегчает. Если вы пишете роман или поэму, компьютер ни одной строки за вас не придумает. Вам самому вашим собственным пальцем придется нажать на клавиши компьютера ровно столько раз, сколько букв и знаков содержит ваша поэма или роман. Его возможности велики, но вам с ним соревноваться вовсе не обязательно. Если вы можете написать в день тысячу страниц, он вам охотно перепишет всю тысячу. Но если вы по совету Юрия Олеши пишете только одну строчку в день, он вам перепечатает одну эту строчку. А если вы вообще писать ничего не хотите, он и в этом случае от вас ничего не потребует. Стоит, молчит, каши не просит.

Возможно, когда-нибудь компьютеры сами будут писать романы. Но пока что, к счастью, до этого они не дошли. Они не писатели, они переписчики. Но переписчики идеальные.

И в самом деле. Не будем вспоминать времена, когда, скажем, сидел монах в своей келье и годами переписывал один экземпляр «Слова о полку Игореве». После изобретения Гутенберга в такой работе необходимость отпала. Но все-таки и сейчас, прежде чем сдать рукопись в печать, надо перепечатать ее на машинке раз-другой-третий. Я сам пишу свои книги на машинке и могу сказать, что дело это тоже достаточно хлопотное. Написал один раз, вычитал, почеркал, что-то вставил, что-то выбросил, опять перепечатал. Потом еще раз и еще. Нет, тут не может быть двух мнений: компьютер — наш идеальный помощник. Вы вносите исправления, подтягиваете строчки, меняете имена и, нажав кнопку, печатаете столько экземпляров, сколько вам нужно. Что можно сказать плохого об этом замечательном изобретении? Если бы меня пригласили на эту дискуссию, я бы так просто все и сказал. Но в том-то и дело, что не так просто.

Конечно, в любой нормальной стране от этих чудо-переписчиков никакого вреда нет. Если не жалко денег на бумагу, перепечатывай все, что тебе вздумается. Но как быть с ними в стране, где за листовку, написанную на листке ученической тетради, можно получить срок, где пишущие машинки конфискуются и где большинство населения никогда не видело простой копировальной машины? Как в такой стране можно мириться с появлением подобных машин? Пока они, как я сказал, имеются только в самых секретных заведениях и охраняются самым строжайшим образом. Но, повторяю, их становится все больше и больше. А размеры их уменьшаются, а в изготовлении они все проще и проще. Недавно я видел электронное печатное устройство размером не больше коробки сигарет. И стоит оно не так уж дорого. А работает так тихо, что если даже у вас за стенкой живет очень чуткий стукач, то и он ничего не услышит. И в связи со всем этим вот что я думаю.

Советское общество, как известно, построено на строго научной основе. Науку оно всегда ценило превыше всего. А также научный прогресс. И вот этот самый научный прогресс прогрессирует. Происходит пресловутая научно-техническая революция. И бороться с ней становится все трудней и трудней.

Новые средства информации все больше и больше вступают в вопиющее противоречие со всей советской системой. Вот уже лет двадцать советские люди, не дожидаясь разрешения цензоров, «издают» на своих магнитофонах миллионными тиражами песни Окуджавы, Высоцкого, Галича. Вот уже появились и все больше плодятся новые распространители идеологической заразы — видеомагнитофоны (но о них полна тревожных и лирических раздумий советская пресса). Уже жители Восточной Германии, Чехословакии, Венгрии и даже советских Прибалтийских республик смотрят западное телевидение, которое тоже развивается. Уже сегодня и в Мюнхене, и в Лондоне, и в Париже, и в Нью-Йорке можно, присоединив довольно-таки нехитрую, но пока еще дорогую антенну, смотреть Москву. А значит, и в Москве можно, при некоторых усилиях, смотреть Мюнхен, Лондон, Париж и Нью-Йорк. Скоро все так и будет, потому что все эти средства коммуникации развиваются бурно, не по дням, а по часам. Ничего не скажешь, хоть только научно-техническая, а все-таки революция.

Нет слов, Советское государство выдержало много испытаний.

Оно устояло перед натиском стран Антанты, разгромило белогвардейские полчища, сокрушило гитлеровский вермахт. О внутренних врагах и говорить нечего — с ними Советское государство справлялось всегда. Кулаков, троцкистов, художников-абстракционистов, ученых вейсманистов-морганистов, генетиков и кибернетиков, которые, кстати, и придумали вот эти зловредные компьютеры, полчища так называемых диссидентов, вооруженных автоматическими ручками и пишущими машинками, — всех разгромила советская власть.

Но этот новый враг, по моему мнению, гораздо страшнее всех предыдущих. Я имею в виду все эти достижения в области радио, телевидения и, конечно, этих маленьких негодяев, эти компьютеры. Они отвечают на самые провокационные вопросы. Они готовы распространять любую информацию, независимо от того, нравится она кому-нибудь или не нравится. Причем они не робеют перед следователями и прокурорами. Они не боятся ни пытки, ни расстрела. Их становится все больше и больше, они подступили вплотную к границам Советского Союза, а некоторые даже сквозь нее уже и проникли.

Я помню расцвет эпохи «Самиздата». Когда самоотверженные люди отбарабанивали на пишущих машинках романы Солженицына, книги Сахарова, Джиласа, Авторханова, «Хронику текущих событий».

Сколько они могли напечатать? Четыре, пять, шесть копий за раз. Даже при тех скромных возможностях Москва, Ленинград, Киев и другие большие города наводнялись ходившими по рукам рукописями, которые не мог выловить весь личный состав КГБ. Но что будет, когда по всей стране распространятся маленькие компьютеры с еще меньшими печатающими приставками к ним? Там уже дело несколькими копиями не ограничится.

Компьютер — слово иностранное. Советские ревнители русского языка, избегая этого слова, заменяют его тремя своими, из которых два тоже нерусских. Они называют его электронно-вычислительной машиной, или сокращенно ЭВМ. А я бы лично его назвал совсем иначе. Учитывая его зловредную сущность и склонность к изготовлению и бесконтрольному распространению опасной информации, я бы его назвал ЭВН, то есть Электронный Враг Народа. Так, мне кажется, было бы намного точнее. И поближе к русскому языку. Все-таки из трех слов остается только одно иностранное: электронный.

Повторяю, за время своего существования Советское государство успешно справилось со многими врагами, а с этим, электронным врагом, боюсь, не справится.

1986

СТИХИ
на полях прозы

Как всякий приличный прозаик, я начинал со стихов. За первые пять лет фанатичных усилий в этом жанре исписал огромное количество бумаги, то есть приблизительно три тысячи стихотворений. Написанное за недостатком жилого пространства хранил в бумажных мешках под кроватью и хранимое называл собранием сочинений в четырех мешках. Большую часть написанного считал учебными упражнениями. Осенью 1960 года, работая на радио, написал четыре десятка песен. Тогда же была закончена и принята «Новым миром» к печати моя первая повесть «Мы здесь живем». После чего писание стихов я немедленно прекратил, а почти все, что хранилось в мешках, и сами мешки выбросил на помойку. Оставил только несколько, помещенных ниже, включая три песенки. Следующие 25 лет не написал в рифму ни строчки, не считая прикладных стишков, написанных за некоторых персонажей прозы.

В годы эмиграции мне очень не хватало общения с друзьями, но друзья мои были «невыездными», то есть за границу не ездили, а те, которые ездили, не были моими друзьями. Исключение составлял Булат Окуджава. Власти, учитывая огромную популярность Окуджавы, время от времени выпускали его за пределы страны, и тогда мы, бывало, встречались коротко в Америке, во Франции и в Германии.

9 мая 1985 года в свой шестьдесят первый день рождения он вдруг заявился ко мне в Штокдорф (деревня

под Мюнхеном). Он поселился у нас почти демонстративно, к большому неудовольствию тамошних левых, снявших ему дорогую гостиницу и державших Булата за своего идейного единомышленника. Окуджава прожил у нас несколько дней. Мы гуляли с ним по Мюнхену, пили баварское пиво, покупали подарки жене Оле, сыну Буле и женщине, которую он в то время любил. Когда он уехал, у меня осталось настроение, которое за меня выразил Пушкин: «Мой первый друг, мой друг бесценный, и я судьбу благословил, когда мой двор уединенный, печальным снегом занесенный твой колокольчик огласил...» Я ходил, бормоча про себя эти строки, а потом вдруг возникло желание вернуться к стихам. Тогда я и написал стихотворение «Триумф», как подражание песне Окуджавы «Я эмигрант с Арбата». Следующее стихотворение было посвящено Белле Ахмадулиной (к нему отдельное предисловие). Теперь я опять пишу стихи, но время от времени, по настроению и между делом. Иногда одно-два в год, иногда ни одного.

Золотце

Голову уткнув в мою шинель
Авиационного солдата,
Девушка из города Кинель
Золотцем звала меня когда-то.

Ветер хороводился в трубе,
А она шептала и шептала...
Я и впрямь казался сам себе
Слитком благородного металла.

Молодость — не вечное добро.
Время стрелки движет неустанно.
Я уже, наверно, серебро,
Скоро стану вовсе оловянным.

Но, увидев где-то у плетня
Девушку, обнявшую солдата,
Вспомню я о том, что и меня
Называли золотцем когда-то.

1958

* * *

Облокотясь о пьедестал
Какого-то поэта,
Я вынул пачку и достал
Из пачки сигарету.
И закурил, и думал так,
Бессвязно и бесстрастно:
От сигарет бывает рак,
туберкулез и астма,
Тромбофлебит, артрит, инфаркт
И прочие болезни.
Курить нам вредно, это факт,
А не курить полезно.
И думал я еще о том,
Что, взгляд во тьму вонзая,
Стоит поэт, а я о нем,
Ну ничего не знаю.
Не знаю, как он был да жил
Пред тем, как стать колоссом,
Чем честь такую заслужил?
Что, пил? Курил? Кололся?
Ну что ж, достукался и вот
Здесь стынет истуканом.
Не курит, шприц не достает
И не гремит стаканом.
А я себя по мере сил
Гублю напропалую...
Я сигарету загасил
И закурил другую.

1959

Мои стихи, не считая текстов песен, в свое время практически не печатались, поэтому за них меня никто не ругал. Но стоило мне напечатать в 1962 году ниже-помещенное стихотворение, как на него немедленно обрушился неожиданный критик — министр обороны СССР, маршал Советского Союза Родион Малинов-ский, сказавший на высоком военном совещании, что «эти стихи стреляют в спину Советской армии».

* * *

В сельском клубе начинались танцы.
Требовал у входа сторож-дед
корешки бухгалтерских квитанций
с карандашной надписью «билет».
Не остыв от бешеной кадрили,
танцевали, утирая пот,
офицеры нашей эскадрильи
с девушками местными фокстрот.
В клубе поднимались клубы пыли,
оседая на сырой стене...
Иногда солдаты приходили
и стояли молча в стороне.
На плечах погоны цвета неба...
Но на приглашения солдат
отвечали девушки: «Нэ трэба.
Бачь, який охочий до дивчат».
Был закон взаимных отношений
в клубе до предела прям и прост:
относились девушки с презреньем
к небесам, которые без звезд.
Ночь, пройдя по всем окрестным селам,
припадала к потному окну.
Видевшая виды радиола выла,
как собака на луну.
После танцев лампочки гасились...
Девичьих ладоней не пожав,

рядовые молча торопились
на поверку, словно на пожар.
Шли с несостоявшихся свиданий,
зная, что воздастся им сполна,
что применит к ним за опозданье
уставные нормы старшина.
Над селом притихшим ночь стояла...
Ничего не зная про устав,
целовали девушки устало
у плетней женатый комсостав.

1957

* * *

Все то, что было молодым,
Стареет. Может статься,
Умру почтенным и седым
И поглупевшим старцем.
Меня на кладбище снесут
И — все равно не слышу —
Немало слов произнесут,
И до небес превознесут,
И в классики запишут.
И назовут за томом том,
Что написал для вас я...
Что ж, слава — дым, но дело в том,
Что к нам она всегда потом...
Но почему всегда потом
И никогда авансом?
Когда умру я в нужный срок,
Жалеть меня не смейте.
Я, может, сделал все, что мог,
За много лет до смерти
Но если завтра попаду
Под колесо машины,
А то и вовсе упаду

Без видимой причины, —
То неужели в день такой
Не пожалеют люди,
Что ненаписанное мной
Написано не будет?

1957

Неудачник

Был вечер, падал мокрый снег,
и воротник намок.
Сутулил плечи человек
и папиросы жег.
Он мне рассказывал о том,
что в жизни не везет.
Мог что угодно взять трудом,
а это не возьмет.
Давно он сам себе сказал:
«Зачем себе ты врешь?
Пора понять, что Бог не дал
Таланта ни на грош.
Пора, пора напрасный труд
Забыть, как страшный сон...»
Но, просыпаясь поутру,
Спешит к тетради он.
И снова мертвые слова —
Ни сердцу, ни уму.
Такая выпала судьба
За что? И почему?
«Ну, мне сюда».
В руке рука.
Сказал вполусерьез:
«Давай пожму ее, пока
Не задираешь нос».
И, чиркнув спичкой, человек

За поворотом сник.
Я шел один, и мокрый снег
Летел за воротник.

1957

Бараны

Мысль о том, что борьба есть закон,
Человеком усвоена рано.
И в баранину с древних времен
Человек превращает барана,
Но издревле баран, как баран,
Размышлял примитивно и глупо:
«Люди могут забыть ресторан,
Обойтись без овчинных тулупов.
Есть в баране душа, есть и плоть,
Светят всем одинаково звезды.
Может быть, и барана Господь
Для чего-то для высшего создал».
И не знают они, чудаки,
Что, увы, плотоядному люду
Очень нравятся и шашлыки,
И другие скоромные блюда.
Что баранина, если сварить,
Хороша и к жаркому, и к супу.
И зачем без тулупов ходить,
Если можно ходить и в тулупах.
Человек очень занят, ему
Дела нету до скотской планиды.
И к чему ему? Да, ни к чему
Разбираться в бараньих обидах.
Он, охотник до умных затей,
Жил, скучал и, возможно, от скуки
Человек на планете своей
Напридумывал разные штуки.

Мчат машины, растут города,
Зажигаются мощные топки...
Скоро жизнь будет впрямь хоть куда,
Нажимай только нужные кнопки.
Только что человек ни найдет —
Все ему приедается быстро.
И уже в межпланетный полет
Человека влечет любопытство.
Он, презрев и опасность, и смерть,
Долетит до Луны и Урана,
Только жаль, никому не суметь
Из баранины сделать барана.

1959

* * *

Бог всемогущ, всеблаг и всевелик.
Отмеривая каждому свой век,
Тебя он долголетием, старик,
Пожаловал, живи, мол, человек.
За то, что ты не пил и не курил,
В ненастье без галош не выходил,
За то, что ты оружье не держал
И сам не лез под пулю и кинжал.
Когда гяур напал на твой аул,
Ты расторопно в горы улизнул.
И у костра барашка свежевал,
И свой шашлык задумчиво жевал.
В бою погибли твой отец и брат.
Кто виноват? Не ты же виноват.
Себя ты спас и сохранил свой род.
За что тебе сегодняшний почет.
Сто двадцать лет. На этом рубеже
Гордишься многочленностью семьи,
Женили внуков собственных
Прапрапрапрапраправнуки твои,
И люди поклоняются везде

Твоей авторитетной бороде.
И за тобой сейчас такой уход,
Как будто ты Америку открыл
Или по крайней мере пароход
К материкам изведанным водил.
Как будто ты с гранатой лез под танк
В военном достопамятном году,
Как будто ты взбирался на Рейхстаг
У всех прицельных планок на виду.
Но ты не делал этого, о нет.
И дал тебе Всевышний столько лет
За то, что ты не пил и не курил,
В ненастье без галош не выходил,
За то, что ты оружье не держал
И сам не лез под пулю и кинжал.

1959

ПЕСНИ

14 минут до старта

Заправлены в планшеты
Космические карты
И штурман уточняет
В последний раз маршрут.
Давайте-ка, ребята,
Закурим перед стартом,
У нас еще в запасе
Четырнадцать минут.

Припев:

Я верю, друзья, караваны ракет
Помчат нас вперед
От звезды до звезды.
На пыльных тропинках
Далеких планет
Останутся наши следы.

Наверно, нам, ребята,
Припомнится когда-то,
Как мы к далеким звездам
Прокладывали путь,
Как первыми сумели
Достичь заветной цели
И на родную землю
Со стороны взглянуть.

Припев.

Давно нас ожидают
Далекие планеты,
Холодные планеты,
Безмолвные поля.
Но ни одна планета
Не ждет нас так, как эта
Планета голубая
По имени Земля.

Припев:

Я верю, друзья, караваны ракет
Помчат нас вперед
От звезды до звезды.
На пыльных тропинках
Далеких планет
Останутся наши следы.

1960

Рулатэ

Если тебе одиноко взгрустнется,
Если в твой дом постучится беда,
Если судьба от тебя отвернется,
Песенку эту припомни тогда.

Припев:

Рулатэ, рулатэ, рулатэ, рула,
Рулатэ, рулатэ, рула-та-та,
Рулатэ, рулатэ, рулатэ, рула,
Рулатэ, рулатэ, рула-та-та!

В жизни всему уделяется место,
Рядом с добром уживается зло.
Если к другому уходит невеста,
То неизвестно, кому повезло.

Припев.

Если случайно остался без денег,
Верь, что придет измененье в судьбе,
Если ж ты просто лентяй и бездельник,
Песенка вряд ли поможет тебе.

Припев.

Песенка эта твой друг и попутчик,
Вместе с друзьями ее напевай.
Если она почему-то наскучит,
Песенку эту другим передай.

1960

Песня о дворовой собаке

Там лампочка качалась во дворе
И вырывала конуру из мрака.
В той индивидуальной конуре
Жила-была дворовая собака.

Два жениха ходили в гости к ней.
Один нес кость, украденную где-то.
Другой был и богаче, и щедрей,
Он приносил ей рыбные котлеты.

А третий не годился в женихи.
Он был поэт и скромен как поэты.
Он приходил, пролаивал стихи
И ничего не требовал при этом.

Ушами хлопал, лапою махал,
Пел о любви, о чести и отваге.
Он был поэт и вовсе не нахал,
Чем и смутил он сердце той дворняги.

Однажды, появившись во дворе,
Два пса тащили кости и котлеты
И вдруг узрели оба в конуре
Лохматый профиль нашего поэта.

Два пса любили преданно одну
И только в этом были виноваты.
Два пса тоскливо выли на луну
Как будто пели «Лунную сонату».

1960

Песня из кинофильма «Два товарища»

Я покинул этот город так давно,
Когда было черно-белое кино,
Когда женщины носили креп-жоржет,
И в начале был судьбы моей сюжет.
Здесь родился я, учился и взрослел,
Здесь я в небо предрассветное взлетел,
Здесь я девушкам свиданье назначал
И охотно их крюшоном угощал.

Где я только не летал и не бывал,
Этих мест я никогда не забывал,
Пыльных улиц, переулков, площадей,

Закоулков малой родины моей.
Помню комнаты любимый уголок,
Руки мамины и бабушкин пирог,
И подругу, что была ко мне добра,
Ну и друга помянуть пришла пора.

Я по городу потерянный хожу,
Самого себя следов не нахожу.
Молодой навстречу движется народ,
И никто меня уже не узнает.
Что ж, признаюсь, примирился я давно
С тем, что жизнь — односерийное кино.
Израсходован полученный аванс,
И вечерний завершается сеанс.

2003

Жестокий урок

Баллада

Одежду небрежно на стул уронив,
мой муж, ты твердила, ужасно ревнив,
он свой пистолет не снимает с ремня,
узнает, застрелит тебя и меня.
А я отвечал, что за нашу любовь
готов я до капли пролить свою кровь,
за счастье свиданья-слиянья с тобой
готов согласиться с ценою любой.

Был короток песенки этой мотив,
нас выследил нанятый им детектив.
Гнев злобному мужу глаза застелил,
тебя он простил, а меня застрелил.
Я в жизни любил приключенья и риск,
цветет на могиле моей тамариск,
и надпись на камне холодном видна,
что я за любовь расплатился сполна.

Сюда регулярно чужая жена
приходит одна и стоит дотемна.
Платком отирает от пыли гранит,
цветы поливает и землю рыхлит.
А жалкий убийца, рогатый урод,
железо решетки уныло грызет.
Жена передачи не носит в тюрьму,
и это, конечно, обидно ему.

Обидно, что не израсходовал он
второй, для нее припасенный патрон.
Привычка тогда подвела подлеца
нигде ни за что не платить до конца.
И с мыслью простою он не был знаком,
о том, что любовь не удержишь замком.
Постылая участь досталась ему
за то, что не знал он цены ничему.

Лежу я в земле, но жестокий урок
мне вряд ли пошел бы когда-нибудь впрок,
и если бы только я снова воскрес,
я б тот же к тебе проявил интерес,
готовый опять за любовную страсть
от пули ревнивца упасть и пропасть,
поскольку и миг обладанья тобой
достоин цены и расплаты любой.

2007

Триумф

Я никого не трогал,
Лишь повести кропал.
Но с отчего порога
Был изгнан и попал
За дальние пределы,
На чуждые пиры.
Но где-то конь мой белый

Гуляет до поры.
Живу себе приватно
В селении Штокдорф,
Но хочется обратно,
Хотя бы в Шатурторф.
Обратно не пускают —
Граница на замке,
Но призрачно мерцает
Надежда вдалеке.
Когда-нибудь родная
Страна простит меня,
Тогда и оседлаю
Я белого коня.
На свой прощальный вечер
Я созову друзей.
Скажу ариведерчи
И ауф-видерзейн.
И в путь по всей Европе
Отправлюсь налегке,
Откроется мне в Чопе
Граница на замке,
А там уж под ногами
Родимая земля
Усыпана цветами
До самого Кремля.
И Спасские открыты
Ворота словно встарь.
В палате Грановитой
Я буду жить как царь.
Продам седло и лошадь,
Велосипед куплю,
Перо свое заброшу,
Талант свой утоплю.
Что написал, зарою
Поглубже где-нибудь.
За то Звезду Героя
Повесят мне на грудь.

И лично Окуджава,
Мой подвиг оценя,
От имени Державы
Будет песни петь, играя на коленях у меня.

1988

В конце семидесятых годов автор нижеприведенного текста жил в доме 4 по улице Черняховского. Будучи преследуем властями, он жил в относительной изоляции, с отключенным телефоном. Некоторые из прежних его знакомых от общения с ним уклонялись, в этих условиях дружеское внимание других людей было особенно ценным. В числе других была Белла Ахмадулина, которая в самые мрачные дни навещала автора и самим своим появлением поддерживала в нем веру в человека и волю к сопротивлению обстоятельствам. Общение с ней было всегда для автора радостным событием, а форму общения передает в искаженном, пародийном виде наше доморощенное стихотворение.

Баллада о холодильнике

Дружеская пародия на Беллу Ахмадулину,
посвященная ей же

Воспоминаний полая вода
Сошла и ломкий берег полустерла...
Нальем в стаканы виски безо льда,
Ополоснем сухую полость горла.
И обожжем полуоткрытый рот
И помянем, мой друг и собутыльник,
Давнишний год, метро «Аэропорт»,
Шестой этаж и белый холодильник,
Который так заманчиво журчал
И, как Сезам, порою открывался,
И открывал нам то, что заключал

В холодных недрах своего пространства.
Пусть будет он во все века воспет
За то, что в повседневности враждебной
Он был для нас как верный терапевт
С простым запасом жидкости целебной.
Была его сильна над нами власть,
Была его к нам бесконечна милость...
К нему, к нему душа твоя влеклась,
Да и моя к нему же волочилась.
А на дворе стоял густой застой,
И серый снег топтал топтун ущербный,
А нас на кухне ждал накрытый стол
И холодильник открывался щедрый.

1988

ФРИВОЛЬНЫЕ СТИХИ

Чудо

*Это стихотворение было навеяно событиями
перестройки и посвящено ей и надеждам,
рожденным ею*

Мятежный член художника да Винчи
летал над потрясенною Европой,
то к звездам поднимался горделиво,
то опускался ниже облаков.
Случилось это вроде в понедельник,
или во вторник, или... врать не буду...
короче, был обычный будний день.
Обычный день, привычная работа,
на рынках шла небойкая торговля
и в магазинах что-то продавалось,
толпились покупатели у касс.
Ученики за партами сидели,

водители сидели за штурвалом,
в мартенах сталь варили сталевары,
и повара в котлах варили суп.
По всем дорогам ехали кареты,
возы с поклажей и автомобили,
шли железнодорожные составы,
и по морям спешили корабли.
Цвели цветы, росли хлеба и дыни,
и овощи, и фрукты поспевали,
и с криком гомо сапиенс рождался,
другой со стоном тихим отходил.
Обычный день, но вдруг воскликнул кто-то:
«Летит!» И стал указывать на небо,
ему никто сначала не поверил,
но после все увидели: летит!
Повысыпали люди на балконы.
на площади, на улицы, и вскоре
остановилось всякое движенье
и наступила дикая жара.
Все головы свои позадирали,
к глазам несли бинокли и лорнеты,
и объективы кинофотокамер
нацелились тотчас же на предмет.
Все астрономы и домохозяйки,
купцы, шоферы, праздные зеваки
в пустое небо пялили глаза.
Два мужика в траттории открытой
провозглашали тосты за да Винчи,
за член его и об заклад побились,
мол, упадет он иль не упадет.
Торговки рыбой громко хохотали,
а девушки притупливали глазки,
но все ж порою взглядывали в небо
и прыскали стыдливо в кулачок.
Монахини испуганно крестились
и предрекали светопреставленье,

и говорили: это не к добру.
Когда обыкновенная комета
появится на небе, это худо,
Но это не комета... Это, это...
кошмар и ужас, Господи, прости.
И педагоги были в затрудненье,
как детям объяснить явленье это,
родители и вовсе растерялись,
вдруг дети разберутся, что к чему.
А дети впрямь все мигом раскусили.
Был мальчик там по имени Джованни,
Иль, может быть, Джузеппе, я не помню,
а помню только, что, взглянув на небо,
у мамы он испуганно спросил:
«Ой, мама, это что еще такое?
Что за предмет такой продолговатый
над головами нашими летит?»
Конечно, мама несколько смутилась,
попробовала даже отшутиться,
потом нашлась: мол, это дирижабль.
Но мальчик был неглупый очень мальчик,
он в тот предмет попристальней вгляделся.
«Да что ты, мама, это же пиписька,
ты посмотри, пиписька, — он сказал. —
Такую же у дяди Леонардо
я видел в бане прошлую субботу,
точь-в-точь такую, правду говорю».
Прохожий посмотрел на мальчугана
и дал ему конфету и мамаше:
«Какой ваш мальчик умница», — сказал.
А член летал над сушей и морями,
пересекал различные границы
и, наконец, приблизился к границе,
которая обычно на замке.
Его тотчас заметили радары,
была внизу объявлена тревога,

и прозвучали нужные команды,
и поднялось дежурное звено.
Майор, Герой Советского Союза,
повел звено вперед по восходящей
на встречу с неопознанным предметом
навстречу неизвестности самой.
Звено неслось, оно сближалось с целью
и посылало радиосигналы:
«Снижайтесь плавно и гасите скорость
и идентифицируйте себя!»
Но цель на то никак не отвечала,
лишь наслаждалась волей и полетом,
то к звездам поднималась горделиво,
то опускалась ниже облаков.
Тогда Герой Советского Союза
на эту цель ужасно рассердился
отдал приказ готовиться к атаке
отдал приказ атаку начинать.
Четыре перехватчика летели,
а в них четыре летчика сидели,
четыре пальца точно по команде
решительно нажали кнопки «ПУСК».
Четыре замечательных ракеты
четыре цели точно поразили,
четыре перехватчика при этом
буквально разломились на куски.
Три летчика немедленно погибли,
и лишь Герой Советского Союза
живым покинул сбитый самолет.
Майор на парашюте опускался,
А рядом член да Винчи опускался,
кружил вокруг, жужжал и корчил рожи
(коли о члене можно так сказать).
Майор, Герой Советского Союза,
был вне себя и дико матерился,
и даже плакал от бессильной злобы,

но что он мог поделать? Ничего.
А враг над ним глумился откровенно,
парил, кружил, снижался, поднимался
и вдруг пропал неведомо куда.
С тех пор его, насколько мне известно,
никто нигде ни разу не встречал.
Идут года. Прошли десятилетья.
Майор в отставку вышел генералом
и генералом был положен в гроб.
Давно уж нет и тех торговок рыбой,
и девушек смешливых, и монашек.
А мальчик тот Джованни иль Джузеппе,
представьте, жив еще и полон сил.
Он стал вполне солидным человеком,
благополучным, с неплохим доходом,
весьма примерным мужем и отцом.
Он трубку курит, он гуляет с тростью,
он думает о печени и почках,
о пользе равномерного питанья
и о вреде безмерного питья.
Пустым мечтаньям он не предается
и в небо глаз не пялит понапрасну,
теперь его ничем не удивишь.
Года идут, и славная легенда
о чуде, как-то явленном народу,
с годами затухает постепенно,
стирается из памяти людской.
Но все же есть, есть люди, для которых
легенда эта вовсе не легенда,
есть чудаки, романтики, безумцы,
которые, рассудку вопреки,
упрямо верят, что наступит время,
могучий член художника да Винчи
вернется к нам, поднимется к зениту,
разгонит облака, развеет мрак.
Все озарится сказочным сияньем

вся наша жизнь тогда преобразится,
она в чудесный превратится праздник
и никогда не кончится притом.

1986

* * *

Домой как-то после получки
Я шел в состояньи хмельном.
Коровы, мечтая о случке,
Вздыхали во мраке ночном.
А если в дороге случались
Собаки и я различал:
Они меж собою случались,
Я палкою их разлучал.
На крышах рыдали коты,
И птахи на ветках свистели,
И парень деваху в кусты
Затаскивал с низменной целью.
Был вечер на звезды нанизан,
Я шел в состоянии пьяном,
За чьим-то окном телевизор
Вещал о свершении планов.
О жатве, о нефтедобыче,
О шелесте славных знамен...
Такими вестями обычно
Бываю и я вдохновлен.
Но тут героической теме
Решив изменить по пути,
Я думал: кого бы на время
Для низменной цели найти?
С надеждой такой неуместной,
С бескрылой такою мечтой
Шагал я по местности местной,
Подвыпивший и молодой.

1994

Курфюрстендамм

Печальная история

Я как-то по Курфюрстендамм
слонялся праздно, и под вечер
увидел праздную мадам,
она слонилась мне навстречу.
Я увидал ее и вот
Стою, забыв все мира виды...
Какая грудь! Какой живот!
А зад, что сад Семирамиды.
Она была лицом бела,
щеками розова и в целом
столь соблазнительна была,
что мое тело захотело
с ее соединиться телом.
Просил я страстно у мадам,
нажав на все души педали...
Она сказала: вам я дам,
но ведь не на Курфюрстендамм,
давайте отойдем подале.
Мы отошли, и не угара
я жар изведал, а безумья,
я низвергался Ниагарой
и извергался как Везувий.
В один клубок в тугой комок
мы с ней себя соединили
и были словно осьминог
и щупальцами шевелили.
Лодчонкой утлой в океан
я, оторвавшись от причала,
был унесен, меня качало,
в моих глазах стоял туман,
и музыка в ушах звучала.
Скрипела скрипка и кларнет
с трубой выпиливали вальсы,
и хлюпал внутренний секрет,

когда наружу выливался.
Тек пот, кипела крови плазма,
и мы навроде рыб ли, жаб ли,
дышали и в момент оргазма
взмывали ввысь как дирижабли.
Так продолжалось много дней,
ночей, рассветов и закатов,
но вот пришла печали дата,
пришла пора проститься с ней.
Проститься, как с небес спуститься.
Я после этого не жил,
а как подстреленная птица
на месте без толку кружил.
Страдал от жара и озноба,
слоняясь по Курфюрстендамм
в надежде снова встретить там
свою неверную зазнобу,
свою прекрасную мадам...
Я жил как бомж и как бездельник,
хмельной, несчастный и без денег,
печаль свою сквозь годы нес.
И вдруг в минувший понедельник
мы с ней, столкнувшись к носу нос,
в оцепенении застыли
и, потрясенья не тая,
я закричал ей: это ты ли?
Она сказала: это я.
Она! Не мешкая нисколько,
свою добычу я схватил
и утащил домой и в койку,
и сразу к делу приступил.
Забыв задернуть занавески
и запереть забывши дверь,
я рвал на ней одежды зверски
и сам при том рычал как зверь.
Любя ее и ненавидя,
я до конца ее раздел.

Но, Боже, что же я увидел,
когда добычу разглядел!
Заныло сердце, сбились мысли,
произошел в душе обвал.
Где то, на что я уповал?
Живот обмяк и зад увял,
лицо морщины бороздили,
и сиськи жалкие обвисли,
как вымпелы при полном штиле.
К тому ж была она хромой,
кривой, на ухо туговатой,
трясла в припадке головой
и затыкала туго ватой
первичный признак половой.
Надежды юношей питают,
пытают хвори стариков...
Меня в Берлине всякий знает,
я был из первых ходоков.
Теперь же на Курфюрстендамм
сижу немыт, небрит, нечёсан.
На проходящих мимо дам
гляжу с единственным вопросом...
нет, ни дадут иль не дадут,
а подадут ли.
Осень близко,
течет за ворот дождик склизкий,
и дамы, наклоняясь низко,
мне в шляпу пфенниги кладут.

1999

* * *

По тропинке, по проселку,
по дороге столбовой
шел я, ростом невысокий,
с непокрытой головой.
Провожая день погожий,

Полный замыслов и сил,
Я на мир дивился Божий
и на девок глаз косил.
И вниманием ответным
был отнюдь не обделен,
потому что был заметным
я еще со всех сторон.
Знал в делах своих удачу,
сам любил и был любим
дамой, жившею на даче
за забором голубым.
Судьбы наши там смыкались,
как под током провода...
Я спешил, уже смеркалось,
вышла первая звезда.
И мерцала, и светила,
и манила неспроста...
Как недавно это было!
Лет тому назад с полста.
Был я по уши влюбленным,
вожделением влеком...
Пахло в пункте населенном
Шашлыком и молоком.
Яблони цвели и вишни,
пар стелился над рекой,
и из космоса Всевышний
мне помахивал рукой.

Декабрь 1999

Кое-что о радостях людских

Я был недавно в недальнем Где-то.
Там люди тесно живут, как в гетто.
Суровый климат — зима без лета...
И не хватает тепла и света.
Неотличимы там день от ночи,

и люди бродят во тьме на ощупь.
И хоть друг друга они не видят,
друг друга крепко все ненавидят.
Все злобой, словно мочой, пропахли,
и сами в злобе своей зачахли,
как куст иссохший чертополоха.
Не существуют, а прозябают.
И только радость у них бывает,
когда соседу бывает плохо.
Сломал ли ногу, свернул ли шею,
или украли в метро бумажник,
иль терпит в чем-то ином лишенья,
его соседям — и свет, и праздник.
Так жизнь проходит во тьме и злобе.
Развлечься нечем душе и телу.
Но если кто-то кого угробил,
тогда, конечно, другое дело.

Январь 2000

Бабушкин обед

Шла бабушка, несла кошелку с овощами.
Спешила накормить свое семейство щами
С картошкой молодой, капустой и морковью
И прочей ерундой, полезной для здоровья.
Шла бабушка... Был день воскресный, и погода
Прекрасна, как всегда в такое время года.
Ей встречная толпа улыбки излучала,
Казалось бы, ничто беды не предвещало.
О, бабушка, яви немного уважения
Хотя бы не к себе, а к правилам движенья!
Куда там! Подошла она к проезжей части...
Еще мгновенье — и произойдет несчастье.
Стоп, старая! Постой! Не перейди предела!
Неужто тебе жизнь настолько надоела?
Вон слева светофор. Зажжется свет зеленый,

Ступай себе вперед с неспешностью законной.
А справа переход подземный, им надежно
В любое время дня воспользоваться можно.
Она не слышит, нет. И напрямик полезла.
Визжали тормоза, корежилось железо...
Был домино эффект вполне наглядно явлен:
Пал велосипедист, «Тойотою» раздавлен...
Сплошной карамбуляж: «Форд» врезался в «Тойоту»,
А на «Форда» еще залез побитый кто-то.
В автобус грузовик ударился и смялся,
И превратился вмиг автобус в банку с мясом,
При этом въехав в столб, столб рухнул на троллейбус,
Троллейбус встал, как столб, и тут же загорелся.
Стелился черный дым, визжали пассажиры
(Не все, а только те, что оказались живы).
Об этом по Тиви в обед нам сообщили,
Когда мы ели щи и бабушку хвалили.

Октябрь 1999

Нижеследующее стихотворение в 2000 году было опубликовано в газете «Известия» и депутатом Сергеем Юшенковым предложено к рассмотрению в Госдуме в качестве официального текста гимна РФ. Поскольку предложение было сделано в виде законодательной инициативы депутата, оно не могло быть отвергнуто и было поставлено на голосование. За мой вариант было подано 23 голоса представителями тогдашней остаточной оппозиции.

Гимн Российской Федерации

Проект
(Музыка А. Александрова, слова В. Войновича)

Распался навеки союз нерушимый,
Стоит на распутье распутная Русь...
Но долго ли будет она неделимой,
Я этого вам предсказать не берусь.

К свободному рынку от жизни хреновой,
Спустившись с вершин коммунизма, народ
Под флагом трехцветным с орлом двухголовым
и гимном советским шагает вразброд.

Припев:

Славим Отечество у каждого столика,
Где собирается нынче народ,
И горячо обсуждает символику,
И не имеет важнее забот.

Когда-то под царскою властью мы жили,
Но вот наступила заря Октября.
Мы били буржуев и церкви крушили,
А также поставили к стенке царя.
Потом его кости в болоте достали,
Отправили в Питер на вечный покой.
Простите, товарищи Ленин и Сталин,
За то, что дошли мы до жизни такой.

Припев.

Сегодня усердно мы Господа славим
И Ленину вечную славу поем.
Дзержинского скоро на место поставим,
Тогда уж совсем хорошо заживем.
Всем выдадим всё: офицерам квартиры,
Шахтерам зарплату, почет — старикам.
А злых террористов замочим в сортире,
Ворам-олигархам дадим по мозгам.

Припев.

Коррупционеров загоним в Бутырку,
Чтоб знали, насколько закон наш суров.
Зато мужикам раздадим по бутылке,
А бабам на выбор дадим мужиков.
Символику примем, заплатим налоги
И — к светлой заре по прямому пути.
Вот только б опять дураки и дороги
Нам не помешали до цели дойти.

Припев:

Славим Отечество у каждого столика,
Где собирается нынче народ,
И горячо обсуждает символику,
И не имеет важнее забот.

2001

Московский бомж

Жизнь повсюду меня мотала,
Был бродяга я, бич, бездельник...
И всего мне всегда хватало,
Но всегда не хватало денег.
Уж казалось, ну что мне нужно
В череде вечеров и утр...
Ну, немного тепла снаружи
И немного калорий внутрь.
Ну, черняшки краюшку с корюшкой,
С луком репчатым или репою
Да бутылку на пару с корешем,
Я же большего и не требую.
Но, увы, так всегда бывает,
Что чего-то да не хватает
Из того, что за деньги дают.
То того, чем себя укрывают,
То того, чем нутро заливают,
То того, чем закусывают.

1988

К биографии И. А. Пырьева

Иван Александрович Пырьев,
Народом любимый до дрожи,
Как верное средство от чирьев
Пивные использовал дрожжи.
Из них же советовал брагу

Варить или гнать самогонку
И пить алкогольную влагу,
Смакуя ее полегоньку.
Не то чтоб он был алкоголик,
Но так избавлялся от хворей
От гриппа, от почечных колик,
От насморка, СПИДа и кори,
А после лечился рассолом
Синдрома похмельного против
Был слаб он до слабого пола,
Немало актрис перепортив.
Но узы надежного брака
С Мариной ценил, между прочим,
С ней фильм про кубанских казаков
Он снял лакировочный очень.
Потом за большим гонораром
Шел в кассу, карман оттопырив.
Жил бурно и умер нестарым
Иван Александрович Пырьев.

Июль 2008

Юбилейное

Все плотнее идут годовщины,
Умножая рубцы и морщины,
Но сдаваться старик не спешит.
Он на что-то еще уповает,
Хоть уже у него не бывает,
Что нигде ничего не болит.
То мигрень, то не гнется колено,
То запор, то понос, то колит.
То распухла нога, как полено,
То шарахает радикулит.
Но старик юбилей затевает,
Он парадный костюм надевает
И на сцене сидит, как живой.

Поливаемый густо елеем,
Что сопутствует всем юбилеям,
И смущен, и гордится собой.
Но слышна уже дробь барабана,
Что там ванна? Нирвана? Саванна?
Или саван из ткани простой.
Отзвучат величальные речи
Догорят поминальные свечи
И извольте на вечный постой.

Август 2008

* * *

*Посвящение урологу, удалившему
мешавшую жить аденому*

Олег Борисович Лоран
Привел в порядок мой оргАн.
Или, сказать точнее, орган.
Предела нет моим восторгам.
Неужто правда, вновь смогу
Жить, как давно уже не чаял
И свой автограф цвета чая
Смогу оставить на снегу?
О, жизнь, сложна ты и проста ты,
А в общем нечего пенять
Не пострадавшим от простаты,
Что им страдавших не понять.
Не оценить простое благо,
Когда накопленная влага,
Иначе говоря, моча,
Струится, весело журча,
Теперь фонтану я подобен.
Но брезжит мне сквозь толщу лет,
Что вновь починенный предмет
Еще на что-то был способен,
А вот на что, не помню, нет.

2008

* * *

Быть знаменитым некрасиво.
Красиво быть незнаменитым,
Бомжом немытым и небритым,
Бродягой, струпьями покрытым,
Живущим без законной ксивы.
Есть, что украл иль что подали,
Над головой не зная крыши,
Жить под мостом или в подвале,
Себя газетами накрывши.
Быть бесталанным графоманом,
Ловя в потемках славы призрак,
И тешиться самообманом
Что после смерти будешь признан.
Но пьяным где-то на помойке
Упасть, замерзнуть, стать ледышкой
И трупом оказаться в морге
Безвестным с биркой на лодыжке.
Быть знаменитым некрасиво...
Я знаменитую цитату
Дополню, может быть, курсивом.
Что *некрасиво быть богатым,*
И некрасиво быть красивым
И на красавице женатым.
Да, быть в зубах навязшей притчей,
Талант имея с клювик птичий,
Позорно, согласимся, но
Талант иметь не всем дано,
Сверчок, однако, всякий вправе
Искать пути к любви и славе.
И истину искать в вине.
Желать, чтоб было много денег
Как ни потрать, куда ни день их,
И никогда не быть на дне.
А коль случилось стать известным
Всемирно иль в масштабе местном,

Тому, допустим, повезло
Не столь удачливым назло.
К сему заметим неспесиво
(Кто будет против, тот соврет):
Быть знаменитым некрасиво,
Но лучше, чем наоборот.

2008

Светлане

Я жил нигде, я был ничей,
Немыт, небрит и неухожен.
О, Света, свет моих очей,
Кто мне послал тебя? Похоже,
Ответ на сей вопрос не прост,
Но и не сложен, потому как
Случайное схожденье звезд
Астрономической наукой
Покуда не подтверждено.
А что же это значит? Значит,
Что то, что было суждено,
Сложиться не могло иначе,
Как не могло и в срок другой.
И потому-то наша встреча,
Определенная судьбой,
Была отложена на вечер.
Но чем позднее, тем нежней
Любовь бывает и теплее.
О, Света, свет души моей,
Гляжу я на тебя и млею.
И помня, что к концу мой путь,
Надеюсь все же постараться,
Еще немного, хоть чуть-чуть
На этом свете задержаться.

18 августа 2006

Смущенье

Света, я тебе признаюсь.
Хоть три года ты со мной,
Но я все еще стесняюсь
Называть тебя женой.
Нас ведь свел не вольный выбор,
А судьбы крутой обвал:
Томас твой из жизни выбыл,
Иру тоже Бог призвал.
Было б лучше или хуже,
Если б раньше полюбил,
Если б я тебя у мужа
У живущего отбил.
Но смущенье травит болью,
Будто в чем-то я соврал,
Будто сгинувшего в поле
Я раздел и обобрал.
Чушь, конечно, и не дело
Мне искать в себе вину.
Две судьбы осиротелых
Мы с тобой свели в одну.
Никого не оскорбили,
Память прежнюю храня,
Но сошлись и полюбили
Я тебя и ты меня
(я надеюсь). Почему же,
Как же это понимать?
Ты меня ведь тоже мужем
Избегаешь называть.

18 августа 2008

Философическое

Живущий только временно живет,
А неживущий не живет не временно.
Он, скажем, не впадая в ре минор,

Есть вечности частица и оплот.
Он там, где есть нежизни торжество:
Ни тьмы, ни света, ни зимы, ни лета...
Хорошего там нету ничего,
Но ничего плохого тоже нету.

Там нет дурных вестей, утрат, растрат,
Тюрьмы, сумы и чириев на коже,
Там дрожь не бьет и зубы не болят,
Не жмут ботинки и тоска не гложет.

Там смерти страх неведом никому,
Ни храбрым людям, ни трусливым людям.
Пусть даже мир окончится, ему,
Тому, кто там, конца уже не будет.

Ваш предок тем особо дорожил,
Такую мысль в себе лелеял гордо,
Что с Пушкиным в одну эпоху жил
И с Гоголем в одни и те же годы.

Что ж, за приливом следует отлив,
Не всякий век талантами расцвечен,
А наш и вовсе сир и сиротлив,
Гордиться некем, кажется, и нечем.

Но жребий исправим, поскольку он
На время жизни выпал, а помрете,
И с гениями сразу всех времен
В течении нежизни совпадете.

Покуда там пребудете вы, тут
Случится все хорошее, и даже
Враги все ваши старые умрут
И новые отправятся туда же.

Так вот без страха ждите свой черед.
Что наша жизнь? Лишь миг на перевале...
Вот минет он, и вечность развернет
Свой бесконечный свиток перед вами.

1987

СКАЗКИ
ДЕДУШКИ ВОЛОДИ

Первая сказка
о пароходе

Здравствуйте, детки большие и маленькие, молодые и старенькие. Мы начнем эту сказку сначала про волшебный один пароход. Вместе с ним отойдем от причала, ну, а там — куда бог заведет.

Итак, в некотором царстве, в некотором государстве был некоторый пароход. Ветхий был пароходишко, ходил по малокаботажным маршрутам из порта А в порт Б и обратно. А пассажирами его были разные люди. Помещики, капиталисты, попы, купцы, военные, студенты, интеллигенция и простой люд, то есть рабочие и крестьяне, эти в основном в трюме да на нижних палубах располагались. Рабочие были в основном голь перекатная, а крестьяне еще ничего, плавали, всегда имея при себе мешки с провиантом. Ну, плавали так из года в год, кто на базар, кто в церковь, кто на службу, кто по семейным делам, а кто на митинги и демонстрации.

Плавали, плавали и доплавались до того, что однажды пароход был захвачен пиратами. Но не плохими пиратами, а хорошими. Которые решили доставить пассажиров из порта А не в порт Б, а в страну Лимонию. Туда, где растут лимоны и текут молочные реки с кисельными берегами. Но поскольку пассажиров было слишком много, пароход старый, а путь неблизкий, решили для начала кое-кого скинуть за борт для облегчения. Скинули помещиков, капиталистов, попов, купцов и военных. При этом всякие там часы, кресты, цепочки, бумажники — все это у них предварительно отобрали, чтобы плыть им было полегче. Скинули часть интеллигенции, а другую часть, попутчиков, оставили, потом, мол, скинем, подальше. Команду пираты тоже сбросили за борт, своих людей всюду расставили. Ну, первонаперво кинулись, конечно, смотреть всякие там карты, лоции и другие морские книги, где там страна Лимония обозначена. Искали, искали — не нашли. Пиратский предводитель, теперь он стал капитаном, говорит: «Эти лоции-шмоции нам вовсе и не нужны, у нас есть капитальный труд знаменитого морского волшебника Карлы Марлы. По этому труду, который так и называется «Капитал», мы и продолжим наш путь».

Сожгли лоции-шмоции в топке, стали изучать «Капитал». А в «Капитале» сказано, что страна Лимония находится сразу за горизонтом. Посмотрели, горизонт недалеко находится, теперь, когда корабль в результате скидывания части пассажиров за борт облегчился, доплыть до горизонта — раз плюнуть. Поставили пароход носом к горизонту — поплыли дальше. Тут первые подводные рифы обнаружились. Стали думать, как быть. Обходить рифы или переть прямо на них, авось обойдется.

Капитан был человек умный и сказал так: «Видеть рифы и идти на рифы — это архиглупость и пустейшая фраза. Каждый моряк должен уметь лавировать».

Скоро сказка сказывается, да нескоро дело делается. Пока лавировали между рифами, капитан простудился и умер, уступив место на мостике своему помощнику.

Тот, вставши на мостик, огляделся, заглянул в «Капитал», принял новое решение. «Ну, что ж, — сказал он, покуривая трубку, — полавировали немножко и хватит. Полный вперед!»

Ему говорят, как же полный вперед, когда рифы еще

виднеются. «Ничего, — говорит, — как-нибудь. У нас теперь будет такая теория. Если хочешь пройти над рифами, требуется, чтоб пароход выше поднялся, надо скинуть лишний балласт». Лишним балластом оказались мужики с мешками. Мужиков скинули, мешки оставили, пароход еще более облегчился. Нашлись, однако, маловеры и в самой пиратской команде. Мужиков, говорят, скинуть нужно, но первый капитан учил нас еще и лавировать. Хватаются за руль, и одни пытаются влево крутить, а другие, наоборот, вправо. Так они потом и были названы — левые уклонисты и правые. Капитан велел и тех и других за борт скинуть, акулам. Акулы их охотно пожрали, им что левые, что правые — все на один вкус.

«А теперь, — говорит капитан, — полный вперед, горизонт уже недалеко». Идет пароход, пыхтит. Кочегары уголь шуруют, котлы кипят, пароход идет полным ходом, вот-вот к горизонту приблизится. А чтобы не скучно было плыть, велел капитан остаткам интеллигенции песни сочинить веселые. Те сочинили, команда и пассажиры поют:

> Плывем мы правильным путем,
> И нет пути исконнее.
> До горизонта доплывем,
> А там уже Лимония.

Плывут, плывут, а горизонт все впереди и совсем близко. Земля, покинутая, давно удалилась, уже и сзади, и с боков ничего не видать, окромя горизонта. Уже некоторые люди стали забывать, что когда-то жили на суше, уже бабушки внукам сказки стали сказывать, что далеко за задним горизонтом есть такая штука, как земля. Лимоны, правда, там не растут, реки текут не молочные, а люди как-то все же живут.

Команде-то все равно, она уголь шурует, пар держит, а среди пассажиров брожение намечается. Если, мол, за передним горизонтом никакой Лимонии не видно, то не лучше ли поворотить назад к заднему горизонту, там хотя и не Лимония, но все же какая-никакая земля. Пришлось и этих пассажиров скормить акулам.

Так, долго ли, коротко, а лет тридцать с лишним проплыли, когда вдруг помер второй капитан, хотя и считался бессмертным.

Третий капитан оказался волюнтаристом. Он сказал: «Раз горизонт у нас со всех сторон, будем плавать зигзагами и так или иначе до Лимонии доберемся».

Ему говорят, да куда же мы доберемся, если уже и припасы кончаются. Все, что у мужиков отобрано, доедаем.

А ничего, говорит, кукурузу на палубе посадим, будем кушать мамалыгу. Взялись с песнями за работу. Песни пели примерно такие:

> Наши воды глубоки,
> И дороги далеки,
> Но идем мы все тем же путем.
> Разведем кукурузу,
> Будем кушать от пуза,
> А в Лимонию все же попадем.

Насадили везде кукурузу. И на верхней палубе, и на нижней, и на носу, и на корме. Выросла кукуруза большая-пребольшая. Такая большая, что сквозь нее уже никакого и горизонта не видно. Правда, выросли одни стебли. Но когда они молочно-восковой спелости, их тоже есть можно. Коровы, во всяком случае, их едят очень даже охотно. Но поскольку на пароходе коров давно уже не было, пассажиры сами стали той кукурузой питаться. А напитавшись, устроили бунт и самого капитана акулам скинули.

Появился на мостике новый капитан — брови широкие, взгляд орлиный, сам из себя красавец. Этот оказался не волюнтарист. Он кукурузу на палубе не сажал и зигзагов велел никаких больше не делать. И пар приказал немного сбросить, поскольку за горизонтом, ясно, уже ничего, окромя горизонта, не будет.

Его спрашивают: «Когда же будет Лимония?» Он говорит: «Скоро будет, а давайте, не дожидаясь ее, начнем развлекаться». — «А как, — спрашивают, — развлекаться?» — «А давайте будем праздники праздновать». — «А какие, — спрашивают, — праздники?» — «А всякие, — говорит. — Годовщины нашего отплытия и мои дни рождения. А еще, — говорит, — давайте вы будете награждать меня разными орденами и хлопать в ладоши, а я буду плакать».

Надо сказать, что этот капитан был изобретательный. Люди награждали его орденами, хлопали в ладоши, он плакал и все еще чего-то придумывал. «А теперь, — говорит, — давайте вы будете называть меня не капитаном, а адмиралом. А теперь давайте я буду писать книги, а вы будете их изучать и конспектировать».

«Давайте», — говорят.

Написал адмирал для начала первую книгу воспоминаний под названием «Как я учился плавать». Он написал, а команда и пассажиры стали изучать и конспектировать, про Лимонию уже даже не думая. Уголь к тому времени, в общем-то, кончился, котлы остыли, команда и пассажиры никуда не плывут, изучают адмиральскую книгу «Как я учился плавать». Книга оказалась гениальная и заслуживала всяческих наград. Ну и награждали Адмирала. Прочтут страничку, Адмиралу медаль, прочтут главу — орден. За всю книгу присвоили ему звание Героя Черного моря. Ему понравилось. Написал он второй том воспоминаний «Как я научился плавать». Потом дальше пошло: «Как я стал капитаном», «Как я стал адмиралом». Взялись ему навешивать ордена и присваивать звания одно за другим. Стал он Герой Белого моря, Герой Красного моря, Герой Балтийского моря и Герой четырех океанов. Потом решили ему присвоить звание Классика мировой литературы тоже с вручением специального ордена. И когда ему последний орден вручили, он вдруг, не выдержав всей навешанной на него тяжести, рухнул и так и остался заваленный орденами.

После Адмирала другие люди взялись за управление кораблем. Ну, двое из них сразу померли, о них говорить нечего.

Наконец появился на мостике человек уже из нового поколения. Который не то что Лимонии, а и обыкновенной земли не видал, потому что родился уже на корабле. Этот скромным оказался. Адмиралом меня, говорит, не зовите, я всего-навсего капитан. И орденов тоже не давайте, я их покуда не заслужил. И вообще давайте если уж не до Лимонии, то хоть до чего-нибудь доплывем. Потому как забрались мы далеко и если не выберемся, то в конце концов все потопнем. А не потопнем, то помрем с голоду или от жажды. Так что давайте опять разводить огонь и нагревать котлы. Угля, конечно, у нас уже почти нету, но можно подтапливать адмиральскими книжками — вообще, говорит, давайте отнесемся к нашему прошлому критически. Все капитаны у нас были дураки, окромя первого. Тот хотя бы умел лавировать. А нам лавировать уже некогда и негде, никаких рифов нет, а есть сплошная глубина. И надо нам потихоньку плыть обратно. Его тут, конечно, стали спрашивать, куда же обратно и где это обратно находится, если вокруг один горизонт.

А новый капитан говорит: «Надо нам вернуться к старому руководству, которое «Капитал» называется. Надо трогаться в путь и изучать «Капитал». Ну, тронулись и изучают, но все без толку. Потому что в «Капитале» только один путь указан — вперед.

Тем временем пароход, хотя и медленно, но куда-то плывет.

А команда и пассажиры поют новую песню:

Мы все плывем, но все не там,
Где надо по расчетам...
Был умный первый капитан,
Второй был идиотом.
А третий был волюнтарист,
Четвертый был мемуарист.
Кем были пятый и шестой,
Чего они хотели,
Увы, ни тот и ни другой
Поведать не успели.
Так как нам быть?
Куда нам плыть?
По-прежнему неясно.
Зато об этом говорить
Теперь мы можем гласно.

Вторая сказка о пароходе

Ну вот, детки. Сказку о пароходе, который плыл семьдесят лет не туда, вы уже слышали. Теперь он плывет туда, это вы уже тоже знаете. Знаете и про нового капитана. А как он взялся за дело, этого вы не знаете, а чтобы вы узнали, пришлось написать мне вторую сказку о пароходе. А дело было так. Как сменил новый капитан предыдущего, сразу вызвал к себе в каюту всех членов высшего корабельного совета, в который входят первый помощник по политчасти — перпом, старший помощник — старпом, старший механик — стармех, штурман, лоцман, боцман, главный кок и помощник капитана по корабельной безопасности — помкорбез.

Пришли они, расселись на мягких диванах, капитан говорит:

— Докладывайте.

Первым стал докладывать первый помощник.

— По моей политической части, — говорит, — все у нас хорошо, экипаж и пассажиры прилежно изучают историю движения нашего парохода, ведут конспекты, подтягивают отстающих, проявляют высокую сознательность и беззаветную преданность. Это все, так сказать, в общих чертах.

— А если не в общих чертах? — спрашивает капитан.

— Если не в общих, то надо признать, что имеются отдельные недостатки. Изучая историю, команда и пассажиры бурчат, что пароход идет не туда, что все продукты достаются высшему корсовету. Есть тенденция к ношению широких штанов и длинных причесок, к западным танцам и музыке рок, распространяются политически вредные анекдоты и имеются намерения к бегству. Некоторые прямо так и говорят: как только дойдем до ближайшего порта, так мы тю-тю.

— Ха-ха, тю-тю, — сказал штурман, — до ближайшего порта дойдем не скоро.

— А некоторые, — возразил перпом, — никакого порта не дожидаясь, крадут шлюпки или даже кидаются за борт без ничего.

— А ты что скажешь? — спросил капитан и обратил свое внимание на комкорбеза, который сидел и подробно записывал, кто чего говорит и кто чего думает.

— А скажу так, — сообщил комкорбез, — что в целом доклад перпома следует одобрить как откровенный и деловой, но надо заметить также и то, что нездоровые настроения среди членов команды и пассажиров имеют свою положительную сторону, поскольку способствуют эффективной работе корбезопасности.

— А у тебя что? — Капитан повернулся к старпому.

— У меня полный порядок.

— А конкретно?

— А конкретно — борта нашего судна проржавели, в определенных местах имеются течи, и вода поступает внутрь корабля.

— Но с этим, — сказал капитан, — я полагаю, ведется борьба, и вода откачивается.

— Борьба ведется, — согласился старпом, — но вода не откачивается, поскольку имевшаяся на борту корабельная помпа переделана в аппарат для самогоноварения, а брезентовые шланги порезаны на рукавицы. С течью боремся посредством затыкания.

— Что используете в качестве затыкательного материала?

— В качестве затыкательного материала используем живую силу, то есть нашу прекрасную молодежь.

— Ну и как?

— В прошлом наша прекрасная молодежь представляла собой прекрасный затыкательный материал и с энтузиазмом затыкала собою все дырки. Теперь же, когда ее посылают затыкать, она ответно посылает...

— Понятно, — прервал капитан, — а что у нас в машинном отделении происходит?

— В машинном отделении все хорошо, — доложил стармех. — Угля нет, котлы топим книжками предыдущего комсостава. Три машины из четырех не работают, зато являются бесценным источником запасных частей для четвертой машины, если их, конечно, по дороге не разворуют.

— Ну, чтоб не разворовали, надо поставить охрану, — заметил перпом.

— Ни в коем случае, — возразил штурман. — Если поставить охрану, то она тоже начнет воровать, потому что и охранникам жить как-то нужно.

— Ну а по твоей части что у нас? — обратился капитан к штурману.

— По моей части полный порядок, — доложил штурман. — Корабль идет точно выверенным правильным курсом в неправильном направлении.

— А правильным курсом в правильном направлении можно идти?

— Никак нет, поскольку все карты предыдущим руководством были утоплены, компас разбит, секстант продан и пропит.

— Предыдущим руководством? — спросил капитан. Штурман вопроса не расслышал, а помкорбез сделал какую-то пометку в блокноте.

Спросили, как дела у лоцмана, выяснилось, что хорошо.

— Когда начнем тонуть, глубины хватит, — пообещал тот.

У боцмана тоже все шло неплохо: палубы и всякие железки на корабле, ботинки и пуговицы у матросов надраены, люки, наоборот, задраены, но дисциплина хромает, потому что у команды уже нет никакого страха.

По этому поводу был спрошен опять помкорбез, который некоторые упущения по части страха свалил на перпома.

— Сам по себе страх без политико-воспитательной работы нужного эффекта не дает, хотя мы со своей стороны делаем все, что можно. За последний отчетный период нами разоблачены и изолированы в трюме четыре машиниста, один буфетчик, два вахтенных матроса и один пассажир.

— А за что пассажир?

— За то, что пел враждебные песни. Раньше мы какие песни пели? Раньше мы пели песни оптимистические. «Плывем мы правильным путем, и нет пути исконнее...» Такие песни мы пели. А тут я иду мимо и слышу, этот поет что-то ужасное. Тут все свои, и я позволю себе исполнить... Он пел:

> Здравствуй, Ваня, здравствуй, Маня,
> Я — казанский сирота.
> Ни папани, ни мамани
> Не имею ни черта.

— А ничего! — сказал капитан. — Неплохо.

Лоцман хотел даже списать слова, но помкорбез не посоветовал.

— Это начало еще можно терпеть, — сказал он, — оно просто незрелое и ни к чему не зовет. Но дальше-то совсем плохо.

— А что плохо? — спросил с интересом лоцман, надеясь если не записать, то хотя бы запомнить.

— А вот что плохо, — ответил помкорбез и пропел:

> Заблудившись в океане,
> Ох, до суши не дойдешь.
> Нет папани, нет мамани,
> И меня не станет тож.

— Да, — вздохнул перпом, — типичный пример упаднических настроений. С такими настроениями далеко не уплывешь.

— Ну что ж, товарищи, — вмешался опять капитан. — Дело ясное. Значит, дела у нас обстоят таким образом. С курса мы сбились, и куда идем неизвестно. Корпус проржавел, дает течи, затыкать их нечем и некем, поскольку народ разуверился и ничего собой затыкать больше не хочет. Три машины из четырех не работают, а четвертую, кроме капитанских книжек, топить нечем. Можно пустить на топку всякие лишние мачты, палубные доски и пароходную мебель, но этого топлива нам хватит, только если мы будем идти исключительно правильным курсом и в правильном направлении, которого мы не знаем. Если мы будем идти неправильным путем и в неправильном направлении, то в конце концов всякое топливо кончится, течи будет все больше и больше, и мы непременно потопнем.

— Как пить дать потопнем, — подтвердил лоцман.

— Кстати, насчет питья, — сказал капитан и посмотрел на боцмана.

— Без питья-то жить можно, — заметил боцман. — А вот без питания труднее.

— Кстати, что насчет питания? — капитан повернулся к главкоку.

Главкок поднялся, стянул с головы колпак и доложил, что, хотя перебои с питанием действительно имеют место, для высшего корсостава продуктов на определенный неопределенный период пока хватит.

— Ну а остальные пусть питаются, как хотят, — беспечно заметил штурман.

— Это будет большая политическая ошибка, — возразил перпом. — Если мы не будем кормить команду, она перемрет, а сами мы корабль до места не доведем и потопнем. Если мы не будем кормить пассажиров, они взбунтуются и выкинут нас за борт акулам.

— Есть, есть идея! — закричал лоцман. Все повернулись к нему.

— Идея такая, — сказал лоцман. — Мы снимаем ночью все шлюпки, грузим на них остатки продовольствия и пресной воды, садимся сами и...

— И-и! — передразнил помкорбез. — Шлюпок-то давно нету. Украдены.

— Как? Все украдены или частично? — спросил капитан.

— Крались частично, а украдены все, — смущенно признал помкорбез.

— Ничего себе! — Капитан даже присвистнул. — А куда же смотрели твои молодцы?

— А мои молодцы как раз первые и смотрели, как бы эти шлюпки украсть и удрать, — пролепетал помкорбез и смутился совсем.

— Ну и хорошо, — сказал капитан. — Так даже лучше. Шлюпок нет, бежать не на чем, значит, будем вести наш пароход дальше. Во избежание усиления недовольства команды и пассажиров часть продуктов из нашего камбуза надо передать им.

— Категорически возражаю! — вскочил замполит.

И, заикаясь от волнения, объяснил, что он лично согласен на любые изменения курса и на любые лишения, но ухудшение питания высшего корсостава будет идеологической, политической, тактической и стратегической ошибкой.

— Мы с вами, — продолжил он, — хорошо знаем, что бытие определяет сознание. Если мы поделимся продуктами с другими и тем самым ухудшим наше бытие, то тогда и наше сознание тоже ухудшится. А с плохим сознанием мы не сможем вести наш корабль правильным курсом и в правильном направлении.

— Это верно, — вздохнул лоцман.

— Но народ-то чем-то кормить все же надо, — возразил боцман.

— А вот раз наш боцман такой сознательный, — сказал помкорбез, — давайте его отстраним от нашего камбуза, а его спецпаек распределим поровну между командой и пассажирами. Таким образом народ успокоим и проведем идеологический эксперимент: посмотрим, как будет ухудшаться сознание боцмана.

Боцман, понятно, пожалел, что оказался таким правдолюбцем, но возражать было уже бесполезно, потому что его из каюты вывели. И стали вырабатывать окончательное решение. Споров было много. Один говорит, надо идти задом наперед, другой предлагает идти передом назад. Приняли компромиссное решение идти левым боком в правую сторону. После чего вышли уже к команде и пассажирам. Собрали всех на верхней палубе, поставили стол президиума. Члены капитанского совета все, кроме боцмана, сели за стол, боцману нашлось место в заднем ряду, а капитан вышел к трибуне и говорит:

— Уважаемые члены команды, пассажиры и пассажирки! Как вам известно, семьдесят лет назад мы вышли из пункта А с целью прибытия в пункт Б, но затем резко изменили курс и направились в страну Лимонию, где растут лимоны и текут молочные реки с кисель-берегами. Мы должны признать, что заветного берега мы еще не достигли. Для этого были объективные причины. У нас были враги, которые постоянно сбивали нас с курса. Мы сбивались потому, что шли неизведанным путем, не имея при себе ни карт, ни лоций и, вообще-то говоря, не имея точного представления, где находится страна Лимония и существует ли она вообще. Возможно, было ошибкой избирать водный путь, проще было бы добираться по суше. В пути нам встретились туманы, бури, штормы, подводные рифы и надводные айсберги. Наши люди героически преодолевали трудности. Мы должны вспомнить подвиги наших матросов, вахтенных, механиков и кочегаров. Они трудились в поте лица, иногда даже сами сгорая в топках, затыкая своими телами пробоины, падая за борт, попадая в пищу акулам. Были определенные ошибки и со стороны прежнего руководства. Оно не прислушивалось к трезвым голосам, указывавшим на неправильность направления. Оторвавшись от основной массы, оно поедало больше продуктов, чем нужно. С этим мы решили покончить, теперь к голосам прислушиваться будем. Кроме того, часть продуктов, предназначенных для питания высшего корсостава, теперь в порядке эксперимента будет распределена между всеми.

— Правильно! — закричала дружно команда.

— Правильно! — закричали пассажиры.

— Неправильно! — хотел крикнуть боцман, сидя в заднем ряду, но, увидев показанный ему кулак помкорбеза, промолчал.

— Кроме того, — продолжал капитан, — мы решили значительно улучшить условия вашего бытия, сделав его более свободным и радостным. Отныне снимаются всякие ограничения на ширину брюк и длину волос, разрешается малевать абстрактные картины, петь безыдейные песни и танцевать танцы, которые прежде считались враждебными. Кроме того, разрешается критиковать руководителей нашего рейса на любом уровне, вплоть до боцмана.

— А бить его можно? — прокричал кто-то из команды.

— Нет, товарищи, бить нельзя. Для битья у нас есть и продолжает эффективно действовать наша прекрасная и закаленная в пути служба корбезопасности. Если вы кого-то хотите побить, подайте заявление в письменной форме, оно будет рассмотрено. Но, товарищи, представляя вам такие большие свободы, высший корсовет рассчитывает, что вы все будете проявлять большую сознательность, все до одного будете способствовать нашему движению вперед. У нас не должно больше быть пассажиров, которые слоняются по палубам, смотрят вдаль или на корме забивают козла. Все теперь будут членами команды, все должны что-то делать. Одни, скажем, пишут книжки, другие их собирают, третьи топят ими котлы, четвертые изыскивают для топки всякие ненужные деревянные вещи. Кому совсем нечего делать, пусть сядут на весла. А тем, у кого и весел нет, можно взять простыни или одеяла, сделать из них паруса и дуть в них. Таким образом каждый человек сможет вносить посильный вклад в наше движение. Ну а в свободное от работы время мы не возражаем против разведения на палубах огородов и развития мелких ремесел.

Речь капитана была встречена бурными аплодисментами, а затем напечатана в бортовой газете «Всегда на вахте». Правда, напечатана была не полностью, с некоторыми сокращениями. Указания на негативные явления в прошлом из статьи капитана были выброшены, но вставлены в статью первого помощника. «Негативные явления, — написал перпом, — играли в нашей жизни положительную роль. И в негативные времена мы позитивно трудились и пели веселые песни. Сейчас мы много и смело говорим о том, что иногда порой сворачивали с правильного пути на неправильный. Да, это так, и мы признаем это со всем свойственным нам мужеством. Но, говоря об этих негативных и многократно осужденных нами явлениях, мы не должны забывать главного, что и неправильным путем мы шли в правильном направлении. Конечно, товарищи, у нас и сейчас есть еще некоторые недостатки, которые нужно устранить, но торопиться не следует. Это было бы недальновидно. Если мы сейчас устраним все недостатки, то тем, кто придет после нас, нечего будет исправлять».

Конечно, такие выступления капитана и первого помощника не остаются без внимания, все замечают, что вопросы ставятся остро и совершенно по-новому. Разговоры об этом идут на мостике, в кают-компании, в матросских кубриках, в пассажирских каютах и на всех палубах. На палубы повылазила дикая молодежь — хиппи, панки, люберы и металлисты. Поют всякие неформальные песни без слов, без музыки, но с криком.

Помкорбез по пароходу прогуливается, к разговорам и крикам прислушивается, но сам при этом не говорит, только похлопывает себя по кобуре. Тем временем пароход продолжает идти отчасти задом наперед, отчасти передом назад, отчасти левым боком в правую сторону, отчасти правым в левую, но зато в совершенно правильном направлении. Конечно, среди плывущих имеются разногласия. Одни все еще надеются доплыть до страны Лимонии, другие согласны доплыть до чего попало, третьи, которые ближе к камбузу, вообще никуда плыть не хотят, им и здесь хорошо. В результате этого разнобоя получается так. Капитан во весь голос командует: «Полный вперед!» Первый помощник вполголоса поправляет: «Малый назад!» Штурман крутит компас вправо, рулевой вращает штурвал влево, впередсмотрящий глядит назад, кочегары подбрасывают уголь, вахтенные через трубу заливают топку водой, пассажиры взмахивают веслами, но гребут в разные стороны, кто-то сверлит в корпусе дыры, кто-то их затыкает. А есть и такие, которые из собранного якобы на топку дерева строят шлюпки. А есть даже и такие, которые по ночам сигают за борт и пускаются вплавь без ничего, считая, что лучше потопнуть или быть съеденными акулами, чем плыть дальше на этом пароходе в любом направлении. Хоть в правильном, хоть в неправильном.

Третья сказка
о пароходе

Здравствуйте, детки, давно мы с вами не виделись, давно не слышались. Давно я вам сказки не сказывал, давно вы им не внимали, давно на ус не мотали. Пришла пора еще позавчера, а может, даже в запрошлом годе рассказывать вам нашу третью сказку о пароходе.

Помните, оставили мы наш пароход посередь океана и с той поры не знаем, не ведаем, чего там с ним случилось, что приключилось, то ли он уже благополучно потоп, то ли еще на плаву терпит бедствие.

Выяснилось, что да, не потоп, но терпит. А почему он, терпя столь долгое бедствие, до сих пор не потоп или почему, не потопнув, терпит столь долгое бедствие, понять было бы невозможно, если не знать того, что пароход-то наш не простой, а заколдованный. А заколдовал его еще в незапамятные времена злой волшебник Карла Марла. Росточку, как и положено карле, он был невеликого, зато вот с такою преогромнейшей бородищею. А помогал ему в колдовстве Фриц по прозвищу Ангелочек, ученый по части черной магии и большой проходимец насчет женского полу.

Ну, понятно, в начале пути и команда парохода, и пассажиры относились к Карле Марле, да и к тому же Фрицу с большим незаслуженным уважением и даже организовали между собою такое движение карлистов-марлистов. Но по прошествии времени и миль за кормой кое в чем как-то вроде засомневались. Карла Марла в своем капитальном труде «Капитал» предсказывал, что по преодолении ближайшего горизонта впереди непременно замаячит страна Лимония, но пароход вот уже восьмой десяток лет океан туды-сюды бороздит и не то что Лимонии, а и вообще ничего сухого впереди не видать. Постепенно пароходский народ приуныл, впал в депрессию, зазвучали на палубе песни грустные-грустные. Вроде такой:

Злой волшебник Карла Марла бородатый
Нам за что наколдовал такую месть?
И куда ж ты завлекал нас, и куда ты
Нас в конце концов сбираешься привесть?
Чем тебе мы, злой колдун, не угодили?
Не исполнили каких твоих затей?
Разве мало мы друг друга колотили?
Разве мало переломано костей?
Разве мало мы страдали? Разве мало
Потеряли наших братьев за бортом?
Пожалей нас, утопи нас, Карла Марла,
И, пожалуйста, сейчас, а не потом.

Пели на пароходе эту песню и поодиночке, и хором, и — никто ничего. Даже помкорбез не обращает внимания. Раньше бы он за такую песню не то что сочинителей и не только исполнителей, а и тех, кто слышал, закатал бы в трюм до скончания дней. А теперь ничего. Ходит по палубе, улыбается, ну, иногда, правда, по кобуре слегка рукой проведет, но того, что лежит в кобуре, не вынимает. Ничего не поделаешь, вышло народу высочайшее капитанское разрешение петь любые песни и болтать языком все, что взбредет на ум.

Народ при этом оживился и, как водится, обнаглел. У народа вообще есть известное свойство: как только ему волю дают, он наглеет. Нет чтобы воспользоваться возможностью и свободным излиянием души выразить капитану свою любовь и сказать что-нибудь хорошее о команде, о пароходе, о пройденном пути.

Куда там!

А ведь раньше как было хорошо. Пароход шел вперед. Капитан смотрел вдаль, рулевой крутил штурвал, кочегары кидали уголь, а пассажиры сочиняли и пели песенки вроде вот этой, помните?

> Мы все плывем, но все не там,
> Где надо по расчетам...
> Был умный первый капитан,
> Второй был идиотом.
> А третий был волюнтарист,
> Четвертый был мемуарист.
> Кем были пятый и шестой
> Чего они хотели,
> Увы, ни тот и ни другой
> Поведать не успели...

Успели не успели, а у народа пароходского обо всех капитанах, кроме первого и последнего, сложилось мнение очень такое, как бы это сказать, не очень хорошее. Очень, очень не очень.

Про первого же капитана на пароходе все так примерно до позавчерашнего дня думали, что этот-то уж точно гений чистой воды, может быть, даже не хуже, чем Карла Марла. Так про него думали, и когда он живой был, и когда стал вечно живой, то есть фактически мертвый.

К слову сказать, первого капитана люди звали промеж собою просто Лукич. Лукич был такой замечательный человек, столь простой и столь человечный, так его все любили, что и после смерти расстаться с ним никак не могли. Сладили ему стеклянный гроб, куда и положили, как спящую красавицу. Чтоб можно было им всегда, всем и досыта любоваться. И после того семьдесят с лишним лет возили его по океану, как бы за молчаливого и бесплатного советчика во всех трудных делах.

Как налетит, допустим, тайфун или рифы по курсу появятся, или акулы к борту приблизятся, так капитан, прежде чем скомандовать лево руля или право на борт, идет советоваться к Лукичу. Другие люди тоже. Какие у кого проблемы, прыщ на носу вскочил, жена к другому в каюту ушла, сомнения в правильности нашего пути по пути возникают, в космос ли надеется человек подняться или в пучину вод погрузиться, в таком случае перво-наперво куда? К Лукичу. За советом.

И так много было желающих советоваться, что очередь ко гробу иногда обвивалась вокруг корабельной рубки, а хвост ее кончался где-то возле кормы, отчасти даже засунувшись в трюм.

Однако в результате наступившей свободы, упаднических песен и пустого болтания языками иные пассажиры, засомневавшись, стали склоняться к тому, что Лукич, может, и гений, но не чистой воды, а мутной, и не воды, а суши — или вообще не гений или гений, как говорится, в обратном смысле. Потому что, хотя сам он был как будто умный, но глупостей наворотил столько, что и дураку не отворотить. И этот вот самый пароход захватил, как след не подумавши. Причем пассажиров отправил в океан, а сам в стеклянной своей ладье отплыл совсем в ином направлении.

А народ на этом пароходе дырявом доныне плывет, да все не туда, к светлым горизонтам, которые постоянно темнеют вдали.

И еще интересно то, что до гласности все на пароходе было чересчур хорошо. А во время гласности все стало исключительно плохо. И сам пароход — плохой. И капитаны один другого ужаснее, окромя первого да последнего. Да и в первом, как сказано выше, появились сомнения, а последний тоже, как бы сказать... да... ну, нет, все-таки не скажу.

Я-то не скажу, а другие чего ни попадя говорят. Иные уже не только позволяют себе сомнения в пройденном пути и в Карле Марле, и в отдельных капитанах, но и далее того обобщают. Вообще, говорят, пароходская жизнь наша несправедливо устроена. Одни, мол, нежатся в роскошных отдельных каютах, другие теснятся в совместных кубриках. Одним райские яства через спецокошко из камбуза подают, других одной ржавой селедкой питают, и та в последнее время исключительно по талонам. Да и по талонам ее тоже исключительно не бывает. И иногда даже исключительно не бывает талонов.

Пассажиры таким состоянием дела давно уже недовольны, а как показать, что недовольны, не знают. Раньше недовольство свое они выражали тем, что славили капитана. Так и кричали: «Слава нашему великому капитану!» Сами при этом думая: «Чтоб ты сдох!» Провозглашали: «Да здравствует наш величайший и мудрейший капитан, мореход и предводитель, лучший друг всех идущих по морскому пути!» А сами мысленно говорили: «Чтоб ты пропал, собака!»

Так в прошлые времена выражали недовольство капитанами. Теперь стали выражать иначе. На общую палубу стали выходить с лозунгами всякими, плакатами и транспарантами. И там все такие слова: долой, в отставку, на свалку и на мыло.

Капитан поперваx особо не волновался, всегда зная, что у народа такая привычка: говорит он одно, а подразумевает все же другое. Поэтому неприятные эти призывы капитан понимал в обратном, приятном для себя направлении.

Все же раньше начальство подобных безобразий не допускало, полагая, что если кто провозгласит что-то такое, так из этого что-то другое непременно воспоследует. А теперь все и ясно, что кричи чего хочешь, от этого ни вреда, ни пользы никому нету. Выйдет народ, покричит, помашет кулаками да тряпками, но, накричавшись и намахавшись, тут же по кубрикам разбредается, утомленный.

Тем более что и сам капитан, и остальное начальство, чего уж там говорить, другое стало. Что ни начальник, то демократ и завсегда с народом. И до обеда с народом и после обеда с народом. Обедает, правду сказать, поврозь. Но зато теперь не только с Лукичом, но и с народом начальство советуется: согласны? — спрашивает. Народ соглашается: согласны. Или не согласны? Народ соглашается: не согласны.

Так вот в полном согласии двигались дальше в темные дали к светлым горизонтам, покуда на горизонте не зачернела земля.

Первым ее заметил сзадивпередсмотрящий. Залез на мачту, направил подзорную трубу на горизонт и чуть от радости обратно на палубу не свалился.

— Земля! — кричит. — Земля!

Пассажиры сперва не поверили. Они уже семьдесят лет плывут, никакой земли отродясь не видали, окромя миражей, галлюцинаций, алкогольного бреда, а также отдельных рифов. И тут говорят сзадивпередсмотрящему:

— Врешь, — говорят, — не верим.

А тот не в шутку волнуется.

— Дураки, — говорит, — да что же вы за фомы неверные, говорят же вам, остолопам, вон же она, земля.

Наиболее зоркие ладошки козырьками к переносью приладили, пристально так прищурились, пригляделись: и правда, вдали чего-то такое вроде как бы маячит. Еще чуть-чуть пару поддали, приблизились, видят: ну да, земля. Прямо точь-в-точь такая, о какой бабушки-дедушки когда-то сказывали.

Все от мала до велика на палубу повысыпали, да все к одному борту прилипли, так что пароход накренился, бортом воду черпает.

Выскочил на палубу старший помощник.

— Вы что, говорит, совсем, говорит, что ли, почокались, на один борт навалились, так, говорит, нашу посудину нетрудно и перевернуть, потопнете под конец пути, самим же обидно будет. Рассыпьтесь, — говорит, — по палубе равномерно.

Тут и капитан на палубе появился, сунул брови в бинокль.

— Стоп! — говорит. — Все машины немедленно стоп.

Народ кричит:

— Чего там стоп, давай двигай дальше.

Появились, откуда ни возьмись, радикалы всякие, экстремисты из трюмов на свет повылазили и диссиденты.

— Полный, — кричат, — вперед.

Супротив них выдвинулись стойкие карлисты-марлисты, патриоты и защитники принципов.

— Осади, — говорят, — назад.

Центристы говорят:

— Не будем ссориться, давайте сойдемся на компромиссе, будем стоять на месте.

Радикалы гнут свое, если дальше, мол, не пойдем, мы здесь все непременно потопнем. А карлисты-марлисты говорят:

— Лучше потопнем, но с принципами нашими не расстанемся и пройденному пути не изменим.

Патриоты молвят, что лучше на своем родимом корабле помирать, чем на чужом берегу, пусть он даже хоть весь будет лимонами усажен.

— Тем более, — говорят карлисты-марлисты, — что при высадке можно разбиться запросто о прибрежные скалы.

Центристы им подпевают, говоря, что высаживаться на суше не стоит, потому что там неизвестно чего. Может, там джунгли непролазные, может, тигры, удавы, крокодилы, динозавры, а то даже и людоеды.

— Ничего, — кричат радикалы, — ни удавов, ни динозавров не боимся, а людоеды если и есть, они нас кушать не будут, поскольку в нас только кожа да кости — обезжиренный суповой набор. А если людоеды захотят начальством питаться, карлистами и марлистами, то мы лично не возражаем: приятного аппетита.

Тем временем у начальства свои заботы. Оно переполошилось, и вот в капитанской каюте при закрытых дверях началось срочное заседание корабельного совета. Собрались, окромя капитана, первый помощник, штурман, лоцман, боцман, помкорбез и главный бомбардир, который только называется бомбардиром, а на самом деле больше всего любит заниматься с личным составом строевой подготовкой. При закрытых дверях обсуждали они вопрос: причаливать к берегу или же нет. Думали, думали, ничего не придумали, решили послать капитана к Лукичу за советом.

Сказано — сделано. Явился капитан к Лукичу. Присел на краешек гроба и говорит примерно вот что. Так, мол, и так, дорогой Лукич, дела у нас сложились сложные.

Он говорит, а Лукич молчит, он и раньше молчал и советы давал молчаливые.

— Так вот что, — говорит капитан, — согласно капитальному учению Карлы Марлы и твоим, Лукич, незабвенным заветам, шли мы много лет правильным путем в неправильном направлении и вот в конце концов дошли до Лимонии.

Говоря это, капитан заметил, что Лукич во гробе зашевелился и даже приоткрыл один глаз.

Капитан заволновался, вскочил на ноги и вопрос свой закончил стоя.

— Вопрос у нас такой, — сказал он. — До Лимонии мы дошли, а теперь не знаем, как быть. Приставать к берегу или нет?

И тут произошло полное чудо, как и полагается в сказке. Крышка гроба отлетела и со звоном упала на палубу. Но все ж не разбилась, потому что была не из простого стекла и не из золотого, а из бронированного.

Лукич выскочил из гроба и сразу же стал топать восковыми своими ногами и кричать на капитана, слегка при этом картавя:

— Ах ты, какой дурак! Что значит приставать или не приставать? Это же архиглупость. Я бы каждого, кто произносит такие слова, ставил немедленно к стенке.

— Дорогой Лукич, за что же? — перепугался капитан. — Я всю жизнь выполнял все твои заветы. Я вел пароход указанным тобою путем и довел его до Лимонии.

— Архичушь! — опять закричал Лукич. — Что значит, ты довел? А дальше что будешь делать? Выпустишь всех на берег, они там разбегутся и начнут жить сами по себе, без твоего руководства. А что ты будешь есть? Сознательный крестьянин не даст тебе ни одного лимона, а сам ты его вырастить не сумеешь и помрешь с голоду. И все движение карлистов-марлистов вымрет. Разве можем мы это допустить? Нет, не можем! Ты довел пароход до Лимонии. Если бы ты внимательно читал мои заветы, ты бы знал, что я, уходя от вас, завещал вам не довести, а вести, не дойти, а идти, не доплыть до конца, а плыть без конца. Иначе говоря, лавировать, лавировать и еще раз лавировать. Тех, кто таких простых вещей не понимает, надо решительно ставить к стенке. К стенке, к стенке, к стенке!

С этими словами Лукич вернулся в гроб, лег на спину и сложил на груди слепленные из воска руки.

Капитан положил крышку на место, подозвал к себе боцмана и велел свистать всех наверх.

А их и свистать нечего, все давно здесь.

— Дорогие члены команды, уважаемые пассажиры и пассажирки, — обратился к ним капитан, — от имени движения карлистов-марлистов и по поручению нашего корсовета докладываю вам, что основной этап нашего путешествия закончен.

Капитан переждал первые аплодисменты и продолжал:

— Долог был наш путь к намеченной цели, были в пути и подводные рифы, и боковые течения, и штормы, и бури, порой даже тайфуны, готовые поглотить наш корабль вместе с нами. Наше движение усложня-лось наличием в наших рядах маловеров, которые мало верили, нытиков, которые ныли, и хлюпиков, которые хлюпали. Конечно, в пути случалось делать ошибки. Некоторые капитаны не оправдали возложенного на них доверия и заслужили впоследствии плохую славу. Но зато первый наш капитан Лукич, что бы про него сейчас ни говорили, был гений всех морей и океанов. Руководствуясь единственно правильным учением Кар-лы Марлы, Лукич указал нам путь вперед, мы по нему пошли навстречу неизвестному берегу, и вот он, этот берег, перед вами.

При этих словах капитан точь-в-точь, как это делал Лукич, выкинул руку вперед и простер ее в направлении того, о чем говорил.

— Ура-а! — закричали люди и кинулись к своим по-житкам, готовясь сойти с ними на сушу.

— Минуточку! — охладил их капитан. — Не все так просто. Земля рядом, но мы по ней еще никогда не хо-дили. И нам надо подумать, как на нее ступить, левой ногой или правой. Всем сразу или по очереди. Если по очереди, то в какой очередности. Сначала женщины с детьми или ветераны движения. Или же активисты. Это же все надо обсудить. Выработать, я бы сказал, ос-новную стратегию причализации. Процесс этот исклю-чительно сложный, и не верьте тому, кто говорит вам, что это не так. Тут некоторые нам подбрасывают, а че-го, мол, там сложного, давайте, мол, поближе к берегу подойдем, друг за дружкой попрыгаем на него, и все де-ла. Как будто мы, понимаете, какие-то, как бы сказать, козлы. Или допустим, кенгуру, знаете, есть животные такие в Австралии, которые прыгают. Но мы же не кен-гуру, а мыслящие, можно сказать, хомо, извините за вы-ражение, сапиенсы, мы, прежде чем прыгать, должны использовать свой интеллектуальный, так сказать, по-тенциал и взвесить все за и против.

Я думаю, с этим вопросом все ясно, и мы на всякие уловки, которые нам расставляют, не отзовемся. А кто нам чего подбрасывает, тому мы все это таким же порядком назад отбросим. Будем поступать, как нам подсказывает наша теория. А теория говорит, что надо сначала теоретически все рассчитать, а потом уже практически внедрить в практику. Я имею в виду, опять же, причализацию. Полную и необратимую причализацию нашего парохода к берегу, который всем уже виден. Даже тем, кто из себя незрячих как бы изображает, — так и перед ними реальность — уже наглядно, мне кажется, себя им являет. Так что не будем торопиться, а для начала пошлем на сушу ответственную делегацию. Пусть она разузнает, ну, что там за берег, какая почва, какого рода произрастают растения: деревья, кусты, трава или злаки. А также, какие там обитают люди или животные. Все согласны с данным предложением?

— Согласны! — кричат пассажиры.

— Или не согласны?

— Не согласны! — кричат.

Людям некоторым очень не терпится на сушу, а другим все же боязно. Потому как приспособились они уже на пароходе, обжились. Оно хоть и тесно, и мокро, и голодно, и холодно, и качка бывает невыносимая, но все же как-то привычно. А тут взять и ни с того ни с сего — на берег. Потому в большинстве своем с капитаном согласились: надо в самом деле послать делегацию.

Скоро сказка сказывается, да не скоро дело делается.

Послать делегацию надо, да не на чем, шлюпки давно какие покрали, какие спалили. Ну, нашли запас надувных аварийных плотов. Надули первый плот, посадили на него делегацию, отправили, ждут возвращения. День ждут, два ждут, неделю, месяц, делегация не возвращается. Некоторые полагают, что их там, может быть, местные людоеды в пищу употребили, другие предполагают худшее. А именно, что посланные оказались нестойкими элементами и там, куда их послали, остались.

А пароход тем временем все топнет и топнет. Дырки на нем от приближения к берегу меньше не стали. И лопать уже тоже, в общем-то, нечего. Собрали вторую делегацию, понадежнее, из одних сплошь убежденных карлистов-марлистов. Но и эти уехали и пропали. Потом уже много времени спустя выяснилось, что обе делегации в полном составе там, куда уплыли, попросили укрытия. И потом кто-то слышал, уплывшие выступали по враждебному радио и пароход свой, на котором родились и выросли, поливали самыми последними, как говорится, словами, а себя при этом называли убежденными антикарлистами и антимарлистами. Такие вот перевертыши.

Третью делегацию подобрали из убежденных патриотов. И как оказалось, правильно сделали. Эти там заболели ностальгией и остались на чужом берегу вплоть до полного излечения. А один все же вернулся. На него потом все показывали пальцем: вот, мол, какой молодец, в смысле — дурак. Вернулся дурак с подарками. С апельсинами, мандаринами, грейпфрутами, стеклянными бусами и карманными калькуляторами.

Вернулся и сразу в корсовет — докладывать.

Так и так, говорит, земля, которая нам открылась, представляет собою некий архипелаг, состоящий из отдельных островов, и остров тот, который лежит к нам ближе всего, называется...

— Лимония, — подсказал капитан.

— Нет, не Лимония, — отвечает молодец, — а Чертополохия и заросла сплошь этим самым чертополохом.

— У-у! — сказали члены корсовета.

— А за этим островом есть еще три острова, и они называются...

— Бурьяния, — пошутил помкорбез.

— Вовсе нет. Три других острова называются Апельсиния, Мандариния и Грейпфрутландия. Там живут наши враги, очень дружески к нам настроенные.

— Это они такие, потому что они нас не знают, — заметил помкорбез.

— Правильно, — сказал молодец, — я тоже так подумал. Интересно, что жители этих островов даже не слыхали про Карлу Марлу, но достигли очень высокого уровня развития, поэтому, я думаю, их можно называть стихийными карлистами-марлистами. На островах, помимо произрастания одноименных фруктов, текут еще молочные реки с кисельными берегами, причем кисель тоже, в зависимости от названия острова, или апельсиновый, или мандариновый, или грейпфрутовый.

— А почему же ты там все-таки не остался? — спросил вернувшегося перпом.

— Родная палуба тянет, — вздохнул молодец. — Как засну, так все снится, снится. А кроме того, там, извиняюсь, разврату много.

— А в чем именно проявляется? — заинтересовался штурман.

— А в том именно проявляется, что есть у них там такие... как бы сказать... пип-шоу. Монету бросишь, потом в специальную замочную дырку подглядываешь, а там такое... Тьфу! Даже и вспоминать противно.

— Нет, ты уж давай рассказывай, — попросил штурман.

— Рассказывай, рассказывай, — сказал перпом, — нам же это из научного интереса знать надобно.

— А чего там знать? Глаз к дырке приложишь, а там апельсинцы с мандаринками или мандаринцы с грейпфрутландками, или же — наоборот, черт-те чем занимаются.

— Давай подробнее, — попросил старпом.

— Да какой там подробнее. Они же это хитро все устроили. Там пока приладишься, пока разглядишь, что к чему, а дырка уже закрылась. Автоматически. Опять монету бросай. Я сто пятьдесят монет перебросал, смотрю — в кармане пусто. Нет, думаю, не надо мне ваших апельсинов, не надо мандаринов, киселя вашего грейпфрутового не надо, вернусь на родной пароход. Пусть холодно, пусть голодно, а все же среди своих и никаких денег у тебя на всякую дрянь не выманивают.

— Ну, ничего, — сказал главный бомбардир, — вот мы у них высадимся, мы им с этими пипами порядок наведем. Если уж показывают, то пусть бесплатно. У нас все образование бесплатное, и это тоже должно быть без денег.

— Высаживаться у них не советую, — предупредил молодец, — они люди мирные, но натренировались в борьбе с пиратами. И если на них нападают, оказывают очень серьезное сопротивление. И пушки у них с нашими пароходскими не сравнить.

— Ну, а чего же нам делать? — спросил капитан.

— Они предлагают нам высадиться на Чертополохии и там работать. А они помогут. Они говорят, что, когда их предки на их острова прибыли, там тоже был сплошной чертополох, они его весь повыдергали, землю перепахали, посеяли зерно, вырастили урожай, построили дома, наткали тканей, нашили одежды и так постепенно работали все лучше и лучше, пока у них не потекли молочные реки с кисельными берегами.

— И сколько ж у них на это времени ушло? — спросил капитан.

— Они говорят, немного. Лет четыреста, не более.

— Ой, — вздохнул старпом, — все-таки долговато.

— Но они говорят, что ежели мы сразу все засучим рукава и сейчас же примемся за работу, то, может, даже лет за триста управимся.

— Ну, это уж вражеская уловка, — заметил пертом. — Голову дурят. Мы им поверим, засучим рукава, начнем корячиться с чертополохом, а политикомассовая работа, а изучение трудов Карлы Марлы, это значит все по боку?

— И никакой бдительности, — подхватил помкорбез. — Все занимаются чертополохом, а друг другом не занимаются.

— А кроме того, — подал голос главный бомбардир, — с точки зрения строевой подготовки, я думаю, что ей удобнее заниматься на палубе, а не в зарослях чертополоха.

— Вы говорите о мелочах, — заметил капитан, — не трогая при этом главного. А главное состоит в том, что если мы высадимся на берег и поселимся там, то это будет коренное изменение всего уклада нашей жизни. У нас уже не будет штормов, не будет качки, не будет пассажиров, команде нечего будет делать, значит, и капитан такому обществу вроде и ни к чему.

— А еще и то надо отметить, — вмешался перпом, — что на борту наблюдается недовольство среди наших ветеранов. Они говорят, что если мы высадимся в Чертополохии, то следует считать весь пройденный прежде путь напрасным. Значит, ни к чему были наши усилия, наши страдания, наши жертвы. Старики говорят, что молодежь над ними смеется и не проявляет никакого почтения.

— Все ясно, — сказал капитан. — Ну, что ж, мы тут первыми наметками обменялись. Давайте определимся. Какие могут быть решения? Ну, в свете всего вышесказанного, это, на что нас со стороны толкают — высадиться на берег Чертополохии и в чертополохе этом застрять, — это не проходит, правильно? Кто против этого голосует, прошу поднять. Не принято единогласно. Прошу опустить. Второе: напасть на эти Апельсинию, Мандаринию и Грейпфрутландию мы не можем, потому что они сильнее, а к тому, кто сильнее, мы никаких силовых методов не применяем. Кто за то, чтобы отвергнуть силовое решение? Отвергнуто единогласно.

Третье решение остаться на пароходе и никуда не двигаться, тоже принять нельзя, тогда мы либо потопнем, либо, не дождавшись потопления, помрем с голоду. Я вижу вашу насмешку и полностью ее не одобряю. Вы имеете в виду, что с голоду помрем не мы, а я скажу так, значит, сначала не мы, а потом и мы. Так что такое решение для нас неприемлемо, и кто за то, чтобы признать его таковым... Можете опустить. Есть еще, с позволения сказать, предложение, чтоб нам разделиться. Пусть, мол, каждый надует свой плот и — спасайся, кто как может. Это, думается, гнилая идея. Семьдесят с лишним лет мы плыли вместе, значит, и дальше, чего бы там ни случилось, будем идти до конца.

— Но все-таки что-то же делать надо, — сказал штурман.

— Делать надо, — согласился капитан. — Думается, что прежде всего надо накормить личный состав. С этой целью попросим дружеской помощи у наших врагов. Тем более что они еще сами не знают, что они наши враги. Свистать всех обратно наверх, и пусть все на разные голоса, кто как умеет, чего-нибудь просят.

Через некоторое время офицер патрульной службы Сказочного Королевства Оранжевых Островов лейтенант Джеймс Фруктовый, приближаясь на катере к острову Чертополохия, услыхал жуткие крики, от которых ему стало нехорошо. Определив, откуда исходят крики, и приложивши к глазам бинокль, он увидел тонущий пароход и людей, которые, стоя на палубе, размахивают руками и что-то кричат. Направивши катер в сторону парохода, Фруктовый вскоре расслышал, что пассажиры кричат: «СОС! Помогите! Спасите!»

— Чего орете? — спросил лейтенант, подплывши.

Те опять орут:

— Помогите! Спасите!

— А от чего ж вас спасать и чем вам помочь? — спрашивает офицер.

— Тонем, — говорят, — дыры в бортах. Вода хлещет, затыкать нечем.

— Так дойдите до берега и спасайтесь. Вот же он, берег, рядом.

— Нет, что вы, мы на берег никак не можем. Потому что для исхода на берег у нас еще теория причализации не разработана.

— А без теории, просто так вы не можете?

— Не можем, потому что мы заколдованные.

— А кто же вас может расколдовать?

— Никто нас не может расколдовать. Потому что Карла Марла нас заколдовал, а сам помер. И Фриц Ангелочек помер. И Лукич остался вечно живой, то есть обратно ж помер.

— Ну, — говорит офицер, — если вы заколдованные и не можете высадиться на берег, который перед вашими глазами, тогда хотя б затыкайте дырки, чтоб не потопнуть. Или вы и этого не можете?

— Дырки затыкать мы можем, но сейчас не можем. Потому как голодные и силов не имеем.

— Если вы такие голодные, ловили бы рыбу. Здесь ее много. Сплели бы сети, забросили.

— А мы так и сделали. Сплели и забросили.

— И чего вытащили?

— А мы не тащили. Туды-то бросать полегче. А назад-то тащить тяжело.

— Да кто ж так делает? — удивился патрульный. — Кто же это сети забрасывает, а потом обратно не тащит?

— Мы так делаем, — говорят ему с парохода.

— Да вы дураки, что ли? — спросил Фруктовый.

— А мы сами не знаем. Дураки не дураки, но ученье у нас дурацкое. А вот его как раз забросить не можем, потому как оно заколдовано и не выбрасывается.

Ничего не понял Фруктовый, понял только, что люди голодные, что надо помочь.

— Ждите, — молвил.

И с этими словами отчалил.

Видно, там он где-то кому-то чего-то сказал, потому что не прошло и года, как из-за острова на стрежень выплывают три баржи, по одной с каждого из Оранжевых островов, везут с собой продовольственную помощь. Сорок бочек апельсинов, сорок бочек мандаринов и столько же грейпфрутов. Не говоря уже о сгущенном молоке и киселе в банках. А еще привезли веревки, лопаты, грабли, брезентовые рукавицы и мешки с какими-то зернами. Подошли баржи ближе, притерлись к пароходу бортами, передали сначала фрукты. А потом стали передавать остальное, а пассажиры апельсины, мандарины, грейпфруты похватали, за обе щеки уплетают, а на остальное смотрят, но брать не спешат.

— Это еще, — спрашивают, — что такое и для чего, если все равно это есть нельзя?

— А это, — говорят, — подарок от нашего губернатора. Это приспособления для расколдовывания.

Прибывшие на баржах думают, что сейчас те, которые на пароходе, от радости начнут чересчур высоко подпрыгивать, нарушая плавучесть судна, но те хоть бы шелохнулись.

— Каково, — спрашивают, — действие этих приспособлений?

— А действие, — объясняют прибывшие, — очень простое. Сначала вы подходите к суше, потом на этих веревках спускаетесь на берег, потом надеваете брезентовые рукавицы и начинаете выдергивать чертополох.

— Еще чего не хватало, — говорят те, которые на пароходе. — Для чего ж это мы его будем дергать?

— А для того, — им объясняют, — что, когда повыдергаете чертополох, тогда возьмете лопаты, землю перекопаете, граблями подровняете, а потом вот эти семена посеете и потом ежели будете ростки поливать, пропалывать, опылять и так далее, то и сами расколдуетесь, и землю расколдуете, и вырастите на ней очень хорошие лимоны, апельсины и грейпфруты.

Пароходские люди думают, одного, однако ж, понять не могут: зачем же им расколдовываться и столько сил ухайдакивать на выращивание лимонов, когда им почти что такие же плоды островитяне возят за просто так? Перпом между ними ходит:

— Кушайте, граждане, на здоровье, но на уловки на вражеские не попадайтесь. Это вас местные колдуны заманивают, чтобы заставить заняться прополкой чертополоха.

Пассажиры перпому отвечают: ты, мол, за нас не боись, мы, мол, не из тех, кому можно за просто так всучить грабли или лопату. И тем временем дареные фрукты за обе щеки уплетают.

А уплетши, тут же глотки опять разодрали.

— СОС! — кричат. — СОС! Помогите! Спасите! А иные даже и по-иностранному научились.

— Хелп! — кричат. — Хильфе! Рятуйтэ!

Приблизился катер.

— В чем еще дело? — спрашивает подплывший на катере лейтенант Сухофрукт.

— Как в чем дело? Разве ж не видишь, обратно все топнем.

— А чего ж дырки не затыкаете? Вы ж пообедали.

— В том-то и дело, что пообедали, а после обеда мы отдыхаем.

— А работать вы после обеда никак не можете?

— Нет, — говорят. — Мы так заколдованы, что после обеда должны отдыхать. Нам лучше потоп, чем после обеда работать.

— А-а, — сказал офицер и снова отчалил.

Только отчалил, опять орут:

— Помогите! Спасите!

Офицер вернулся.

— Ну, что еще?

— Ну, как же ж, мы ж вашему благородию сколько раз сказали уже человеческим языком: топнем же, потому и кричим.

И снова кричат:

— Спасите!

— Да как же вас спасать, — говорит офицер, — если вы сами себя не спасаете?

— Если бы мы сами себя спасали, зачем мы бы стали орать? Да к тому же у нас дырки большие, а затыкательного материала нет. Так что и после отдыха затыкаться нам будет нечем. Раньше, бывало, наша молодежь дырки собой затыкала, а теперь то ли дырки велики, то ли молодежь отощала, она в эти дырки проскакивает.

Опять вышли в путь баржи, везут затыкательный материал. Слышат, а на пароходе опять же крик:

— Помогите! Спасите! СОС!

С первой баржи им в рупор кричат:

— Ну, чего же вы там орете? Мы же вот везем вам затыкательный материал.

— Какой там затыкательный материал? — кричат. — Есть обратно хотим.

— Эй, вы! — кричат с баржи. — Да что ж вы за такие обжоры? Да мы ж вам только что сорок бочек апельсинов, сорок бочек мандаринов, сорок бочек грейпфрутов привезли. Куда ж вы все подевали?

— Как куда? Часть начальство себе взяло, часть на камбузе растащили, а остальное сгноили.

— Неужели уже сгноили? И так быстро. Ведь срок хранения еще не истек.

— А у нас истек. Мы ж заколдованные. Мы как до чего дотронемся, так оно все немедленно или сгнивает, или в воду падает, или в воздухе растворяется.

— Ну, что с вами делать? — говорят те, которые с баржи. — Тогда ждите, скоро опять прибудем.

Так и ходят эти баржи от своих островов к нашему сказочному пароходу и обратно. И возят ему то фрукты, то затыкательный материал, то лопаты, то грабли, то вилы, то молотки, то сети, то удочки, то крючки, то

еще чего, но все без толку. Поскольку у нас пароход сказочный, а пассажиры заколдованы злым волшебником
Карлой Марлой и работать не умеют. Зато очень хорошо поют. Когда они видят вновь подходящую баржу
с подарками, выходят на палубу с гармошками, с бала-
лайками, играют и поют песни. Чудные какие-то песни,
странные.

— А что это вы поете? — спрашивают их те, что на
барже.

— А это у нас называется песня дружбы, — отклика-
ются с парохода.

И поют:

> Мы долго по морю плутали
> Вдали от родимой земли.
> Искали мы светлые дали,
> Но темные только нашли.
> А так же искали, конечно,
> И вшей, и шпионов в себе,
> И делали это успешно,
> Что видно по нашей судьбе.
> Еще мы стремились насилья
> Разрушить весь мир, а затем...
> Мы много чего посносили,
> Теперь уж не помним зачем.
> И вас собиралися тоже
> Совсем уничтожить, но вы,
> Заморские подлые рожи,
> Уж больно живучи, увы.
> Однако же славных утопий
> В нас дух до сих пор не зачах.
> И мы вас однажды утопим,
> Как только силенок накопим,
> Отъевшись на ваших харчах.
> Пока ж мы остались внакладе
> И очень уж хочется есть.
> Подайте же нам, Христа ради,
> Чего-нибудь, что у вас есть.

Сказка
о глупом Галилее

В некотором царстве, в некотором государстве на некоторой планете, называвшейся, допустим, Земля, жил-был некий молодой, подающий надежды и очень умный астроном по имени, скажем, Галилей. Сразу оговорюсь, что наш Галилей сказочный и его биография с историческим Галилеем совпадает не полностью. Хотя в чем-то все-таки совпадает. Сказочный Галилей жил в государстве, где люди трудились не покладая рук, сеяли хлеб, варили сталь, добывали уголь, пели песни и выступали на митингах. Но он сам песен не пел, от работы отлынивал, от митингов уклонялся и вообще с государственной точки зрения занимался совершеннейшей чепухой. Чепуха эта заключалась в том, что Галилей по ночам, пренебрегая, между прочим, супружескими обязанностями, сидел у себя в обсерватории и таращился неотрывно на звезды через такую трубу, которая называется телескопом. Причем не просто таращился, а в надежде весь мир удивить и додуматься до того, до чего другие люди без него додуматься не могли. И додумался. И побежал утром к жене. А она как раз только позавтракала и принялась за стирку белья.

— Слушай, дорогая, — кричит ей с порога ученый. — Ты знаешь, какой я умный? Ты знаешь, какое я открытие сделал? Нет, ты не знаешь, ты даже представить себе не можешь! Ты знаешь, я сделал такое открытие, которого даже Птолемей не мог сделать! Я открыл, что Земля наша круглая и вращается, причем очень интересно вращается. Вокруг своей оси вращается и одновременно вращается вокруг Солнца!

Галилей, конечно, думал, что жена, услышав такое, кинется ему на шею с объятиями: ах, ты, мол, мой умник, мой гений, генюша, такое открытие совершил! Не зря, скажет, я малой твоей зарплатой удовлетворялась и ночи проводила в сплошном одиночестве. Но ничего подобного наш бедный Галилей не дождался. Жена вместо того, чтобы на шею кидаться и такие слова говорить, бац ему мокрыми кальсонами по мордасам. Ты, мол, мне баки не заливай про верчение Земли и про прочее, я-то знаю, что ты там не на звезды таращишься, а на свою аспирантку Джульетту.

Вот такие бывают женщины. Им какое открытие ни соверши, они всему норовят дать свое собственное истолкование. Если бы жена Галилея поняла, что он действительно совершил большое открытие, может, он, ей об этом сказав, языком дальше трепать не стал бы. А тут он расстроился и пошел, понятное дело, в тратторию. Там, как водится, выпил и на всю тратторию расхвастался, какой он умный, как он открыл, что Земля круглая и вращается и что сами мы на ней тоже вращаемся, как на карусели, и летим в пространство неизвестно куда. А в траттории народ разный, кто на Галилеевы слова вовсе внимания не обратил, кто посмеялся: вот, мол, до чего человек доклюкался, что такую дурь порет. И там же, естественно, нашелся сексот, который тут же слова астронома на ус намотал и в Святейшую инквизицию, как тогда выражались, стукнул. В инквизиции, понятно, такой острый сигнал оставить без внимания никак не могли, и вот получает наш ученый повестку туда-то и туда-то явиться с вещами. Нет, вру, первый раз вызвали его без вещей. Ну, насколько нам известно, настоящему историческому Галилею в инквизиции показали орудия пыток, после чего он сказал, что Земля не вертится, а потом, выйдя оттуда, изменил свои показания и сказал, что нет, вертится. Но я же пишу не историю, а сказку, и в моей сказке все было совершенно не так. В сказке моей никаких таких пыточных орудий нет. Но есть Главный инквизитор, человек вежливый и современный. Вот приходит к этому человеку наш астроном, а тот его в своем кабинете встречает, заключает в объятия, хлопает по спине.

— Здравствуйте, — говорит, — Галилей Галилеевич, безумно рад вас видеть! Как здоровье, жена, детишки, все хорошо? Очень за вас рад, не хотите ли кофею?

Принесли им кофею.

— Пожалуйста, — говорит инквизитор, — угощайтесь, берите молоко, сахар, пряники. Так вот, Галилей Галилеевич, пригласил я вас по делу, можно сказать, совершенно же пустяковому, сейчас мы во всем разберемся и пойдем я к себе домой, вы — к себе.

— А в чем, собственно, дело? — спрашивает Галилей.

— Да и дела-то, собственно, никакого нет, а просто вот поступили в нашу контору от трудящихся сигналы, что будто бы вы проповедуете совершенно нам чуждую, псевдонаучную и во всех отношениях гнилую теорию, будто Земля, как бы это сказать, круглая, наподобие футбольного мяча, и как будто она при этом даже и вертится. Я, конечно, в это нисколько не верю, но сигналы поступают, и мы на них вынуждены реагировать.

— А тут верить или не верить вовсе даже нечего, — отвечает ему Галилей, — дело в том, что Земля действительно круглая и действительно вертится. Причем вертится, как бы сказать, двояко: и вокруг себя самой, и вокруг Солнца тоже вращается.

И стал увлеченно рассказывать, каким образом происходит смена дня и ночи и времена года почему тоже меняются.

Товарищ же синьор Главный инквизитор тем временем вежливо слушает и улыбается. А потом:

— Галилей Галилеевич, — спрашивает, — а вы психиатру давно не показывались?

— Простите, не понял, — говорит астроном.

— Ну, послушайте, ну, как же это может быть, чтобы она круглая была и вертелась. Ведь, рассудите сами, если бы она была круглая и вертелась, то мы бы с нее все непременно попадали и полетели неизвестно куда вверх тормашками.

Галилей стал ему, естественно, чего-то там такое насчет магнетизма плести и насчет всемирного тяготения, но инквизитор только рукой махнул.

— Ладно, — говорит, — идите, подумайте, крепко подумайте и с женой, кстати, посоветуйтесь, она у вас женщина здравомыслящая, она вам объяснит, вертится Земля или не вертится.

Ну, пошел Галилей домой к жене, она как раз шваброй пол протирала.

— Ну что, — говорит, — опять на звезды смотрел, опять открытия делал? — И, конечно, бац ему шваброю промеж рогов.

Галилей обиделся. И сказал жене, что был на этот раз не в обсерватории, а в инквизиции и что ему велели там идти домой и с женой посоветоваться.

Услышав слово «инквизиция», жена первый раз поняла, что дело серьезное, похуже даже, чем если муж за аспиранткой ухлестывает. И только теперь заинтересовалась мужниным открытием. И стала его подробно расспрашивать, как ему такая нелепица пришла в голову. Он стал ей подробно объяснять.

— Ну хорошо, — говорит жена, — допустим, ты даже прав и Земля в самом деле вращается. Но тебе-то какая с этого польза?

— Дело не в пользе, — объясняет ей Галилей, — а в том, что это научная истина. А я, как ученый, отказаться от истины не могу.

Жена видит, дело нешуточное. Драться больше не стала, а стала его уговаривать. Зачем, мол, делать такие открытия, от которых одни только неприятности? Пусть она вращается сколько угодно, а ты себе помалкивай, она от этого своего вращения не прекратит и квадратной не станет.

Тут уж и Галилей рассердился, напыжился и стал произносить всякие возвышенные слова о верности своим принципам и убеждениям, о совести ученого, об ответственности перед грядущими поколениями и так далее в этом духе.

Жена, в свою очередь, тоже много слов на него потратила. Так и так уговаривала. Обещала даже аспирантку простить и на шашни их смотреть сквозь пальцы. Тюрьмой пугала. Молодостью своей попрекала. Детьми малыми заклинала. А Галилей уперся как баран, и ни в какую.

Прошло какое-то время. Земля вращалась вокруг своей оси, вокруг Солнца, день сменялся ночью, а лето зимой, время текло, отношения в семье становились все хуже. Да если б только в семье! Постепенно стал замечать Галилей, что на работе к нему начальство все хуже относится, соседи на лестнице не здороваются, друзья не звонят, а при случайной встрече на другую сторону улицы переходят. А аспирантка Джульетта сменила тему своей диссертации и руководителя тоже сменила. Чувствует Галилей, что тучи над ним сгущаются, а ничего поделать не может.

И вот наконец приглашают Галилея в Астрономическое управление для разбора его персонального дела. Собрались, надо сказать, все светила тогдашней науки, стали разбираться. С кратким вступительным словом выступил Главный астроном. Так, мол, и так, товарищи синьоры, с некоторых пор в нашем здоровом коллективе стали наблюдаться нездоровые явления. Сотрудник наш синьор Галилей распространяет вокруг себя всякие вредные небылицы о том, что Земля наша, на которой мы с вами живем, трудимся, является всего-навсего неким шаром, который вращается в пространстве вроде волчка. Вот я бы попросил наших ученых мужей тоже высказаться по этому вопросу.

Ну, стали ученые один за другим подходить к микрофону. Как потом было записано в протоколе, они выступали страстно, принципиально, выражая чуткость и озабоченность судьбой их заблудшего коллеги.

Один из выступавших долго говорил о незыблемости основополагающих основ учения Птолемея. Другой осветил международную ситуацию, которая настолько сложна, что любой отход от наших нерушимых научных принципов играет на руку врагу и увеличивает опасность войны. В общей дискуссии приняла участие и Джульетта. Она обратила внимание собравшихся на падение нравов в среде молодежи, где наблюдаются идейные шатания, пацифизм, алкоголизм, наркомания, преклонение перед всем иностранным, а в результате — внебрачные половые связи, разрушение семьи и сокращение рождаемости. Одной из причин такого положения дел Джульетта считала возникновение разных незрелых теорий, вроде теории Галилея.

— Если Земля круглая, — сказала Джульетта, — если она вертится, значит, все дозволено, значит, никакой твердой почвы под ногами нет, значит, можно пить, курить, колоться, воровать, убивать, прелюбодействовать.

Еще один ученый напомнил, что государство этого самого Галилея с детства растило, кормило, одевало, обувало и обучало. Но Галилей никакой благодарности, очевидно, не чувствовал, а напротив, снедаемый дьявольским честолюбием и подстрекаемый своими единомышленниками из-за рубежа, все дальше отрывался от коллектива, к мнению товарищей не прислушивался, проявлял признаки зазнайства, высокомерия и вообще считал себя слишком умным.

Еще один астроном по поводу Галилея выразился совсем коротко:

— Я бы лично таких, с позволения сказать, ученых просто расстреливал, — сказал он и под аплодисменты сошел с трибуны.

Потом опять выступил Главный астроном.

— Ну вот, — сказал он, — я рад, что у нас получилось такое оживленное собрание. Выступавшие говорили взволнованно и заинтересованно, они всячески пытались помочь Галилею осознать свои ошибки и заблуждения. Выйдите, гражданин Галилей, на трибуну, наберитесь мужества, признайтесь в своих ошибках, и мы вам все постепенно простим.

Галилей на трибуну вышел, но мужества не набрался. Сначала он, пытаясь увильнуть от ответственности, что-то такое мямлил, что будто о вращении Земли утверждал не из враждебных намерений, а из преданности научной истине. А потом и вообще обнаглел, улыбнулся и сказал:

— Что бы вы тут ни говорили и что бы со мной ни сделали, а все-таки она вертится!

После чего, естественно, терпение у всех лопнуло. Решением общего собрания Галилей из Астрономического управления был уволен, и к делу его опять приступила Святейшая инквизиция. В то время суток, когда Земля повернулась к Солнцу другой стороной, а на этой стороне наступила ночь, приехала к Галилею ночью коляска под названием «черный ворон» и увезла его далеко-далеко.

И вот сидит он в тюрьме. Земля тем временем вращается. И все, что на ней есть: поля, деревья, коровы, тюрьмы, — все это тоже вращается. Раз в сутки — вокруг земной оси, раз в год — вокруг Солнца. Вращаясь вместе с тюрьмой, Галилей постепенно состарился, жена его тем временем вышла за другого, а дети переменили фамилию, чтобы не портить себе карьеру.

А Галилей сидел, и думал, и гордился собой.

— Ну, ничего, — говорил он себе, — ничего, что состарился, ничего, что жена бросила, ничего, что дети отказались, ничего, что сижу в тюрьме. Зато я остался верен своим принципам, а Земля как вращалась, так и вращается, и рано или поздно всем придется признать, какой я был умный.

И, как все большие ученые, наш Галилей оказался в конце концов прав. В результате неутомимого вращения Земли и часовых механизмов наступило наконец то сказочное время, когда мудрым, смелым и, как было сказано, своевременным постановлением правительства было признано, что Земля круглая и вращается вокруг своей оси и вокруг Солнца. В связи с этим постановлением наш сказочный астроном был помилован по старости лет и выпущен на свободу без пенсии.

И вот вышел он за ворота тюрьмы, идет со своими пожитками по улице. А навстречу ему мальчик с новеньким глобусом. Идет, вертит глобус и поет песенку: «Глобус крутится, вертится, словно шар голубой».

Увидя глобус, Галилей удивился и, остановив мальчика, спросил, что это такое. Мальчик охотно объяснил, что глобус — это как бы макет Земли, которая имеет форму шара и вот так вот вертится.

— Ага! — сказал Галилей торжествуя. — Значит, круглая и вертится? А известно ли вам, молодой человек, кто об этом первый сказал?

— Конечно, известно, — сказал мальчик. — Всем известно, что первый об этом сказал Галилей.

— Галилей? — взволнованно переспросил ученый. — А что, этот Галилей, наверно, очень умный был человек?

— Галилей-то? Да что вы! У нас про него даже песенка есть такая: жил на свете Галилей, звездочет и дуралей.

— Что за глупая песенка! — закричал астроном. — Как же Галилея можно называть дуралеем, если он первый сказал, что Земля круглая и вертится!

— А потому и дуралей, — объяснил мальчик. — Умный не тот, кто говорит первый. Умный тот, кто говорит вовремя.

С этими словами мальчик, вертя глобус, пошел дальше. А Галилей посмотрел ему вслед и заплакал. И подумал, что жизнь его прошла зря. Потому что, открыв много такого, чего люди раньше не знали, он только в конце жизни узнал истину, которую другие постигают в детстве.

Новая сказка
о голом короле

В некотором царстве или, точнее сказать, королевстве жил-был король. Тот самый, которого до меня уже описал Ганс Христиан Андерсен. Тот король, который ходил голый. Долго, между прочим, ходил. Уже и Андерсена, который его придумал, не стало, а король все ходит и ходит. И все голый. Из года в год король ходит голый, а вся королевская рать ходит за ним и твердит, что у нашего короля новое платье. Замечательное платье. Лучше всех. Ни у какого другого короля во всем мире нет подобного этому платья. Именно другие короли ходят совсем голые или в лучшем случае в каких-нибудь обносках, которые вот-вот с них спадут.

А наш король разодет, как куколка.

Все жители королевства это знали и подтверждали это при каждом удобном случае. В определенные дни и в неопределенные тоже подданные его величества сходились на митингах и собраниях, выходили на демонстрации, выражая единодушное восхищение платьем своего любимого монарха. И хотя само это платье было выше всяких похвал, народ того королевства торжественно обещал, что скоро-скоро королю будет сшито платье еще лучше этого.

Конечно, в семье не без урода, и среди жителей королевства попадались такие личности, которые находили, что платье короля не совсем хорошее, что король, говоря другими словами, в общем-то мог бы быть одет и получше. Страже и тайной королевской полиции против таких клеветников приходилось принимать определенные меры воспитательного характера. Кого в кандалы закуют, кого засекут кнутами, кого на кол посадят, каждому, как говорится, свое.

Несмотря на столь суровые вынужденные меры, подобные преступления полностью изжить все же не удавалось.

Иной раз кажется, всюду уж тишь да гладь и народ поголовно и полностью восхищен платьем своего короля, как откуда ни возьмись появляется некий глупый мальчик и не своим голосом вопит: «А король-то голый!»

Начитавшись Андерсена, мальчик, конечно, воображает, что, как только он это выкрикнет, народ тоже смекнет, что к чему, и заметит, что король действительно гол. И все скажут: «Спасибо тебе, мальчик, спасибо, дорогой, спасибо, умница, что подсказал, мы-то сами не видели». И даже найдется еще какой-нибудь Андерсен, который про него сказку напишет. Мальчик не знал, что королевство живет по сказкам не Андерсена, а дедушки Карлы Марлы, а в этих сказках всякие глупые возгласы насчет голости короля приравниваются... как бы это сказать... к террору.

Стоило мальчику что-нибудь такое воскликнуть, как королевская стража тут же его хватала и уволакивала, а народ расходился, про себя бормоча: «Сам виноват, не надо чего зря болтать языком. Подумаешь, Америку открыл: король голый! Ясно, что голый, все знают, что голый, но кричать-то зачем?»

Следует отметить, что строгие меры приводили к положительным результатам, со временем количество таких глупых мальчиков постепенно, в общем-то, убавлялось. Одних родители загодя пороли, другие сами без порки умнели. И, поумнев, начинали понимать, что выражать свои мысли можно по-разному. Можно опасным, а можно совсем безопасным образом. Можно кричать, что король гол, имея в виду, что он гол. А можно, имея в виду то же самое, кричать, что король распрекрасно одет.

В результате в этом королевстве развилось очень высокое искусство наоборотного понимания. Иногда даже понимания с юмором. То есть один житель королевства встречал другого и говорил: «Вы видели, какое сегодня замечательное платье у короля?» Другой немедленно хватался за живот и хохотал до упаду, понимая, что речь идет о том, что у короля вообще никакого платья нет. «Да-да-да, конечно, я обратил внимание, — отвечал другой, давясь от смеха. — Причем мне кажется, что сегодня на нем было платье еще лучше вчерашнего». После чего от смеха давились оба.

Нельзя не отметить того, что и литература в королевстве тоже развилась необычная. Там были писатели правоухосторонние, которые писали через правое ухо. Правоухосторонние писатели, допустим, писали так: «В нашем королевстве и далеко за его пределами, и на всем белом свете все знают, что лучшее в мире платье носит наш любимый король». Люди, читая такие слова, мысленно возмущались, мысленно говорили: «Какая ложь!» — и выкидывали эти книги немедленно на помойку. Выкидывали, впрочем, тоже в основном мысленно. Лево же ухосторонние писали то же самое, иногда слово в слово и даже с теми же точками и запятыми, но имели в виду совершенно противоположное. И люди, читая те же слова, надрывались от смеха, а потом текст передавали из рук в руки, переписывали, а то даже заучивали наизусть. Со временем разница между писателями левоухосторонними и правоухосторонними в значительной мере стерлась. Настолько стерлась, что многие современные специалисты, читая книги, никак не могут понять, чем именно левоухосторонние сочинители отличались от правоухосторонних. Тем более что, как известно, в свое время правоухосторонние из тактических соображений иногда выдавали себя за левоухосторонних, а левоухосторонние успешно делали вид, что они правоухосторонние.

Иностранцы, бывая порой в том королевстве, потом сообщали в своих газетах и очень удивлялись тому, насколько глубоко наоборотное понимание проникло в сознание каждого жителя королевства. И все началось именно с королевского платья. С тех пор, когда стало считаться, что тот, кто хвалит королевское платье, говорит правду, а кто говорит, что платья нет, — лжет. В конце концов люди стали называть черное белым, горькое сладким, сухое мокрым, плохое хорошим и левое правым, а правое — левым. И в конце концов, все перепуталось до невозможности. Если человеку говорили, что на улице очень тепло, он надевал шубу. Если говорили, что холодно, он, наоборот, раздевался, почти как король. Если ему про какую-то еду говорили, что это очень вкусно, он ее не трогал, опасаясь, что его от нее стошнит.

Тем временем время шло, в королевстве ничего не менялось, и король как ходил по улицам в чем королева его родила, так и ходил, постепенно старея. Или, в переводе на местный язык, быстро молодея. А чем больше он старел, то есть молодел, тем больше отсутствие платья сказывалось на королевском здоровье. Здоровье его все время ухудшалось, то есть, говоря по-тамошнему, наоборот, улучшалось. Улучшалось так, что то насморк у него, то грипп, то воспаление легких, того и гляди, загнется. То есть, наоборот, разогнется.

В конце концов, собрались королевские министры на закрытый совет министров и стали думать, что делать. Первый министр говорил так.

Конечно, у нашего короля очень хорошее платье, очень элегантное платье, но ввиду течения возраста в обратную сторону и наступления время от времени временных похолоданий, то бишь потеплений, я предлагаю сшить королю совсем новое платье и надевать его поверх старого нового платья, пусть новое новое будет не столь элегантно, как старое новое, но чтобы в нем все же королю было холодно, то есть тепло. Министр идеологии говорит: нет, так дело не пойдет, если мы сошьем королю новое новое платье, то народ, увидев его, решит, что старое новое платье было вовсе не платье, то есть это было даже совсем ничто, то есть король, скажут, был просто гол. Поэтому я предлагаю никакого нового платья не шить. Министр хлопчатобумажной промышленности говорит: тем более что для нового платья у нас в королевстве слишком много хлопка и слишком много бумаги, иначе говоря, ни того, ни другого нет. Министр королевской тайной полиции ничего не говорит, только что-то записывает, у него-то бумага есть.

Думали-думали и решили примерно так, что столь замечательное, то есть бедственное положение в королевстве сложилось потому, что мы слишком много говорили правды, то есть, конечно, врали. А теперь будем не слишком. Давайте, говорят, вернемся к исконным понятиям и черное будем называть, ну, если не сразу черным, то для начала, может быть, синим, а потом даже серым. А правду будем называть правдой или почти правдой, или правдой в значительной степени, а про ложь скажем, что она не всегда отражает то, что видит, правдиво, порой отражает не совсем правдиво, иногда даже неправдиво совсем.

Так порешили министры и объявили свое решение народу.

Оживилось королевство. Люди так устали от правды, которая наоборот, что, как только им разрешили, все наперебой кинулись говорить правду, которая правда. Кинулись-то кинулись, а не могут. Рты пораскрывали, а языки, хоть и без костей, не ворочаются, липнут то к верхнему нёбу, то к нижнему. Привыкли все говорить наоборот, а не наоборот не привыкли. Но люди стали все же учиться и тренировать свои языки, приучая их к правде. И вот ораторы выступают, газетчики пишут, что в результате определенных негативных тенденций в последние двадцать лет король наш одет не очень-то хорошо. Раньше мы, мол, писали и утверждали, что король наш одет лучше всех, но это не совсем так.

Понятно, вскоре наметился в выступлениях разнобой. Одни говорят, ну зачем уж так, наш король и раньше был одет распрекрасно, и сейчас он наряжен неплохо. Ну, может быть, какой-то небольшой непорядок в его одежде бывает, но это может случиться со всеми. А если даже случался большой непорядок, то зачем же об этом вспоминать и бросать тень на нашего короля?

Другие, конечно, были критичнее. Нет, говорят, мы должны сказать правду, мы должны сказать полную правду. Король наш одет недостаточно, он, можно даже сказать, почти совсем не одет. И, между прочим, люди говорили все это совершенно свободно, никакая стража их не хватала, да и вообще никакой стражи видно не было, не считая, естественно, секретных агентов, — тех было видно, но трудно было узнать, поскольку они делали вид, что они тоже такие же люди, как мы.

Граждане королевства продолжали обсуждать недостатки королевской одежды и изъяны в ее покрое, а король ходил между ними и проклинал их, как мог. Он был уже старый, он мерз, дрожал от холода, у него были насморк, грипп и воспаление легких одновременно. Ему хотелось, чтобы кто-нибудь из людей заметил, что он совершенно гол, чтобы появился хотя бы какой-нибудь глупый мальчик, но мальчиков глупых давно уже не было, все были умные и готовы были в крайнем случае обсуждать качество королевской одежды, но не ее отсутствие.

И тогда король не выдержал и сам закричал на всю Дворцовую площадь:

— Король голый! Голый! Голый!

При этих криках в народе произошел некий пере-

полох. Одни очень перепугались. Другие сразу низко
потупились и поспешили уйти с Дворцовой площади подальше от греха, боясь, что запишут в свидетели.
Секретные агенты и невесть откуда возникшая тут же
стража кинулись вязать бунтовщика, думая, что это
опять какой-нибудь глупый мальчик. Но увидев, что
это не глупый мальчик, а сам король, растерялись и не
знали, что делать.

А тут как раз появился глупый мальчик.

— Король голый! — закричал он. — Голый! Голый!

И еще много — десять, двадцать, а может, и сто глупых мальчиков тут появилось, и все стали кричать, что
король голый. И стража, видя, что глупых мальчиков
так много, тронуть их не решилась. Тем более что король и сам принародно признал свою голоту.

С тех пор в этом королевстве можно говорить, что
хочешь. Даже что король голый. Никто на это не обращает внимания. И ничего из этого не происходит. А король
как ходил, так и ходит голый. Потому что ему все никак
не могут сшить новое новое платье. То материалу подхо-
дящего нет (а королям из чего попало платья не шьют),
то портных достаточно искусных найти не могут (а неис-
кусных для такой важной работы не приглашают). Так он
и ходит голый. И говорить об этом можно сколько угодно. Чем люди некоторое время и занимались. Ходили по
улицам и кричали, что король голый. На демонстрациях
носили его голые изображения. На концертах пели о его
голости всякие неприличные частушки.

Но в конце концов всем это ужасно наскучило. И сама жизнь в королевстве тоже стала удивительно скуч-
ной. Раньше люди получали удовольствие оттого, что
ходили смотреть на голого короля. И оттого, что, крича о его замечательном платье, понимали, что на самом
деле никакого такого платья нет. И очень смеялись,
передавая друг другу свое впечатление от прекрасного
платья короля. И возмущались книжками правоухосто-

ронних писателей, которые писали в прямом смысле, что король хорошо одет. И надрывали животики, читая книжки левоухосторонних писателей, которые писали книжки о том, что король прекрасно одет в совершенно обратном смысле.

И вообще тогда жить было лучше, чем сейчас.

Сказка о недовольном

Жил-был один человек и всегда чем-то был недоволен. Идет снег, ему не нравится — холодно. Светит солнышко, он недоволен, что жарко. Дождь идет, ему мокро.

Вот такой привередливый человек. Но если бы речь шла только о климате. Так нет же, ему и всякие другие обстоятельства жизни тоже не нравились. То ему горько, то кисло, то жестко, то тесно, женой недоволен, детьми недоволен, самим собой и то недоволен. Мы, конечно, проявили гуманизм, понимание и терпение. Мы его вызывали, мы с ним беседовали по-хорошему, мы надеялись, что он поймет все и осознает. Мы ему говорили: ну как же тебе не стыдно! Ну, допустим, климат у нас не тот, и жена у тебя неряха, и сын — двоечник, и у самого тебя печень болит, но ты посмотри вокруг, сколько чего хорошего делается. Как преображается жизнь, какие строятся заводы, электростанции и прочие вещи. Говорили мы с ним обо всем этом, а толку — чуть. Все равно всем недоволен, товарищеским нашим советам внимать не хочет, проявляет заносчивость, недоверие к коллективу, на путь исправления не становится. Пришлось применять более строгие меры. Арестовали его, судили, приговорили к расстрелу.

Конечно, насчет арестов и приговоров мы в свое время допускали некоторые перегибы, отклонения и нарушения. В чем мы впоследствии честно и смело признались. И вернулись к нормам. И хватит об этом.

Тем более что этого недовольного мы не расстреляли, не успели. И даже напротив, в период возвращения к нормам вновь пересмотрели его дело, взвесили обстоятельства, учли его молодость, глупость, политическую незрелость и, руководствуясь чувством гуманности, решили расстрел заменить лагерным сроком. Отправили на лесоповал бревна пилить.

Казалось бы, радоваться человек должен, испытать чувство благодарности, оценить наш гуманный подход. А он опять недоволен. Климат, говорит, суровый, срок большой, бревна толстые, пила тупая, а пайка тонкая.

Мы опять проявили понимание, терпение, гуманизм. Погоду не улучшили, но срок скостили, норму по бревнам снизили, а пайку увеличили. А он все недоволен.

В период второго возвращения к нормам заменили ему лагерь ссылкой. С лесоповала перевели на лесопилку. Казалось бы, совсем стало хорошо. Ни тебе заборов, ни конвоиров, ни собак. Только и делов-то, что ходить на лесопилку да в милиции по вечерам отмечаться и из дому позже восьми вечера не отлучаться. Разве это не гуманно? А он, что вы думаете? Опять недоволен. На лесопилку ходить не хочет, в милиции — трудно, что ли? — отмечаться не желает и по вечерам дома сидеть ему тоже не нравится. За такую капризность его следовало бы наказать, но, руководствуясь чувствами свойственного нам человеколюбия, мы в процессе третьего возвращения к нормам уж даже на такую крайнюю меру пошли, что вовсе от наказания его освободили. Живи, где хочешь (за исключением, понятно, столиц, областных центров, больших городов и городов-героев). Теперь он сторожем на складе лесопиломатериалов работает, зарплату получает, комнату ему дали в полуподвале рядом с котельной, а в нем опять никакой благодарности, а напротив, сплошное недовольство. Вот какой трудный, неуживчивый человек. Сколько для него ни старайся, сколько ни угождай, он все равно недоволен.

Мы лучше всех

В некотором царстве, в некотором государстве жили-были мы, и мы были лучше всех. Вернее, сначала мы были такие, как все. Вечером ложились, утром вставали, весной сеяли, осенью собирали, зиму на печи проводили, детей зачинали.

Но однажды мы решили, что мы лучше всех. Скинули царя, поставили председателя, стало у нас не царство, а председательство. Председатель согнал нас на митинг: «Отныне, — говорит, — товарищи, мы лучше всех. Кто за? Кто против? Кто воздержался?»

Сначала были такие, которые против — их, понятно, уволокли. На мыло. Потом уволокли воздержавшихся. Назначили новое голосование. Кто за то, что мы лучше всех? Мы стали в ладоши хлопать.

— Позвольте, — говорит председатель, — ваши аплодисменты считать одобрением предыдущих аплодисментов.

Мы ему в ответ выдали бурные аплодисменты.

— Позвольте ваши бурные аплодисменты считать одобрением продолжительных.

Тут мы и вовсе впали в раж и в овации.

Да здравствует председатель, да здравствует председательство, да здравствуем мы, которые лучше всех! Кричим, плачем, руками плещем, на ладонях мозоли такие набили, хоть гвозди без молотка заколачивай. Гвозди, однако, заколачивать некогда, надо же заседать на собраниях, выступать на митингах, помахивать ручками на демонстрациях.

Тут надо несколько слов сказать о наших обязательствах. Мы, конечно, и так уже были лучше всех, но, собираясь между собой, брали на себя обязательство быть еще лучше. Один, скажем, говорит: «Беру на себя обязательство стать лучше на шесть процентов». Аплодисменты. Другой обещает быть лучше на четырнадцать процентов. Продолжительные аплодисменты. Третий говорит: «А я беру обязательство стать лучше на двести процентов». Ему, конечно, самые бурные аплодисменты и звание «лучший из лучших». Но не самый лучший, потому что самым лучшим у нас завсегда был наш председатель.

А вокруг нас другие люди живут. Раньше они считались такими, как мы, но с тех пор, как мы стали лучше всех, они, понятно, стали всех хуже. Ну, и в самом деле. Живут скучно, по старинке. Вечером ложатся, утром встают, весной сеют, осенью собирают, зиму на печи проводят, детей зачинают, в свободное время пряники жуют. Обыватели, одним словом. А мы живем весело. На работу ходим колоннами. С песнями и знаменами. Лозунги произносим: выполним, перевыполним, станем даже лучше самих себя. А планы у нас серьезные, планы у нас грандиозные. Накопаем каналов, просверлим в земном шаре сквозную дыру, соединимся с Луной при помощи канатной дороги, растопим Ледовитый океан, а Антарктиду засеем овсом. И тогда уж станем настолько лучше всех, что даже страшно.

Постоянно улучшаться очень помогали нам наши философы, писатели, поэты и композиторы. Философы создали передовую теорию всехлучшизма, теорию всем понятную и доступную: «Мы лучше всех, потому что мы лучше всех!» Писатели написали много романов о том, как просто лучшее побеждает менее лучшее, а затем уступает дорогу еще более лучшему. Поэты и композиторы на эту же тему сочинили немало песен, которые помогали нам достичь небывалых высот всехлучшизма. Высот мы достигли, но всех планов все же не выполнили. Землю сверлили, недосверлили, канат тянули, недотянули, льды топили, не растопили, а овес в Антарктиде еще не взошел. Но наворочали много. Мы бы еще больше наворочали, но голод не тетка. Эти-то, которые хуже всех, они свое наработали, сидят пряники жуют с маслом. Мы на них смотрим с презрением, как на бескрылых таких обывателей, а кушать, однако, хочется.

Собрал нас председатель: «Мы, — говорит, — хотя и лучше всех, но в пути немного затормозились. А чтобы стать нам еще лучше, надо, говорит, догнать и перегнать тех, которые хуже всех». Ну, стали перегонять. Те, которые хуже всех, зимой еще греются на печи да детей зачинают, а мы уже на поля вышли с песнями да знаменами. Они ждут милостей от природы, когда весна сама к ним в гости придет, когда солнышко пригреет, и только тогда идут сеять, а мы дожидаться не стали и по снегу все засеяли и этих, которые хуже всех, враз догнали и перегнали. Эти, которые хуже, по осени еще на полях ковыряются, урожай собирают, а у нас уже все готово и собирать нечего. Опять зима наступила, эти пряники жуют, а мы лапу сосем, как медведи. Лапа, как известно, продукт диетический. Ни диабета, ни холестерина, ни солей, ни жировых отложений. При таком питании мозг отлично работает, все время одну и ту же мысль вырабатывает: где бы чего поесть? А поскольку поесть в общем-то нечего, то мозг еще лучше работает, и стала возникать в нем такая мысль, что, может быть, мы лучше всех тем, что мы хуже всех. И мысль эта уже распространяется, проникает и внедряется в наши массы. Мы лучше всех тем, что мы хуже всех. И хотя на митингах и собраниях мы все еще говорим, что мы лучше всех, но между митингами и собраниями думаем, что мы всех хуже. Иногда среди нас попадаются разные смутьяны, которые хотят нас принизить и оскорбить, намекая на то, что мы не лучше всех и не хуже всех, а такие, как все. А мы до поры до времени это терпим, но долго терпеть не будем, уволокем их на мыло. Потому что мы всегда готовы быть лучше всех, в крайнем случае сойдемся на том, что мы хуже всех, а вот быть такими, как все, мы, нет, не согласны.

Содержание

Литературно-художественное издание

КЛАССИЧЕСКАЯ ПРОЗА ВЛАДИМИРА ВОЙНОВИЧА

Войнович Владимир Николаевич

В СТИЛЕ АНДРЕ ШАРЛЯ БУЛЯ

Ответственный редактор *О. Аминова*
Младший редактор *М. Каменных*
Художественный редактор *А. Сауков*
Технический редактор *Г. Романова*
Компьютерная верстка *Е. Кумшаева*
Корректор *Т. Остроумова*

ООО «Издательство «Э»
123308, Москва, ул. Зорге, д. 1. Тел. 8 (495) 411-68-86.

Өндіруші: «Э» АҚБ Баспасы, 123308, Мәскеу, Ресей, Зорге көшесі, 1 үй.
Тел. 8 (495) 411-68-86.
Тауар белгісі: «Э»
Қазақстан Республикасында дистрибьютор және өнім бойынша арыз-талаптарды қабылдаушының
өкілі «РДЦ-Алматы» ЖШС, Алматы қ., Домбровский көш., 3«а», литер Б, офис 1.
Тел.: 8 (727) 251-59-89/90/91/92, факс: 8 (727) 251 58 12 вн. 107.
Өнімнің жарамдылық мерзімі шектелмеген.
Сертификация туралы ақпарат сайтта Өндіруші «Э»

Сведения о подтверждении соответствия издания согласно законодательству РФ
о техническом регулировании можно получить на сайте Издательства «Э»

Өндірген мемлекет: Ресей
Сертификация қарастырылмаған

Подписано в печать 12.08.2016. Формат 84х108 $^1/_{32}$.
Гарнитура «Ньютон». Печать офсетная. Усл. печ. л. 16,8.
Тираж 3000 экз. Заказ 2675/16.

Отпечатано в соответствии с предоставленными материалами
в ООО «ИПК Парето-Принт», 170546, Тверская область,
Промышленная зона Боровлево-1, комплекс № 3А,
www.pareto-print.ru

ISBN 978-5-699-91237-7

16+

В электронном виде книги издательства вы можете
купить на www.litres.ru

ЛитРес:
один клик до книг